Casting Stars

Casting Stars

Casting Stars – The Chronicles of Astra.
Copyright © 2018 Midnight 2 Midnight productions / John Nolan and Valter dos Santos

Editores: *Luiz Saegusa e Cláudia Z. Saegusa*
Projeto de Capa: *Valter dos Santos*
Arte de Capa: *Raphael Sanzio (@raphael.sanzio)*
Finalização de Capa: *Luiz Saegusa e Mauro Bufano*
Projeto gráfico e diagramação: *Casa de Ideias*
Tradução: *Rosemarie Giudilli e Camila G. Cordioli*
Revisão: *Rosemarie Giudilli*
1ª Edição: *2018*
Impressão: *Lis Gráfica e Editora*

Rua Lucrécia Maciel, 39 – Vila Guarani
CEP 04314-130 – São Paulo – SP
11 2369-5377 – www.letramaiseditora.com
facebook.com/letramaiseditora

Dados Internacionais de Catalogação na Publicação (CIP)
(Câmara Brasileira do Livro, SP, Brasil)

Santos Junior, Valter Lopes dos
    Casting stars : as crônicas de Astra / Valter Lopes dos Santos Junior, John Nolan ; tradução Rosemarie Giudilli e Camila G. Cordioli. -- 1. ed. -- São Paulo : Intelítera Editora, 2018.

    Título original: Casting stars : the chronicles of Astra
    ISBN: 978-85-63808-94-3

1. Ficção inglesa I. Nolan, John. Título.

18-17920   CDD-823

Índices para catálogo sistemático:
1. Ficção : Literatura inglesa   823

Cibele Maria Dias - Bibliotecária - CRB-8/9427

Dedicatória

Gostaríamos de dedicar esta primeira temporada de *Casting Stars* a nossas famílias e amigos queridos, que enchem os nossos universos de muito amor.

À minha avó

Minha avó, Dina, uma das mulheres mais importantes da minha vida, faleceu semanas antes da publicação desta edição e eu gostaria de também dedicar esta temporada de *Casting Stars* a ela.

Eu sou...
O olhar de felicidade com o qual seus olhos azuis da cor do mar me encaravam todas as vezes que eu chegava.

Eu sou...
Seu colo macio que muito serviu para brincarmos de "Serra serra serrador" e também me abrigou quando precisei chorar e me confortar com o seu amor.

Eu sou...
Suas risadas contagiantes e seu jeito faceiro que tanto me permitiu sonhar.

Eu sou...
Seus bolinhos de polvilho, suas macarronadas de domingo e o seu amar em forma de cozinhar.

Eu sou...
Seus beijos em minha testa, meus beijos em sua mão, pedindo a benção nas minhas milhares de chegadas e partidas.

Eu sou...
Todo o amor que você sempre me deu, sem me julgar, sem me condenar, feliz por eu ser simplesmente quem sou.

Eu sou, e para sempre eu serei seu neto que agradece por ter você para sempre no meu viver.

Valter DS.

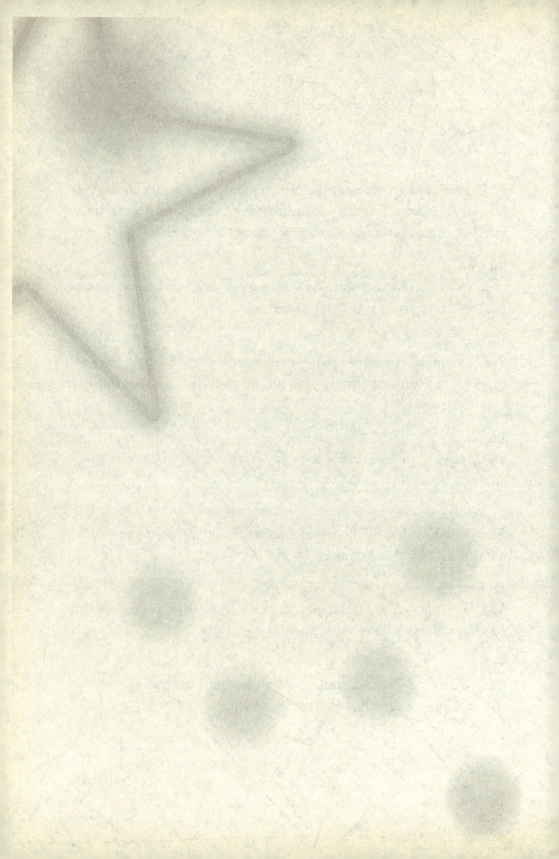

Introdução

Querido estrela e leitor. Bem-vindo à nossa série, *Casting Stars*®. Esta é a primeira temporada, que intitulamos de "As Crônicas de Astra".

Casting Stars nasceu do nosso sonho de escrever uma série que falasse do amor em suas mais diferenciadas formas.

Este primeiro livro da série contém horas, dias, meses e anos de trabalho em que colocamos todo nosso amor, traduzido em palavras, na história desses personagens que esperamos que vocês passem a amar, assim como nós os amamos.

Ed, Amy, Daniel e os demais personagens de *Casting Stars* com suas histórias, seus amores e suas músicas foram criados por nós; e hoje eles nascem para vocês, nossas "estrelas leitores".

Por favor, cuidem bem deles :)

E, para imergir ainda mais no universo de *Casting Stars*, convidamos todos vocês a ouvirem a trilha sonora e as músicas originais, compostas especialmente para a história, e assim ser transportados para a cidade de Londres e se sentirem ainda mais pertinho de todos os personagens. A trilha sonora está disponível em todas as plataformas digitais de música como: *Spotify, Itunes, Tidal* etc...

Já baixou as músicas? Então prepare-se, assim que você virar a página será transportado para a Inglaterra, e avisamos desde já: que você terá muitas emoções pela frente.

Com amor,

do John e do Valter.

Sumário

Episódio Piloto...13

Episódio Casting Stars...29

Episódio Um dia de cada vez...57

Episódio A Garota de Ipanema..93

Episódio A menina de coração partido...........................133

Episódio Love of my life..167

Episódio Cometas 191

Episódio Lennon 225

Episódio Elvis..267

Episódio Reveillon 313

Episódio Piloto

Capítulo 1

Véspera de Ano Novo

Daniel fechou as páginas dos diários de seu avô e os colocou de lado. Sua mente voltou-se para uma lembrança gostosa de seu avô. Ele se lembrou, então, de um momento de sua infância com o seu avô:

– *Daniel, meu querido, toda minha vida venho pensando sobre o significado de nossas existências. Por que estamos aqui, como paramos aqui e qual é o nosso propósito. Finalmente, agora, no fim da vida, chego à conclusão de minha teoria: cada átomo de nosso ser é parte do universo, por isso somos regidos pelas mesmas normas. E esse deve ser o nosso propósito aqui na Terra, já que não podemos ficar de fora.*

Daniel, então, com cinco anos de idade, fitou o avô confuso. – Vovô, isso é tudo muito complicado.

– Não se preocupe meu neto. Eu escrevi tudo em diários. Eu quero que você seja o guardião desses diários e que um dia reúna meus pensamentos e teorias e prove que no meu trabalho está a resposta, o significado de tudo.

Daniel chacoalhou a cabeça e retornou à triste realidade. Juntou as velhas páginas do diário, já amareladas, e as amarrou com uma fita. Seu rosto revelava o stress e a tristeza trazidos pelos últimos acontecimentos. Ele pegou seu celular, deslizou o dedo pela lista de mensagens, na esperança de ter recebido notícias do estado de saúde de seus amigos que haviam sofrido um acidente de carro e estavam no hospital em estado grave. Olhou seu whatsapp e com muita tristeza verificou que não havia novidades. Fechou os olhos e pensou neles com muito carinho, desejando que ficassem bem, porém seu coração lhe dizia que não. O pior estava por vir...

Capítulo 2

Quatro anos antes. Bristol, Inglaterra

Daniel e Amy estavam sentados do lado de fora do alojamento de estudantes, onde uma festa acontecia.

Amy abraçava Daniel, chorando em seu ombro: – Que cafajeste! Eu não poderia imaginar que ele faria algo desse tipo comigo, Dan. E a pior parte é que foi com a Jessica! De todas as garotas, tinha de ser com ela? – Amy soluçava. – Que idiota!

Daniel deu a ela um lenço de papel: – Não chore por causa dele, não vale a pena. Ele ainda vai se arrepender.

Amy pegou o papel e assoou seu nariz, bem alto: – Mas Daniel, nós tínhamos planos. Tínhamos planos! E ele estragou tudo, tudo por causa daquela oferecida! Íamos nos mudar para Londres; ele até já estava falando em noivado! N.O.I.V.A.D.O!

À medida que falava, Amy ficava cada vez mais brava: – Por que eu ia querer ficar noiva? Eu tenho apenas dezenove anos, pelo amor de Deus. Por que eu considerei noivar e casar? Foi ele, foi tudo culpa dele, e agora ele fez isso.

Daniel acariciou seus cabelos, na tentativa de acalmá-la. E mostrou segurança ao afirmar, enquanto ela assoava novamente o nariz: – Talvez tenha sido melhor você ter se livrado dele, Amy.

Daniel a abraçou e ela descansou sua cabeça no ombro dele. Ela ainda soluçava. Daniel olhou para sua camiseta branca nova e notou uma enorme mancha preta de rímel. Ele revirou os olhos, tentando não se importar com a mancha.

"Que legal! Pelo jeito não vou sair com ninguém essa noite", ele disse a si mesmo fitando a mancha em sua camisa.

– O que você disse? – perguntou Amy, com voz frágil.

– Nada, não se preocupe – disse ele, tranquilizando-a.

De repente, eles ouviram um som vindo diretamente de um arbusto próximo a eles.

– Você ouviu isso? – perguntou Daniel, assustado.

– Sim, ouvi algo – Amy secou as lágrimas e passou a olhar nas duas direções, tentando identificar de onde vinha o som.

– Parece que foi embora – disse Daniel, aliviado.

– Parece que sim.

Em seguida, o barulho surgiu novamente, ainda mais alto, fazendo com que Daniel sobressaltasse.

– Daniel, eu estou começando a ficar com medo. É tudo que precisamos, alguém vir e nos atacar, logo depois de eu ter sido traída por aquele idiota... – Amy ficou de pé e segurou a mão de Daniel.

– Vamos sair correndo daqui antes que essa coisa nos ataque! Vamos, Amy, por favor?

– Dan, não seja tão covarde! Vamos até lá descobrir o que está causando este barulho. Pode ser alguma coisa ou alguém que precise de ajuda.

Amy arrastou Daniel para perto do arbusto, enquanto ele tentava puxá-la de volta. Eles ficaram em um puxa e repuxa até Amy lhe dar um grande empurrão em direção ao arbusto.

– Vamos, seu covarde!

Amy finalmente conseguiu arrastar Daniel próximo à área de onde vinha o barulho. Daniel pegou um galho seco do chão e o levantou. Quando Daniel cutucou o arbusto com o galho, eles ouviram um estrondo no chão. Daniel e Amy imediatamente pularam para trás, e Daniel jogou o galho longe.

Amy colocou o celular no modo lanterna para iluminar o lugar.

– Vai Dan, você primeiro! – disse ela, empurrando-o para o arbusto. Ela se afastou alguns passos para trás e tapou os olhos.

Daniel desequilibrou-se e caiu bruscamente dentro do arbusto.

Ainda com os olhos tapados, Amy pôde ouvir os gritos de Daniel causados pela queda.

– Meu Deus, Daniel. Você tá bem? O que aconteceu?

Amy colocou sua cabeça dentro do arbusto e, quando tirou as mãos dos olhos, ela viu Daniel em cima de um garoto que estava seminu.

Daniel gritava sem parar.

O garoto lutava para reagir, como se estivesse apresentando alguma dificuldade de se expressar.

– O que você tá fazendo aqui? – perguntou Daniel. – A propósito, quem é você?

O garoto, que era bem maior que Daniel, o segurava pelos ombros, tentando evitar que tocasse seu corpo.

– Saia... – o estranho lutou para dizer.

Amy aproximou-se e apontou para o estranho: – Acho que ele está tentando dizer algo.

– O que você está querendo falar? – perguntou Daniel.

O estranho tentou falar novamente: – Quero...Que...Vo...Vo.

– Do que você precisa? – Daniel perguntou.

O garoto estava cada vez mais agitado e irritado. Ele lutava para respirar.

– Que você saia de cima de mim! – finalmente, ele disse.

– Oh, desculpe – Daniel imediatamente saiu de cima do garoto e ficou em pé.

– O que você faz aqui, a essa hora da noite, seminu? Você é algum tipo de pervertido ou algo do tipo? – perguntou Amy, olhando enojada.

O jovem colocou sua mão na garganta. Sua respiração parecia piorar a cada minuto.

– Esse cara não parece estar bem – disse Daniel.

– Bombinha... Eu preciso da minha bombinha – ele finalmente conseguiu falar após muito esforço.

– Caraca! Ele deve estar tendo uma crise de asma – concluiu Daniel.

– Nu em um arbusto, a essa hora da noite, não é de se admirar que esteja tendo uma crise de asma – disse Amy com desdém.

Daniel tirou seu casaco e colocou sobre o rapaz, à medida que sua respiração piorava. Virando-se para Amy, Daniel falou: – Vamos levá-lo para o hospital agora. Pegue seu carro!

* * *

Uma hora depois, o garoto estava sentado em uma cama de hospital, usando camisola hospitalar. Ele aparentava estar melhor e parcialmente recuperado. Ele abriu um largo sorriso e agradeceu:

– Ei, estranhos, meus bons samaritanos, obrigado por me trazerem aqui.

Amy, visivelmente aborrecida, respondeu: – Foi realmente muito estranho te encontrar lá, naquele arbusto, e mais ainda entrar com você aqui no PS, quase nu. Para falar a verdade, foi vergonhoso. Seu estranho!

O rapaz olhou para Amy de forma provocativa: – Eu tenho certeza que você adorou. Tenho certeza que você não se importou nem um pouco em transportar um cara bonitão, assim como eu, no banco traseiro do seu carro.

– Que cara mais convencido e acima de tudo ingrato. Se eu soubesse disso antes, teria deixado você lá no arbusto, quase pelado, se virar sozinho!

Amy dirigia-se para a porta da enfermaria quando Daniel disse:

– Amy, não vá embora. Ele vai se desculpar, não vai?! – Daniel olhou para o estranho com ar de desaprovação.

– Não vou ficar aqui, com esse idiota, sendo insultada – disse Amy, apontando para o cara.

– Ei, eu realmente não tive a intenção de te ofender. Eu só estava brincando. E além do mais, foi você quem me insultou, me chamando de "estranho".

– Okay. Eu desculpo você, mas, se liga! Melhor você ficar quieto. Principalmente se não quiser voltar sozinho e nu para o campus da universidade – disse Amy, tentando provocá-lo.

* * *

Mais tarde, após voltar do hospital, Dan, Amy e o rapaz andavam pelo campus, do lado de fora do alojamento de alunos. O céu limpo estava repleto de estrelas.

– Preciso de um cigarro – disse o rapaz, que ainda usava a camisola hospitalar.

Amy e Daniel se entreolharam pasmos.

– Um cigarro?! – exclamou Daniel pasmo.

– Fumar? É real isso? – perguntou Amy. – Desperdiçamos nossa noite cuidando de você por causa do seu ataque de asma e agora você quer fumar?

– Ouçam! Depois da noite que acabei de ter, eu realmente preciso de um cigarro – ele olhou para Amy. – Você tem um cigarro?

– Sério? Depois de resgatar você, te levar ao hospital e desperdiçar nossa noite, ainda quer um dos meus cigarros? Você quer também que eu fume pra você? – Amy estava mais irritada do que antes.

– Depende – ele respondeu sugestivamente e piscou para ela.

Ela tirou um cigarro de sua bolsa e jogou no rapaz.

– Obrigado – ele agradeceu. – Este é meu último. Estou largando, depois desse, prometo.

– Esta é a coisa mais sensata que você falou até agora – Daniel comentou.

O rapaz deitou-se na grama e acendeu o cigarro. Ele encarava Amy com ar malicioso.

– Você tá olhando o que? Tá dando uma espiadinha? – ele perguntou, referindo-se ao fato de que ela podia vê-lo nu através da camisola hospitalar.

– Uma espiadinha? – Amy perguntou sem acreditar no que tinha acabado de ouvir. – Você é realmente muito abusado!

O rapaz tragou a fumaça do cigarro, cruzou as pernas e piscou para Amy.

– Já tô farta desse trouxa – Amy suspirou profundamente. – Tô fora.

– Calma, eu estou brincando – quase com remorso –. Sente aqui do meu lado.

Amy relutou, mas acabou cedendo. Ela e Daniel sentaram-se na grama e se juntaram a ele.

– Então, o que aconteceu? – perguntou Daniel.

– Você viu o que os médicos falaram. Eu tive uma crise de asma. É meu ponto fraco. Eu tenho esses ataques desde criança.

– Não estamos falando da asma, seu burro. O que o Daniel quer saber é por que você estava lá jogado na grama quase nu a céu aberto.

– Ah, isso! Foi uma pegadinha do time de rugby. Eles armaram para mim, dizendo que eu tinha um encontro com uma loira maravilhosa. Fui para o quarto com ela e ela fingiu que estava pronta e...

Segurando a risada, Daniel interrompeu: – E quando você tirou as suas roupas, eles entraram no quarto e...

Amy riu alto. – E...Eles te arrastaram para fora e te deixaram lá, pelado.

O rapaz estava surpreso: – Foi isso mesmo. Como vocês adivinharam?

– Qual é! Essa pegadinha é tão clichê – Daniel começou a rir sem parar. – Eu não acredito que você caiu nessa.

– Mas, ela era muito bonita. Eu realmente pensei que ela estivesse a fim de mim.

– Eu acabo de notar que você não nos disse o seu nome – falou Amy.

– Para estar querendo saber o meu nome, vou concluir, então, que você realmente gostou de mim. Meu nome é Ed. Edward Threadgold, mas todo mundo me chama simplesmente de Ed.

– Ed, o enroscado. Ou talvez, Ed, o babaca – disse Amy, rindo.

– Que grosseria – falou Ed, meio inconformado com a atitude da menina.

Enquanto isso, Daniel olhava para o céu, pensativo: – Gente, vocês poderiam parar com essa discussão idiota ou com essa flertação, seja lá o que for e olhar para o céu? Com que frequência nós podemos ver as estrelas aqui na Inglaterra?

Ed olhou confuso para Amy. Ele levantou os braços, como se perguntasse o que estava acontecendo, e Amy respondeu apenas com o movimento dos lábios: – Não tenho a mínima ideia.

– Vocês sabem como nascem as estrelas? – perguntou Daniel, totalmente focado no céu.

Houve breve silêncio, até que Ed respondesse: – Na verdade, sim. As estrelas ou sóis nascem quando átomos de elementos de luz são comprimidos sob pressão suficiente para seu núcleo sofrer fusão. Todas as estrelas são resultado de um equilíbrio de forças. A força da gravidade comprime átomos em gás interestelar até que a reação de fusão comece.

Amy virou para Daniel, rapidamente, e se mostrando surpresa disse baixinho: – Uau.

– O que você tá dizendo? – perguntou Ed.

– Nada não, continue, por favor – sua expressão mostrava o quanto ela estava surpresa com a resposta.

– Muito inteligente – disse Daniel. – O que você está estudando? Astrofísica?

– Ou você leu no Wikipédia? – disse Amy, em tom sarcástico.

– Eu li um artigo em um periódico de ciência. Ciência é uma das minhas matérias favoritas – Ed respondeu.

– Então, você não é tão burro quanto parece – afirmou Amy.

– Tanto faz – disse Ed dando de ombros e ignorando a provocação dela, e virando-se para Daniel: – Mas de qualquer forma, por que a pergunta?

Daniel respondeu rapidamente, antes que Amy pudesse fazer outro de seus comentários sarcásticos: – Meu avô George era um especialista em universo. Ele era astrônomo. Passou uma vida inteira estudando sobre o assunto, e em seu tempo livre desenvolveu uma teoria acerca da relação que os humanos têm entre eles, e como seguem as mesmas leis do universo. Ele dizia que nós humanos nos classificamos como estrelas, luas, planetas, cometas e por aí vai... Talvez a gente possa sentar e conversar a respeito uma hora dessas?

– Parece muito interessante. Eu sou fascinado por tudo que esteja relacionado ao universo.

Amy franziu a testa: – Por que você nunca me contou sobre a teoria do seu avô, Daniel?

Ed sorriu, sabendo ter encontrado uma das vulnerabilidades de Amy.

– Nunca surgiu uma oportunidade, acho. E para ser sincero, foi o Ed que acabou de me lembrar dela.

– Bem, eu te conheço por volta de um ano e tenho certeza que já conversamos sobre as estrelas ou sobre o universo pelo menos uma vez! – Amy estava claramente incomodada e agia feito uma criança mimada e ciumenta.

Ed, percebendo que Amy estava chateada, disse: – Talvez possamos conversar os três juntos.

Daniel olhou aliviado e, piscando para Ed, disse: – Ótima ideia!

Amy ainda não estava feliz com a situação: – Tá. Eu estou realmente interessada nesse assunto também.

Daniel revirou os olhos em demonstração de dúvida: – Vamos fazer isso, então. Meu avô registrou suas pesquisas em diários e deixou tudo para mim, antes de falecer. Vou pegar com a minha mãe, e aí a gente lê juntos.

Desde jovem, junto com meu avô, a gente costumava olhar o céu à noite, procurando estrelas. Para mim, aqueles momentos eram mágicos. Naquela época, eu achava que se você fizesse um pedido para a estrela mais brilhante, seu desejo se tornaria realidade.

Ed e Amy aproximaram-se de Daniel e deitaram-se próximos a ele, e os três ficaram olhando as estrelas. Cada um do seu jeito contemplava as estrelas, perdido nos próprios pensamentos.

Após longo período de silêncio, Amy falou: – Eu fazia o mesmo. Na noite, após ter perdido minha mãe, todo mundo estava muito ocupado para se preocupar com a minha perda e a minha dor. Eu me lembro de ir ao jardim e deitar na grama, igual estamos fazendo agora. Eu me recordo perfeitamente de estar usando um vestido amarelo feito pela minha mãe, e estar segurando meu cobertor e meu macaco de pelúcia. Eu me sentia tão solitária e perdida. Ainda posso sentir a tristeza que senti naquela noite. Olhei para o céu e vi aquela estrela brilhar mais do que as outras. Era como se aquela estrela minúscula estivesse piscando para mim. Naquela época, eu não sabia o que pensar, mas pensando agora, eu acho que era o universo me dizendo que tudo ficaria bem.

Ao sentir sua vulnerabilidade, Daniel e Ed estenderam suas mãos para Amy, e ela as segurou.

– Que triste. Eu sinto muito – disse Ed, segurando a mão dela com mais força. – Quantos anos você tinha quando ela se foi?

A voz de Amy não parecia ser a mesma daquela garota cabeça dura de antes. A jovem sentia-se sufocada naquele momento. – Eu tinha cinco anos.

Naquele instante, os três estavam conectados, de mãos dadas e olhando para o céu estrelado. Daniel e Ed viram Amy derramando uma lágrima no canto do olho, porém decidiram não comentar. Ao contrário, apertam a mão dela ainda mais forte a fim de consolá-la.

– Eu tenho uma ideia. Cada um de nós deveria escolher uma estrela, uma estrela favorita e, então, fazer um pedido – disse Ed, tentando aliviar o clima.

– Como se fosse um "Speed Dating" com as estrelas? – perguntou Daniel.

– Não, seria mais como fazer um casting. Cada um de nos faz o casting de uma estrela, igual quando você está escolhendo um modelo em um teste para um comercial – Ed respondeu enquanto apontava uma estrela no céu: – Eu escolho aquela, em Orion. A minúscula.

Daniel, por sua vez, disse: – Então, estamos fazendo um casting de estrelas. Uau!

– Você não pode – disse Amy abruptamente: – Aquela estrela que você apontou já é minha.

– Ok, então, eu vou escolher aquela outra perto dessa – Ed apontou para uma estrela diferente. É a Meissa. Não, não, na verdade é Bellatrix. E meu desejo é não cair em mais nenhuma pegadinha do time de rugby.

– E eu escolho aquela próxima à sua – disse Daniel, apontando para determinada estrela.

– Essa sim é Meissa! – exclamou Ed.

– Meissa será, então, – disse Daniel. – E meu desejo é encontrar minha alma gêmea. O meu príncipe encantado. O cara para compartilhar meus sonhos e...

– Tantas coisas para pedir e você desejando um cara – falou Ed o cortando. – Que tal uma carreira? Um belo apartamento no bairro de Chelsea em Londres, um carrão... Ou até mesmo a paz mundial?

– Todas essas coisas nós podemos conquistar – disse Daniel. – Basta apenas trabalhar duro. Mas encontrar e pessoa certa, aquela que achará graça das suas piadas, aquela pessoa que irá completar as suas frases, ou irá te acordar com um abraço, ainda na cama, enquanto seu rosto ainda tem marcas do travesseiro... Ou te beijar mesmo quando você ainda está com bafo matinal... – Daniel parou e sorriu.

– Tá legal, amigo. Já entendemos. Dá para ver que você pensou bastante a respeito desse teu príncipe encantado – disse Ed.

– Obrigado, Ed. Esse alguém especial não vem sempre. E por isso que meu desejo é que meus olhos estejam bem abertos quando essa pessoa chegar em minha vida. Daniel virou-se para Amy: – E você?

– Eu escolhi a minha – e apontou para uma estrela no céu.

– Betelgeuse – disse Ed.

– Quem? – Amy parecia confusa.

– Não quem, mas sim o que. Sua estrela. É chamada de Betelgeuse.

– Ah, tanto faz. Eu já escolhi. É Betelgeuse.

– Mas qual seu desejo? – insistiu Daniel.

– Meu desejo é ser amada e ter uma família linda. Você sabe, todas aquelas baboseiras de menina.

Mal sabiam Ed, Amy e Daniel que aquela noite os uniria em bons e maus momentos. Aquela foi também a primeira vez que juntos puderam fazer o casting de suas estrelas.

Across the Sky – Casting Stars Theme[1]
(John Nolan / Martchelo / Valter DS)

All the troubles
(Todos os problemas)

All the strive
(Todos os obstáculos)

I've encountered in my life
(Que eu encontrei na minha vida)

I've been searching in the sky
(Eu venho procurando, olhando no céu)

Trying to find the reason why
(Tentando encontrar as razões e os porquês)

I've been looking afar
(Eu tenho olhado por lugares longe)

Searching for that star
(Procurando aquela estrela)

(Refrão)
It's magical
(É mágica)

Fantastic
(Fantástica)

Celestial
(Celestial)

My miracle
(Meu milagre)

---

[1] Este é um livro multimídia com músicas originais disponíveis para serem baixadas, para o leitor poder ouvi-las ao mesmo tempo que lê a história, basta ir a sua plataforma de música preferida e procurar por *Casting Stars*.

Episódio
Casting Stars

Capítulo 3

Londres, Inglaterra. Quatro Anos Depois

Era um dia quente de Abril e Daniel estava na sala de seu apartamento, vestindo um smoking e lutando para ajeitar sua gravata borboleta. Impaciente, tentava ligar para seu noivo Ryan. Cada vez que tentava, a ligação ia direto para a caixa postal.

"Vamos Ryan, cadê você?", ele disse a si mesmo já impaciente. No mesmo instante, Amy entrou em seu apartamento. Por um breve segundo Daniel emudeceu, olhando para a cabeça de Amy. Então, ele caiu na gargalhada.

– Que é isso que ela fez com seu cabelo dessa vez? – disse, se referindo à trança que Krissi havia feito no cabelo de Amy. Krissi era a proprietária do apartamento onde Amy morava e também a cabeleireira de Amy.

– Você tá parecendo a Elza, do filme Frozen!

Daniel abriu seus braços e cantou: – Livre estou... Livre estou.

Amy deu um tapa em seu ombro e em seguida ele voltou ao espelho, tentando ajeitar a gravata novamente.

– Você tem noção de que vai andar por aquele corredor, na frente de todos os convidados do casamento, com esse cabelo, não tem? – perguntou Daniel.

– Estou atrasada com meu aluguel de novo. Eu precisava puxar o saco da Krissi. De qualquer forma, eu não sei por que faço isso comigo mesma. Eu acho que se me organizar financeiramente, consigo me livrar dela...

– E você sabe que as fotos tiradas hoje serão vistas nas nossas redes sociais? E ficarão na internet, para sempre, não sabe? Eu não acho que você vá ganhar o prêmio "melhor penteado do dia", mas com certeza irá ganhar o prêmio "penteado que não merece prêmio" – disse Daniel, rindo.

– Você pode zoar o quanto quiser, mas se você acha que meu cabelo está ruim, espere para ver o que Krissi fez com o cabelo da sua mãe e o da sua irmã.

– O quê?

– Enfim, espertalhão, mudando de assunto, alguma notícia dos meninos?

– Nem um pio. Tentei ligar para o JC e para o Ed, mas nenhum dos dois atendeu. Mas, voltando ao assunto, o que foi que aconteceu com o cabelo da minha mãe?

– Bom, digamos que elas estarão bem próximas a mim na premiação "penteado que não merece prêmio".

– Não tenho certeza se quero ver. Enfim, você sabe o que aconteceu com JC e o Ed? – Daniel finalmente conseguiu fazer sua gravata: – Yes! Consegui!

–Talvez ainda estejam fazendo aquela peça infantil boba – Amy falava enquanto olhava no espelho, tentando consertar seu cabelo.

– Ah é, esqueci que o JC pediu ao Ed para o ajudar na peça hoje – Daniel pegou seu celular de novo e ligou para Ed. Desligou assim que ouviu a mensagem de caixa postal.

– Eu não acredito que o Ed não esteja atendendo ao celular. Ele é o padrinho e está com as alianças.

No mesmo instante, em um bairro na região Norte de Londres, Ed e JC estavam nos bastidores de um velho teatro. Ambos ainda vestiam o figurino que tinham acabado de usar na peça infantil – Ed vestido de girafa e JC de pintinho.

– Eu não acredito que você me enfiou nessa, JC. Eu sou o padrinho do casamento. Eu deveria estar lá com o Daniel agora.

– Eu não tenho como te agradecer, Ed. Se você não estivesse hoje aqui para me ajudar, não haveria peça, e eu não seria pago pelo cachê. Amy ainda não me pagou a parte dela do aluguel, então, preciso cobrir a parte dela este mês... De novo – JC disse as últimas palavras com dificuldade, à medida que tentava tirar a fantasia.

– Tanto faz. Você me deve uma, ou a Amy deve. Vamos embora. Já fomos pagos e somos os últimos aqui. Vamos embora logo, ou, então, a gente não chega a tempo para o casamento. Vou chamar um táxi.

Ed tentou tirar as patas do figurino de girafa, mas sem sucesso. Pareciam estar presas: – Hey, me ajuda a tirar as patas...

JC, que ainda vestia seu figurino, tentou puxá-las, para retirá-las, mas não conseguiu. – Não consigo, parecem estar presas.

– Ok, então, tire a sua fantasia primeiro, e me ajuda com a minha. Rápido, não temos tempo.

JC tentou novamente abrir o zíper nas costas, mas porque suas mãos estavam dentro da asa da fantasia, ele não conseguia pegar o zíper.

– Ah, não!

Ed arregalou seus olhos: – Ah, não o quê, JC?

– Não consigo abrir o zíper. Preciso que você abra o ziper da minha fantasia para eu tirá-la e liberar minhas mãos – disse JC, que começava a suar.

– Eu não consigo abrir o seu zíper com essas patas estúpidas – Ed gritou, ansioso com a situação frustrante.

– Bom, eu não consigo alcançar minhas costas para abrir o zíper. Como pode ver, é uma peça única e não tem como eu tirar minhas mãos se não tirar a fantasia inteira.

– Vamos ligar para alguém para vir nos ajudar.

– Todo mundo já foi embora, somos os únicos aqui, Ed.

– Estamos com pressa, JC, não brinca! – Ed foi à penteadeira onde estava sua mochila e tentou pegar seu celular. Ele podia ver seu celular tocando, e que era uma ligação de Daniel. Ele tentou atender, mas a tela não reconheceu sua digital por causa da pata da fantasia.

– Droga, JC! – ele, então, percebeu que não conseguiriam fazer nenhuma ligação enquanto estivessem presos nas fantasias.

– Estamos presos e atrasados! Eu vou arrancar esta fantasia logo, é sério – e começou a se esfregar na parede, tentando tirar a fantasia.

– Ei, Ed. Tome cuidado. Você sabe o que acontece quando fica ansioso. Sua asma ata..ca.. – ele mal tinha terminado a frase e a respiração de Ed começou a ficar ofegante.

– Viu, eu disse! Você fica ansioso e sua asma ataca!

– Preciso da minha bombinha, JC.

– E onde ela está?

– Eu deixei no apartamento do Daniel.

A asma de Ed começou a piorar. Quanto mais agitado ficava, mais difícil se tornava a sua respiração.

– Vamos – disse JC. – Vamos ao hospital.

***

Daniel estava irritado porque tentava falar com seu noivo, Ryan e com seus amigos Ed e JC, sem sucesso. Nenhum deles atendia os seus celulares.

– É tão irritante. O celular de Ryan está desligado, e JC e Ed também não atendem. Ótimo. Que belo dia para eles fazerem uma pegadinha!

– Calma – pediu Amy. – Você sabe o quanto o Ryan é perfeccionista. Ele provavelmente está ocupado se arrumando. Demora horas!

Coçando a nuca enquanto tentava falar com Ryan novamente, Daniel perguntou: – E JC e Ed, por que eles não atendem ao celular?

Ela encolheu os ombros: – Bom, porque são umas bestas, como é de hábito deles – ela olhou para a porta de entrada e se esforçou para segurar a risada.

Daniel olhou para a porta e, surpreso, exclamou: – Mãe!

A cena era peculiar. Sua mãe e irmã entraram em seu apartamento, ambas com penteados bizarros.

Amy levou as mãos à boca, tentando ainda mais segurar a risada. De boca aberta, Daniel olhou para Amy, e não demorou muito para os dois caírem na gargalhada.

– Daniel, olhe o meu cabelo. O que aquela mulher fez com ele? Tá horrível – berrou sua mãe.

Amy segurou a risada novamente e respirou fundo para retomar a compostura. – Oh, Dona Summerhayes, não está não. Seu cabelo está lin... – e caiu na gargalhada, não conseguindo terminar a frase.

Ao notar o desespero da mãe, Daniel antecipou-se, tentando fazê-la se sentir melhor. – Mãe, você está... No estilo de Londres!

– Você acha que está bom, então? – ela disse, enquanto olhava no espelho, nada convencida.

Amy e Daniel olharam-se e responderam ao mesmo tempo: – Siiiim... Este penteado é super moda aqui em Londres.

– Então, você está pronto, querido? – sua mãe perguntou. – Cadê o velho, o novo, o emprestado e o azul?[2]

Pensativo, Daniel olhou para os pés: – Estou com meus sapatos novos, minhas velhas meias da sorte, meu lenço azul... – bateu a mão na testa, lembrando que tinha esquecido algo. – Esqueci do "algo emprestado". Preciso de algo emprestado. Alguém precisa me emprestar alguma coisa.

Sua mãe sorriu, feliz, já que seu plano tinha funcionado. – Não se preocupe, filho. Eu tenho uma surpresa.

Animada, ela correu em direção à poltrona de couro amarela, onde tinha deixado sua bolsa. Voltou e entregou a Daniel uma sacolinha vermelha. Confuso, Daniel abriu a sacolinha e sacou um relógio antigo.

---

2 Algo velho, algo novo, algo azul e algo emprestado, é uma tradição inglesa muito antiga que diz que a noiva deve levar com ela durante o casamento algo velho, algo novo, algo emprestado e algo na cor azul.

– Uau. Esse é o relógio do vovô – disse, com grande sorriso. Daniel colocou o lenço azul sobre a mesa e colocou o relógio em cima.

Helen estava tão feliz com a reação do seu filho: – Hoje eu te empresto. Amanhã será seu!

Quando Daniel a abraçou, ela derramou uma lágrima. Aquele momento emocionante entre mãe e filho foi interrompido pelo celular dele, que começou a tocar. Percebendo que era um número desconhecido, Daniel apressou-se em atender.

– JC, que aconteceu? – Daniel ficou pálido. – Em que hospital vocês estão?

– O que aconteceu? – perguntou Amy.

– Ok, fiquem aí. – Daniel respirou fundo após desligar o celular e enxugou o suor da testa. – Era o JC. Ed teve outra daquelas crises de asma.

– Em qual hospital estão? – perguntou Amy.

– Eles estão no St. Tomas' Hospital. Mãe, por favor, pegue um táxi até o local do casamento. Os convidados vão começar a chegar logo. Não consigo encontrar o Ryan, então seria bom se alguém da família estivesse lá para receber os convidados. Vou ligar para Esther e pedir a ela para cantar algumas músicas a fim de entreter os convidados.

– Mas e você, filho?

– Vou ao hospital com a Amy. Precisamos saber do Ed.

– Mas filho, hoje é o dia do seu casamento.

– Não se preocupe. Logo estarei lá. O hospital fica a algumas ruas daqui.

– Ok. Só espero não assustar os convidados com esse cabelo – ela pegou seu lenço floral e se dirigiu até o quarto apressar sua filha Sophie.

– Você está encantadora, mãe – disse Daniel. – Agora vamos, vamos! Amy, vamos buscá-los.

Do lado de fora do prédio onde ficava o apartamento de Daniel, Amy parou um táxi e pediu-lhe que os levasse ao hospital St. Tomas'.

Nesse instante, Daniel tocou o bolso e percebeu que tinha esquecido seu lenço. – Droga! Esqueci meu lenço azul. Preciso subir para pegá-lo.

– Dan, deixa que eu vou para o hospital. Vou buscá-los e levá-los para o local da cerimônia. Você, pegue seu lenço e termine de se arrumar. Te vejo lá.

– Tem certeza?

Amy assentiu com a cabeça: – Hoje é o dia mais especial da sua vida. Você tem de aproveitar cada minuto dele.

Ela deu um beijo na bochecha dele antes de entrar no táxi. Então, abaixou o vidro.

– Tem trocado para o táxi?

Daniel colocou a mão no bolso e tirou uma nota de dez. Quando ele entregou a nota para ela, revirou os olhos.

***

Helen e Sophie chegaram ao cartório no bairro de Chelsea onde o casamento seria realizado. Todos os convidados, sem excessão, imediatamente olharam para seus cabelos. O estilo de penteados feitos por Krissi definitivamente estava chamando atenção das pessoas. Quando se acomodaram na fileira designada, Helen ficou frente a frente com seu ex-marido, e pai de seus filhos, Daniel e Sophie. Ela não conseguia disfarçar o desprazer causado pelo encontro.

– Oi, Helen – Robert a cumprimentou, educadamente, antes de beijar a testa da filha.

– Oi, querida.

– Oi, pai – o cumprimentou Sophie, sentindo-se incomodada com a situação.

– Como tem passado, Helen?

– Estou bem – Helen respondeu secamente. – Vejo que ainda está com sua periguete – falou Helen, apontando para a companheira de Robert.

– Qual é, Helen? A Respeite. Jessica e eu estamos juntos há quase um ano.

– Bob, são doze meses, duas semanas e quatro dias, para ser mais exata.

Jessica, namorada de Robert, olhou para ele e perguntou: – Bob? Ela te chama de Bob? Patético!

***

– Outra crise de asma? – perguntou Amy. – Você sabe como fazer uma cena, não é moço?

– Sim – respondeu Ed, olhando em direção aos seus pés, temendo ser repreendido por Amy.

Fazendo gestos com as mãos, JC disse a Amy que Ed estaria morto se não fosse por ele.

– Quando você vai aprender a manter aquela maldita bombinha com você o tempo todo, Ed?

De novo a mesma história: Ed não estava com sua bombinha e teve de ser levado ao hospital por algum amigo. E apesar de estar familiarizada com a situação, Amy não conseguia se acostumar com a sensação horrível de se preocupar com a saúde dele toda vez que tinha uma crise asma.

– Estou sem tempo para seu discurso agora – disse Ed, levantando da cama. – Temos um casamento para ir.

– Qual é o lance dessas fantasias estúpidas? Por que estão vestidos de girafa e galinha?

– Estou vestido de pintinho – JC a corrigiu.

– Nem pergunte – respondeu Ed. – Coisas que você faz por seus amigos, né, JC?! Não sei porque me meto nessas. Logo eu, um arquiteto, vestido de girafa para atuar em uma peça infantil.

– Eu te agradeci inúmeras vezes pelo favor – disse JC. – Supere!

– Você me deve essa pelo resto da sua vida, JC.

– Vamos, meninos – disse Amy. – Não temos tempo para isso agora. Vamos sair daqui.

– Você está certa – disse Ed. – Vamos nos arrumar, JC. Onde estão as malas com os ternos e a mochila com nossos sapatos?

JC parecia preocupado e mordeu o lábio inferior.

– O quê? – disse Ed. – Onde estão nossos ternos?

– Acho que deixei no provador do teatro.

– Você acha, ou realmente você deixou?

– Eu tenho quase certeza que deixei lá.

– O quê? – gritou Ed, desacreditando.

– É tudo culpa sua. Você começou a ficar nervoso e sem ar. Achei que estivesse morrendo. Desculpe, cara, eu não me lembrei de pegar as mochilas e os ternos. Eu estava esperando a ambulância.

– Então, a gente tem de ir ao teatro e pegar os ternos.

– Acho que não vai dar – JC resmungou. – Hoje é sábado à tarde. Não tinha ninguém lá quando fomos embora, e eu não tenho a chave!

– As alianças estão na minha mochila!!! Eu vou te matar, JC!

Ed foi em direção ao pescoço de JC com as duas mãos, mas foi impedido de causar qualquer estrago por ainda estar com as patas da fantasia.

Amy os separou e empurrou um para cada lado: – Desculpe meninos, mas a estupidez de vocês não pode estragar o grande dia do Daniel. Precisamos ir para a cerimônia agora.

– Vestido como uma maldita girafa e sem as alianças? O Dan vai me matar. – Ed ainda estava furioso com JC e dava socos no ar, tentando atingi-lo.

– Ele vai com certeza! – Amy os apressou. – Mas não importa, vamos sair daqui.

Capítulo 4

Daniel estava na Rua Marshalsea Road, no bairro de Bankside, tentando pegar um táxi. Após esperar por mais de dez minutos, decidiu andar até a esquina da rua com a Rua Borough High Street. Com a atenção voltada para o celular, ao virar a esquina da estação de metrô Borough esbarrou em um jovem, que derramou suco de frutas vermelhas nele.

– Droga! – gritou Daniel, olhando para a mancha vermelha em seu terno.

– Eu sinto muito!

– Deveria mesmo! Você estragou meu terno!

– Sim... Ficou ruim mesmo. Eu realmente sinto muito. Você está indo para algum lugar especial?

Daniel balançou a cabeça e suspirou, sentindo-se extremamente frustrado.

– Estou indo para um casamento – ele disse, em tom rude.

– Bem, você não pode ir assim.

Mais uma vez, Daniel suspirou e revirou os olhos para o rapaz estranho: – Não me diga! Dãããh! E que faço eu agora?

– Eu sei o que usar para tirar a mancha. Moro aqui perto. Se vier rápido, consigo resolver isso e você poderá ir para o casamento intacto.

– Nem pensar, não vou para sua casa. Nem te conheço.

– Podemos ir para a sua, então. De qualquer forma, precisamos ir logo, do contrário será impossível tirar a mancha se ela secar.

– Rápido, vamos para o meu apartamento. Me siga.

Daniel agarrou o estranho pelo braço e correu para seu apartamento.

***

No cartório, os convidados estavam impacientes. Nenhum dos noivos chegava e a cerimônia já estava atrasada em trinta minutos.

– Onde está nosso filho, Helen? – perguntou Robert nervoso. – Estou começando a ficar bem impaciente.

– Acredite, Robert, eu também. Já liguei para ele diversas vezes, mas não atende.

Helen notou que o pai de Ryan, Peter, parecia mais preocupado do que qualquer outra pessoa no local. Ele ligou sem parar para Ryan desde a hora que chegara ao cartório.

– Estou ligando para Ryan o dia inteiro, mas ele não atende. Ele ficou de nos encontrar no hotel onde estamos hospedados, mas não apareceu.

– Você precisa fazer algo, Helen, os convidados estão ficando inquietos – disse Susie, mãe de Ryan.

Aborrecida, Helen foi em direção da banda e se aproximou da cantora, Esther, que era uma amiga próxima de Daniel.

– Esther, minha querida, você pode por favor cantar algo? Precisamos manter os convidados entretidos.

– Com prazer. Ela arrumou o cabelo, respirou fundo e disse aos convidados: – Boa tarde, pessoal. Parece que nossos noivos estão um pouco atrasados, como sempre – ela riu. – Por essa razão gostaria de cantar uma canção enquanto esperamos nossos amados Ryan e Daniel chegarem – ela acenou para a banda que começou a tocar a primeira música de seu repertório: "Tell Him", do grupo Exciters.

**

O rapaz que havia derramado suco em Daniel terminava de esfregar o terno.

– Pronto! Sumiu a mancha, como prometi – disse ele, visivelmente contente consigo mesmo.

– Não totalmente, mas está melhor do que antes – disse Daniel, enquanto colocava o terno.

– Ei, eu sei que atrapalhei as coisas, mas talvez eu possa te recompensar e te levar para tomar alguma coisa. Não é um encontro, ou algo do gênero, a não ser que você queira que seja um encontro – disse o estranho todo desconcertado, já corando.

Daniel congelou por um instante. – Hmmmm... O casamento em que estou indo hoje é o MEU.

– Ah! – disse o estranho com olhar decepcionado.

Houve um momento de silêncio.

Para quebrar o gelo, o rapaz disse: – Então, não se case!

– O quê?

– Eu estava brincando. Sabe como é "hashtag momento constrangedor". Seu noivo, ele é um cara de sorte.

Daniel balançou a cabeça, pegou seus pertences e apressou o rapaz às escadas de seu prédio. Quando chegaram na rua, Daniel chamou um táxi.

– Então – disse o estranho. – Acho que posso apenas te desejar tudo de bom em seu casamento.

– Sim, isso é o que você deveria fazer e não me convidar para um encontro. Obrigado por... Por...

– Não se preocupe. Eu não fiz nada a não ser estragar seu terno, e te atrasar.

– Atrasado! Droga! Estou muito atrasado. Tchau, estranho!

Daniel entrou no táxi e deu o endereço do cartório ao taxista, pedindo para que se apressasse.

– Meu nome é Davy e te desejo tudo de bom – disse o rapaz enquanto o táxi partia, sem que Daniel pudesse ouvi-lo.

* * *

No local da cerimônia, o pai de Ryan deixava a sala para atender a um telefonema quando Daniel chegou, ofegante.

– Por onde você andou? Eu estava tão preocupada – disse sua mãe.

Daniel sorriu para os convidados, meio constrangido.

– Mãe, estou aqui agora – disse ao pé do ouvido dela, quase sussurrando. – Vamos começar o show. Cadê o Ryan?

– Ele não chegou ainda.

Enquanto ela concluía a frase, as portas de madeira da sala se abriam. E de acordo com o combinado, a banda começou a tocar a música escolhida por Daniel e Ryan para a cerimônia.

– Ele está aqui, Ryan está aqui – disse Daniel, empolgado. Pegou na mão de sua mãe e sorriu, olhando ansiosamente para a porta da sala.

Naquele momento, Amy entrou pela porta com JC e Ed, que ainda usavam suas fantasias de girafa e pintinho. Os três sorriram estranhamente para os convidados ao mesmo tempo que se apressavam pelo corredor. Confuso, Daniel fez um sinal para Esther e a banda pararem a música.

– Onde vocês estavam? Estão todos atrasados! – disse Daniel, rudemente.

Amy, Ed e JC responderam ao mesmo tempo: – Sim, nós sabemos!

– Eu não tinha percebido que no convite dizia "venha trajado ridiculamente" – disse Daniel.

– Longa história, amigo. Mas, por hora, só posso dizer que é tudo culpa do JC.

– Afinal, cadê seu príncipe encantado? – perguntou JC.

– É, cadê o Ryan? – perguntou Amy.

Daniel olhou para sua mãe: – Mãe, o que aconteceu com Ryan?

– Eu não sei, querido. Eu liguei para ele, e os pais dele também, mas ninguém conseguiu localizá-lo – Helen respondeu.

No instante da conversa entre Daniel e Helen, o pai de Ryan adentrou a sala. Ele parecia muito preocupado, sério e pálido. Ele se aproximou de Daniel e falou: – Então... Foi o Ryan que me ligou.

– E aí? Por que ele está atrasado? Tem algo errado, Peter?

– Eu sinto muito, Daniel, mas o Ryan não virá. Sinto muito mesmo.

Daniel e sua mãe perguntaram ao mesmo tempo: – Como assim?

– Isso é algum tipo de brincadeira? – perguntou Daniel.

Helen aproximou-se de seu filho, agarrou seu braço e confrontou Peter.

– O que está acontecendo, Peter? O que Ryan pensa que está fazendo?

– O que aconteceu? Cadê o Ryan? O que ele disse? – perguntou Susie, a mãe de Ryan.

– Desculpe, mas é verdade – disse Peter. – Ryan acabou de me dizer que está no aeroporto. Aparentemente, está prestes a pegar um avião, mas não me disse para onde está indo.

– Aeroporto? – Daniel suspirou.

– O quê? Ele está no aeroporto? O que ele está fazendo? – Susie começou a chorar.

Peter abraçou sua mulher com apenas um braço e a confortou. – Tentei falar com ele para tentar entender o que se passa na cabeça dele, mas ele apenas me pediu para te dar a notícia e, então, desligou. Eu sinto muito mesmo, Daniel.

– Isso é um pesadelo – a expressão de Daniel era como se o mundo inteiro tivesse desabado à sua volta.

Helen apontou o dedo na cara de Peter: – Você provavelmente deve estar feliz. Você não queria que esse dia chegasse mesmo. No fundo, você era contra este casamento, não era, Peter?

– Isso não é justo, Helen. Você não acha que eu e Susie não estamos chateados também?

Neste instante, o pai de Daniel, Robert, aproximou-se e afastou Helen de Peter.

– Pare, Helen, assim você não está ajudando ninguém, especialmente nosso filho.

– Eu não acredito que isso esteja acontecendo comigo – disse Daniel, enquanto sentava em uma cadeira, apoiando a cabeça em suas mãos. Amy e Helen foram até ele. Amy agachou-se e enquanto segurava sua mão, Helen massageava seus ombros.

– Eu não ouvi o que aconteceu – disse Ed para JC. – Esta cabeça está me atrapalhando – ele se referia à fantasia. – O que aconteceu?

– Eu também não consegui ouvir muito, porém consegui ouvir uma coisa: Ryan está preso no aeroporto.

– Preso no aeroporto? Fazendo o que?

– Não faço ideia – respondeu JC.

Eles foram até Amy perguntar o que tinha ocorrido, mas ela, estressada com a situação, suspirou, revirando os olhos.

– O que está acontecendo? O que está acontecendo? – perguntou novamente JC.

Amy revirou os olhos mais uma vez: "Deixa eu resolver as coisas com esses dois idiotas antes que causem mais".

– Sinto muito, Daniel – ela beijou Daniel, e em seguida levantou-se e agarrou JC e Ed pelo braço, levando-os para um canto.

Capítulo 5

Uma hora depois, Daniel estava no palco, onde seria a festa do casamento, próximo à Esther e à banda. Ele pegou o microfone e se dirigiu aos convidados.

– Olá, todo mundo. Este não é o dia que todos nós planejamos. Entretanto, trouxemos todos vocês aqui. Sei que estão um pouco incomodados perante uma festa para comemorar um casamento que nunca aconteceu, mas mesmo assim comemorem. Como eu e um amigo costumamos dizer: "É o que é". Vamos erguer nossas taças e celebrarmos uns aos outros. À família, aos amigos, ao futuro!

Helen perguntou ao ex-marido se tinha visto Peter e Susie.

– Eles não vieram, Helen – ele respondeu. – O que você esperava, depois do que você disse a eles?

– Então, é tudo culpa minha, só para variar, Robert. Não tem nada a ver com o fato do filho deles ter partido o coração do nosso.

– Sim, Helen, mas você não percebe que está tornando uma situação pior do que ela já está. Mas, isso parece ser seu forte – ele disse, afastando-se.

Um garçom segurava uma bandeja de taças de Champagne, e Helen pegou uma delas e bebeu de uma vez.

Sentado na mesa com seus amigos, Daniel olhava para o teto. Seus pensamentos foram interrompidos pela voz estridente de sua tia Lily.

– Foi muito corajoso, Daniel, fazer a festa mesmo depois de ter sido abandonado no altar.

Amy revirou os olhos e em seguida dirigiu-se até tia Lily, provavelmente, para dizer algo desagradável, mas foi impedida por Daniel, que reconheceu as intenções da amiga e imediatamente colocou uma mão sobre o braço da tia.

– Está tudo bem, tia Lily. Espero que aproveite a noite.

Tia Lily deixou claro que já estava alterada quando tropeçou. Ele teria caído no chão se não fosse JC para segurar seu braço.

Amy suspirou quando tia Lily se afastou, e então se virou para Daniel: – Eu ainda não acredito que você decidiu não cancelar esta festa.

– Qual seria a razão para isso? Já está paga mesmo. A cerimônia, a festa, tudo. Já que reunimos todo mundo, vamos aproveitar. Se Ryan não consegue enxergar a importância das pessoas, família e amigos e o que representam, então, ele é mais idiota do que pensamos.

Ela encolheu os ombros: – É, acho que você está certo.

– Ei, amigo – disse Ed. – Acho que agora posso te contar uma coisa. Eu na verdade não trouxe as alianças. Eu as deixei na minha mochila, ao lado do meu terno – Ed foi cutucado por Amy. – Foi tudo culpa do JC!

Amy lançou um olhar mortal para JC e o chutou por baixo da mesa.

– O quê? – perguntou ele, dolorido.

Ed, JC e Amy começaram a discutir. JC e Ed discutiam a respeito do verdadeiro culpado. Daniel olhou para a pista de dança e percebeu que ninguém estava dançando. Enquanto os três continuavam a brigar, Daniel foi até sua mãe e tomou seu braço, a puxando para a pista de dança.

Esther estava no palco, ao lado da banda. Eles começaram a tocar a música "A Million Love Songs" do grupo Take That, que mãe e filho dançaram lentamente, bem colados.

– Eu sinto muito meu querido – passou os dedos pelo cabelo do filho. – Eu gostaria de poder tirar essa dor de você.

– Ainda estou em choque. Não sei ainda o que aconteceu ao certo.

– Daniel, me desculpe por antes. Eu não queria te chatear ainda mais. Eu deveria ter pensado em você e não ficar atacando as pessoas.

– Não se preocupe, mãe. Eu sei que você estava apenas me protegendo. A intenção foi boa.

No bar, tia Lily, ainda mais embriagada, estava toda regateira para os lados de JC.

– Sei que você está solteiro e disponível, JC. Eu sempre desejei ter um namorado hispânico.

JC olhou para sua bebida e apenas conseguiu falar um divertido "Oh".

– Você gosta de mulheres maduras? Você sabe que quanto mais velha, mais experiente?

Ele virou sua bebida em um só gole, com seus olhos bem abertos.

Minutos depois, Helen, ainda um pouco alterada, foi até a mesa onde seu ex-marido bebia com sua nova namorada. Helen apontou e falou bem alto.

– E você não pensou duas vezes antes de jogar vinte e sete anos de casamento para ficar com essa... Essa...

– Cuidado, Helen – disse Robert. – Eu acho que você bebeu demais.

– Destruidora de lares! – Helen finalizou.

Sophie atravessou a mesa e pediu à mãe que parasse. Robert suplicou à filha que levasse sua mãe de volta ao hotel.

– Você não manda mais em mim, Robert – disse Helen. – Concentre-se na sua periguete!

– Vamos embora daqui, antes que fique pior – Robert pegou a mão de Jessica e foram embora.

Helen puxou sua filha e a abraçou. Soluçando, ela parecia muito infeliz consigo mesma por ter discutido com seu ex.

Do outro lado do salão, JC lutava contra as diversas investidas de tia Lily, que o tentava beijar. Tia Lily segurava as bochechas de JC, e sua boca estava aberta. Naquele instante, Amy passou por perto. JC deu um leve empurrão em Lily e agarrou o braço de Amy.

– Sinto muito, tia Lily, mas preciso falar com a Amy – JC em seguida arrastou Amy para a pista de dança.

– O que você está fazendo? – ela perguntou.

– Apenas venha comigo. Preciso me livrar dela. Ela é uma papa santo.

– Papa Santo?

– Sim. Uma mulher mais velha que vai atrás de homens mais novos como eu.

– Você quer dizer papa anjo, JC – completou Amy.

– Não me importa o que ela é. Só sei que é uma devoradora de homens! Enfim, Ryan é um idiota. Tão egoísta por tratar Daniel assim.

Fazendo gestos largos com suas mãos no ar, Amy o atacou:

– Egoísta? Você é egoísta. Repare no que você fez hoje. Perdendo seu tempo em uma peça estúpida, quando nosso melhor amigo estava casando, aparecendo com fantasias ridículas e quase transformando esse dia em uma piada. Isso é o que eu chamo de egoísmo.

– Não ouse me chamar de egoísta. Você que é egoísta!

– Você que é. Você arrastou até mesmo o Ed, que era o padrinho, para te ajudar naquela peça infantil idiota!

O queixo de JC caiu: – Você é uma hipócrita. Eu só fiz a "peça idiota" para poder pagar a sua metade do aluguel desse mês, DE NOVO! E Ed estava lá porque precisávamos de dinheiro extra. E Ed me deixou ficar com a parte dele para eu poder pagar a sua parte do aluguel.

– O quê? Ed fez isso por mim? – perguntou Amy.

– Sim, ele fez por você! Para te ajudar.

Amy mudou bruscamente de humor e furiosa com JC perguntou: – Você contou para o Ed sobre nossa situação financeira?

– Nossa situação? Não, não! A sua situação! Eu tive de contar que estamos em uma situação difícil. Se não pagarmos o aluguel deste mês nós seremos despejados. E não se esqueça, Amy, eu tenho pago o MEU aluguel em dia. Esta é a sua parte. E Ed fez isso para te ajudar, e não a mim!

– Ed fez isso por mim? Sério? O Ed?

– Sim! Qual parte você não entendeu? O Ed fez para te ajudar. Ele se vestiu com aquela fantasia ridícula de girafa e representou naquela peça idiota, como você mesma diz, para te ajudar! Quer saber? Prefiro ficar com a papa santo da tia Lily do que com você nesse momento. Estou indo para o bar. Tchau.

JC saiu abruptamente, deixando-a para trás, desarmada, vulnerável. Ela, olhando desesperadamente pelo salão, procurava por Ed.

– Ed, Ed – chamou Amy em tom exagerado, quando viu Ed saindo do banheiro.

– Que foi? Você está bem? – ele colocou a mão em seu ombro.

– Preciso falar com você. Nós podemos ir lá fora um minuto?

– Preciso falar com a Sophie acerca do nosso rompimento. Não conversamos ainda a respeito. Eu quero ir lá e tentar resolver as coisas. É o mais certo a fazer, especialmente depois do que aconteceu com o Daniel hoje. Você me dá quinze minutos?

– Ok, mas é muito importante. Eu preciso falar muito com você. Vou te esperar na recepção.

Ed aproximou-se da mesa em que Sophie estava com sua mãe. Helen parecia muito chateada e ainda mais bêbada do que antes, e Sophie estava sem paciência com sua mãe.

– Ei, Sophie – disse Ed. – Podemos conversar?

Helen levantou-se imediatamente, pronta para defender sua filha, mas foi impedida por Sophie, que ergueu sua mão.

– Tá tudo bem, mãe. Pode deixar.

– Tem certeza, querida?

– Sim, mãe, tenho. Temos de ser fortes por Daniel. Chega de cenas por hoje, por favor.

Sophie distanciou-se um pouco da mesa. Percebendo que estava fora do alcance auditivo da mãe, perguntou a Ed o que ele desejava.

– Oi, Sophie. Eu só queria conversar com você. Sei que hoje o dia foi terrível para todo mundo. Não conversamos de verdade desde...

Ela o interrompeu abruptamente. – Sim, desde que você me deu um fora.

– Eu só não queria que as coisas ficassem estranhas, especialmente pelo que aconteceu ao Daniel hoje. Eu gosto muito do seu irmão, ele é meu amigo e...

– Ok, você já disse tudo. Você está aqui por causa do meu irmão, não por minha causa. Você valoriza sua amizade com ele, mas não se importa com meus sentimentos. Você se importa apenas com o Daniel, não comigo.

Ele tentou falar algo, mas ela não deixou. – Quer saber, Ed?! Deixe quieto, não quero mais drama. O que aconteceu com meu irmão hoje já foi o suficiente.

Ela se virou e saiu andando de volta para a mesa.

– Mãe, vamos pegar nossas bolsas e ir embora.

– Não... Não, não vou sem o Daniel. Vamos procurar seu irmão.

Ed adentrou a recepção do salão e se aproximou de Amy. Ela parecia frágil e abatida. Ele tirou o maço de cigarros do bolso e ambos foram para fora do ambiente.

– Você está bem?

– Não exatamente.

– Por quê? O que foi?

– Nada, esquece. Essas coisas não são fáceis.

– Me fala! – ela insistiu.

– Amy, eu só preciso de um cigarro.

– Não, Ed, já estivemos no hospital hoje por causa da sua asma.

– Preciso de um ar fresco depois do dia que tive. Este é meu último, prometo!

– Ed, eu já ouvi isso tantas vezes. Quando você vai aprender? – explodiu Amy.

Eles sentaram em um banco do lado de fora da festa, e ambos acenderam um cigarro. Ed olhou para o céu, pensando em Sophie e o quanto suas palavras tinham sido incisivas.

Quando voltou os olhos para baixo, para Amy, percebeu que tinha uma lágrima escorrendo em seu rosto. – O que você tem? O que você queria conversar comigo?

– Nada! Talvez eu tenha bebido demais.

Ed a abraçou. Amy descansou sua cabeça no peito dele e chorou mais.

– Sério, qual é? Me fala o que aconteceu.

– Eu queria te agradecer por hoje.

– Eu não fiz nada hoje, a não ser estragar tudo do começo ao fim.

– Não, eu me refiro ao que você fez hoje no teatro, ajudando o JC a cobrir minha parte do aluguel.

– Não foi nada. Você faria o mesmo por mim. Lembra do que o Dan sempre fala – o que você dá ao universo, você sempre recebe de volta.

Amy começou a soluçar, chorando muito, e Ed a segurou mais forte: – Eu sou toda bagunçada.

– Todos nós em algum momento de nossas vidas precisamos de ajuda. Acredite, se não fosse pelos meus pais... Eles já me socorreram tantas vezes. Sua vida pode estar toda zoada agora, mas você verá como... – ele parou e percebeu o que tinha acabado de dizer.

– Desculpe, Amy. Eu não quis dizer nada de ruim, eu... Me desculpe.

– Não se preocupe. Está tudo bem. Eu só não consigo acreditar que você fez isso por mim.

Ed a puxou para mais perto dele. Então, eles se entreolharam profundamente.

***

Na festa, Esther e a banda tocavam a balada "Kissing a Fool", de George Michael. Daniel caminhava pelo local. Ele primeiramente viu sua mãe, caída sobre a mesa. Se virou e viu JC sendo sondado por sua tia Lily.

"Preciso sair daqui o quanto antes", ele disse a si mesmo.

Daniel saiu do local da festa e chamou um táxi. Quando fechava a porta do táxi, viu Amy e Ed sentados em um banco, se beijando.

"Essa agora? Meus dois melhores amigos vão acabar se metendo numa fria! Vai acontecer mais alguma coisa hoje?", disse para si mesmo e suspirou fundo.

Com a balada "Kissing a Fool" sendo interpretada por Esther ao fundo, Amy parou de beijar Ed e o empurrou: – O que você está fazendo?

– Eu, não! Nós! O que nós estamos fazendo?

– Exatamente! Nós somos amigos – Amy levantou-se e foi seguida por Ed, que perguntou onde ela ia.

– Precisamos encontrar Daniel. Deveríamos estar cuidando dele nesse exato momento, e não... Não estar fazendo isso.

Ela voltou à festa. A música estava mais alta. Amy esbarrou em JC e em tia Lily. Amy revirou os olhos ao se aproximar de JC.

– Graças a Deus você está aqui – disse JC. – Tô tentando manter aquela lá sob controle – e apontou com a cabeça para tia Lily.

– Você viu Daniel? – perguntou Amy.

– Não, não. Achei que vocês estivessem com ele.

– Onde ele está, então?

Ed aproximou-se dos dois: – Um dos garçons acabou de me dizer que viu Daniel pegar um táxi. Ele deve ter voltado para o seu apartamento. Que belos amigos somos. O deixamos sozinho num dia tão triste para ele. Não podemos deixá-lo sozinho hoje. Vamos lá ficar com ele.

Capítulo 6

O trio chegou ao prédio de Daniel no bairro de Bankside no Sudoeste de Londres.

Amy olhou para cima: – Estranho, ele não pode estar aí. Não tem nenhuma luz acesa.

– Shhhhh! – disse JC. – Ouça.

– Ouvir o quê? – ela perguntou gritando.

– Vocês estão ouvindo? – perguntou JC. – Ele está tocando o violão lá no terraço.

O som do violão desapareceu, e os três amigos se entreolharam, confusos. Depois de um tempo, eles ouviram um barulho vindo do aparelho de interfone na parede do prédio, seguido do som do portão automático se abrindo.

– Ele abriu o portão do prédio para nós – exclamou JC.

Eles trocaram olhares aliviados e se apressaram em subir ao apartamento de Daniel. Amy empurrou JC e Ed, para ser a primeira a chegar até Daniel. Eles subiram as escadas correndo, passaram o apartamento de Daniel, seguindo o som do violão, que se tornava mais alto e claro à medida que se aproximavam do telhado do prédio. Quando abriram a porta, que dava para o terraço no topo do prédio, encontraram Daniel sentado em uma espreguiçadeira, cantando e tocando seu violão, enquanto contemplava as estrelas. Daniel cantava uma música que tinha acabado de compor.

Amy aproximou-se e colocou seus braços em volta dele e lhe deu um beijo na bochecha. Ed aproximou-se, bagunçou seu cabelo e segurou seu ombro. Todos estavam em silêncio, respeitando a dor de Daniel e também se sentindo feridos com o que tinha acontecido com seu melhor amigo. JC foi até Daniel em passos curtos e lentos, com as mãos atrás de suas costas. Quando Daniel o olhou, JC tirou a mão direita de trás das costas. Ele estava segurando os dois bonecos que estavam no topo do bolo.

Os olhos de Daniel se encheram de lágrimas. Ele colocou o violão no chão e pegou os dois bonecos.

Ele os segurou forte, olhando para o céu. Naquele momento, não conseguia mais segurar as lágrimas. Apertou ainda mais os bonecos e deixou as lágrimas caírem pelo rosto.

– Chore o quanto quiser, Dan. Ponha tudo para fora – disse Amy, enquanto acariciava sua cabeça.

– Sim, chorar vai te fazer sentir melhor – disse JC.

Soluçando, Daniel apoiou sua cabeça no peito de Ed: – Que vergonha. Em frente de todas aquelas pessoas. Me sinto tão humilhado. O que eu fiz para merecer isso? – ele parou por um instante. – Me sinto tão rejeitado!

– Não se sinta! Nós te amamos e sempre estaremos ao seu lado, amigo – disse Ed, acariciando o braço de Daniel. – Quer saber? Vamos olhar para as estrelas para nos inspirar.

– Quer saber, eu acabo de me separar da minha estrela – disse Daniel. – Depois de hoje, Meissa e eu terminamos. Que bela estrela-guia ela foi para mim hashtag só que não.

Amy ajoelhou-se, para que ficasse cara a cara com Daniel, e gentilmente levantou sua cabeça: – Bom, isso significa que você precisa de uma nova estrela.

JC estava perplexo: – Do que vocês tão falando?

– Isso é algo que fazemos desde a faculdade – explicou Amy. – Nós chamamos de Casting Stars. Todos escolhemos uma estrela na época da faculdade, e foi o que nos uniu.

– Acho melhor eu, então, me retirar e deixar vocês fazerem isso entre vocês...

– Não. Você faz parte do grupo agora, JC. Talvez você devesse escolher a sua primeiro – sugeriu Daniel.

Ed assentiu: – Você escolhe a sua estrela primeiro, JC.

Eles arrastaram as espreguiçadeiras para ficarem mais próximos. Sentados um ao lado do outro, olharam fixamente para o céu.

– E aí, amigo, que estrela você vai escolher? – perguntou Ed. – Não há muitas opções hoje, infelizmente.

JC apontou para uma estrela, que Ed tinha informado ser a Procyon.

JC respirou fundo: – Então, será Procyon. Eu desejo que sejamos amigos para sempre.

– Qual o seu desejo, Dan? – perguntou Amy.

– Nunca me apaixonar por um idiota de novo.

Os quatro amigos deram as mãos e olharam para o céu, todos silenciosos, desejando que o coração de Daniel se curasse logo.

Uma hora depois, quando Daniel percebeu que seus amigos tinham adormecido ali mesmo nas cadeiras, ele se levantou e pegou os dois bonecos do bolo. Foi até a beira do telhado e, então, usando toda a energia que havia restado nele, arremessou-os o mais longe que conseguiu.

Just Hurts
(Valter DS, John Nolan & Martchelo)

I just can't believe life is taking us apart
(Eu não posso acreditar que a vida está nos separando)
The sparkle is gone
(O brilho se foi)
And only you have run
(E você fugiu)

I just can't believe it's all fading away right now
(Eu não posso acreditar que tudo está se desmoronando agora)
Look what you've done
(Veja o que você fez)
There's no return
(Não há volta)

(Chorus)
It hurts, just hurts
(Dói, dói muito)
Every time I think of us
(Toda vez que eu penso em nós)

It hurts, just hurts
(Dói, dói muito)
When I think of you and me
(Quando eu penso em você e eu)
Alone at night looking at the sky
(Sozinhos olhando para o céu à noite)
Searching for the stars like we used to do at night
(Procurando as estrelas como nós costumávamos fazer de noite)

Episódio Um dia de cada vez

Capítulo 7

Daniel dormia quando o despertador no criado-mudo, ao lado de sua cama, disparou e o rádio começou a tocar. Ele acordou ao som de "All Out of Love" da banda Air Supply. Lembranças do dia do seu casamento vieram-lhe à mente, e ele imediatamente bateu seu punho com força no botão para desligar o alarme. Virou para o lado, suspirando e revirando os olhos, tentando esquecer o "dia para não ser lembrado", como ele se referia ao dia de seu casamento. Quando fechou seus olhos para voltar a dormir, o alarme disparou e a música voltou a tocar.

– Aarrrrgh! Dá um tempo! – ele gritou.

Ele puxou o despertador até que saísse da tomada: – Pronto. Não preciso ouvir essa música de novo.

Ao perceber que não conseguiria dormir novamente, arrastou-se até o banheiro. Olhou no espelho e viu seu reflexo: as olheiras e a cara de quem passara a maioria de seus dias desde o "dia para não ser lembrado" na cama, dormindo e evitando contato com todo mundo.

Começou a escovar os dentes e novamente pôde ouvir a mesma música tocando. Ele sacudiu a cabeça, pensando que a música estivesse tocando apenas em sua mente e que era mais uma brincadeira sádica do universo: sua mente queria fazê-lo se lembrar de Ryan, repetitivamente.

Ele balançou a cabeça, e a música parou. Voltou a escovar os dentes. A música voltou, mais alta dessa vez. Daniel podia ouvir o som vindo da sala de estar.

Na sala, encontrou Esther cantando o refrão da música do Air Supply "I am so lost without you", enquanto carregava caixas.

– Esther! – ele gritou. – O que está fazendo?

Assustada, ela pulou para trás, derrubando a caixa que carregava: – Que diabos? Eu não esperava te ver aqui. Você não tinha aquela reunião importante com aqueles produtores de TV hoje?

– Ai, meu Deus! Eu esqueci completamente.

– Você esqueceu? Como pôde? Você e Ryan trabalharam neste projeto por meses.

– Tá, tá, tá... Ryan.

– Vamos, querido. Se recomponha e vá àquela reunião. Prove a si mesmo que é capaz de fazer isso sozinho. Você não precisa dele!

Daniel respirou e olhou para cima: – Você está certa. Eu posso fazer isso. Não é justo jogar nove meses de trabalho duro por causa dele. Vou tomar um banho rápido e me arrumar.

Minutos depois, ele apareceu após se trocar: – Como estou?

– Você está fantástico, querido! – ela o olhou de forma amorosa e lhe deu um beijo na bochecha.

– Droga. Eu esqueci de pedir um táxi.

Ela colocou a mão no bolso, tirou um molho de chaves e deu para ele.

– Pegue meu carro, querido.

– Mas eu não vou voltar antes do final da tarde.

– Não se preocupe. Vou ficar ensaiando aqui. Eu e a banda temos aquela apresentação amanhã à noite. Preciso de um tempo sozinha, sem a minha mãe. Ela está me enlouquecendo. Sei que ela está envelhecendo, mas, às vezes, sinto que não tenho tempo mais para mim.

– Ah, sim, claro. Desculpe. Eu aqui preso dentro do meu próprio mundo – ele a abraçou e lhe deu um beijo. – Você é a melhor. Não sei o que faria sem você.

Quando se aproximava do carro de Esther, deparou-se com a decoração do bolo que tinha jogado do telhado, no dia do casamento. Ele chutou a peça bem longe e observou desaparecer pelo esgoto. Naquele momento, ele esmoreceu novamente, perdendo a autoconfiança. Entrou no carro, suspirou e apoiou a cabeça no volante.

Do lado de fora da sala de reuniões da produtora de TV, Daniel olhou seu celular.

> **Esther:**
> O champanhe já está no gelo!

Ele olhou para o céu e pensou: "Como eu respondo a esta mensagem?"

Susie, uma das produtoras, saiu da sala de reuniões e se aproximou dele. – Você está bem?

– Me desculpe se te decepcionei, Susie. Sei que você colocou seu pescoço na guilhotina para nos apresentar à sua direção e eu fui lá e fiz feio.

– Daniel, não se preocupe. Eu fiquei sabendo sobre o que aconteceu com você e Ryan. Estou tão orgulhosa por você ter sido corajoso o bastante para vir aqui hoje e fazer a sua apresentação sozinho, sem o Ryan. Por favor, deixe comigo, me dê um tempo. Vou falar com a direção. Não estou prometendo nada, mas vamos ter fé, quem sabe eles te deem outra chance.

***

JC estava ensaiando um monólogo da peça *Um bonde chamado desejo*, de Tennessee Williams. Ele repassou fala por fala, mas sempre esbarrando na mesma palavra: "acaso". Todavia, o seu ensaio foi interrompido quando Teresa, sua chefe, que ao se aproximar do armário de produtos de limpeza, o flagrou em sua atuação com a vassoura.

– Você está interrompendo meu ensaio, aqui.

– Volte para a realidade, Juan Carlos! Enquanto a fila cresce lá fora, você aqui fazendo a sua performance no armário da faxina. Isso aqui não é nenhum teatro, não!

– Me desculpe, senhora. Eu tenho um teste amanhã e preciso ensaiar minhas falas. Minha mãe está chegando para me visitar, e eu preciso de trabalho como ator, pelo menos pelo tempo que ela estiver por aqui. Não posso deixar que ela me veja trabalhando aqui nesta cafeteria.

Teresa desacreditou: – Não é da minha conta, mas me diga, o que há de errado em trabalhar em uma cafeteria?

– Ela não gostaria de ver seu único filho trabalhando, fazendo cafés.

Teresa irritou-se. – Eu tenho certeza que ela não se importaria em ver seu filho trabalhando e ganhando um salário honesto em Londres, Juan Carlos! Você é um barista, e tudo o que me importa agora são os clientes que estão em suas mesas esperando para serem atendidos. Agora vá, e ensaie suas falas enquanto estiver atendendo aos clientes de modo satisfatório.

***

Assim que Daniel virou a chave na porta de seu apartamento, ele respirou profundamente e simulou um sorriso. Andando pela casa viu Esther arrumando os presentes de casamento que estavam espalhados para todo lado.

– E aí, meu querido, como foi?

– Nada mal, mas também não foi aquela maravilha. Para ser sincero, eu estava fazendo o trabalho de dois. Então, foi difícil – Daniel estava abatido.

Esther, então, deu-lhe um abraço. Ele encostou sua cabeça no ombro da amiga.

– Relaxe. É compreensível.

– Me mata dizer isso, mas eu preciso muito dele, pelo menos profissionalmente falando. O Ryan faz muita falta.

Enquanto ele repousava sua cabeça em seu ombro, Esther, discretamente pegava seu celular e enviava uma mensagem para Amy e Ed.

> **Esther:**
> Meninos, eu preciso de vocês agora aqui o mais rápido possível. O Dan não está bem.

Eram cinco horas da tarde e Ed estava feliz, porque finalmente tinha conseguido sair mais cedo do trabalho para ir à academia. Ele estava saindo do vestiário em direção à área de treino quando viu uma garota que ele gostava vindo em sua direção. Ela, primeiramente olhou para ele e depois sorriu. Como ele sorriu de volta, ela acenou e desceu as escadas em direção à área de treino. Enquanto ele seguia a jovem, seu celular vibrou. "Ah, não, ligação de trabalho agora!", ele pensou. Ele checou o telefone e viu que se tratava de uma mensagem de Esther. Então, ele enrolou a toalha no pescoço quando viu a jovem descendo as escadas. Ele suspirou, frustrado por ter de cancelar seu treino, e voltou para o vestiário.

Amy estava sentada ao lado de duas colegas. Ela olhou impacientemente para o relógio. Ela não via a hora de terminar o expediente, pois não tinha gostado nem do novo trabalho, nem das novas colegas que descreveu tais quais as irmãs horrorosas de Cinderela. Às cinco horas seu celular vibrou, e ela rapidamente leu a mensagem.

– "Simmmm", ela comemorou em voz alta, feliz, porque tinha um motivo para sair mais cedo do trabalho.

Ela se levantou e pegou sua bolsa.

– Terminei por hoje. Tenham um ótimo final de semana – e saiu sorridente.

Quinze minutos depois, Amy chegava à porta do prédio de Daniel. Ela abriu a bolsa para pegar o dinheiro do táxi e, então, percebeu que não tinha a quantia exata. Meio nervosa, ela disse ao motorista:

– Me desculpe, estão faltando sessenta centavos.

Ed, que vinha correndo pela rua, teve de parar repentinamente, assim que Amy abriu a porta do táxi, bloqueando a sua passagem. Foi quando ele viu Amy saindo do carro e ainda teve tempo de ouvir o motorista reclamando.

– Cuidado – disse Ed.

– Por que cuidado? – Amy perguntou mal-humorada.

– Você quase bateu com a porta do táxi em mim.

– Você tem trocado?

– Você quase me matou e ainda me pede dinheiro?

Amy não respondeu. Revolveu os olhos e esticou a mão esperando pelo dinheiro. Ed tirou uma moeda de sua carteira e a colocou na mão de Amy que imediatamente jogou no banco do passageiro do táxi.

– Tome aí, seu rabugento! – ela gritou para o motorista.

Daniel ouviu o interfone do apartamento tocar e perguntou ressabiado para Esther: – Quem é?

– Eu mandei mensagem para o Ed e a Amy para virem ajudar com os presentes – mentiu.

Ele revirou os olhos, entediado: – Eu não preciso passar por isso agora, Esther, preciso?

– Vamos lá, Daniel, ânimo. Eles vieram para ficar com você e dar um jeito nos presentes.

Assim que eles entraram na sala do apartamento, Amy passou à frente de Ed para ser a primeira a abraçar Daniel. Ela se agarrava nele enquanto Ed segurava seus ombros.

– Você está bem, cara? – Ed perguntou.

– Sim, eu estou legal. Esther organizou todos os presentes e eu preciso analisar e saber quem mandou o que e devolver tudo.

Amy desembrulhou o primeiro presente. Ela pulou de alegria quando descobriu que se tratava de uma cafeteira elétrica.

– Oh, meu Deus! Você sabe quanto custa uma cafeteira igual a essa? Eu estava procurando uma na internet. Custa uma fortuna!

– Quem enviou?

Amy abriu o envelope e checou o cartão: tio George e tia Sylvia.

– São da família do Ryan. Eles vivem no Sul da França. Pelo fato de não virem ao casamento é que compraram um presente tão caro.

– Se é da família do Ryan, você não deveria devolver. Tenho uma ideia melhor, você pode dar para mim, sua melhor amiga.

Esther balançou a cabeça e a repreendeu: – Amy!

Daniel tomou a cafeteira das mãos de Amy: – Não. Eu vou enviar para os pais do Ryan e eles que decidam o que fazer.

– Amy, eu pensei que você tivesse vindo para ajudar – disse Esther.

– É tudo culpa do Ryan – Amy resmungou. – Sendo assim, nós deveríamos ficar com alguns presentes como forma de compensação por danos emocionais.

Capítulo 8

Já era bem tarde e eles ainda estavam desembrulhando os presentes e os separando. O clima estava totalmente diferente de antes. Daniel estava mais bem-humorado e até ria das brincadeiras de Ed. Eles tinham pedido pizza e bebido duas garrafas de vinho. Estavam se preparando para abrir a terceira garrafa quando JC chegou.

– Oh, pizza! – JC disse ao entrar no apartamento. – Estou com tanta fome! – ele ainda usava o uniforme da cafeteria.

– Não sobrou muito, amigo – disse Ed, colocando uma fatia no prato e dando a JC.

– Você quer que eu peça mais para você?

– Não, não se preocupe. Vou comer só um ou dois pedaços.

– Tem certeza?

– Não posso ficar muito, já que tenho meu grande teste amanhã.

Amy jogou os braços para o ar: – Por favor, não me diga que você vai ficar a noite toda acordado ensaiando de novo?

JC, depois de quase fuzilar a amiga com o olhar, deu-lhe as costas e a ignorou, o que a fez se sentir isolada. Com as suas inseguranças a mil, ela pegou sua taça de vinho e virou de uma vez.

JC mostrou suas mãos trêmulas para o resto do grupo: – Olhe, gente. Estou tão "nervioso".

Ed cuspiu seu vinho de volta no copo, e foi chutado por Daniel por debaixo da mesa.

– Não é nervioso, é "nervoso", JC – Daniel o corrigiu gentilmente.

– Estou tão nervoso! Tenho esse teste amanhã e eu preciso conseguir este papel.

– Qual é o papel! – perguntou Daniel.

– É para um curta, filmado aqui mesmo em Londres.

– Legal! E como é seu personagem? – Daniel voltou a perguntar.

– Ele se chama Troy. É um estudante americano que...

– Um estudante? – interrompeu Amy. – Na sua idade?

JC limpou a garganta e virou ainda mais as costas para ela: – Enfim, ele é um estudante americano que está visitando o personagem principal, que vive em Londres. É um papel pequeno, mas eu estou muito empolgado.

– Americano? – disse Amy. – Você é tão perfeito para esse papel, não é? – disse ironicamente.

Ed, em um gesto de desaprovação, chamou atenção da amiga: – Amy!

– Eu não entendi o que você quis dizer com sua ironia, Amy – disse JC, confuso.

Amy, alterada por causa do vinho, rindo alto, continuou: – Qual é, JC. Você não consegue fazer o sotaque americano. Na verdade, você mal consegue falar inglês.

Ao mesmo tempo, Ed e Daniel gritaram com ela: – Amy!

– Que "insultuoso"! – disse JC, com os olhos marejados.

– Viu? – disse Amy, ainda rindo. – É "insulto", não "insultuoso"!

Ele ficou com os olhos marejados e estava prestes a chorar.

– Eu não quis ser grosseira. É que seu sotaque espanhol é muito forte para representar um americano, só isso.

– Na verdade, Amy, eu já fiz o sotaque americano antes.

– Caia na real, JC. Seu sotaque espanhol é muito forte e ponto!

– Ok, mas para pagar metade do seu aluguel, eu não sou assim tão espanhol, não é mesmo?

– Agora é você quem está me fazendo sentir "nerviosa" – ela disse, caçoando dele, com a língua entre os lábios.

– Olhe aqui, eu não preciso mais dessa energia negativa. Vou embora – JC levantou-se para sair. Ele estava prestes a explodir.

– Não vá – disse Daniel. E Ed tentou impedir JC de sair, pedindo para que ficasse e terminasse a pizza.

– Desculpe, galera, mas eu não vou ficar aqui ouvindo insulto.

Esther levantou-se do sofá e pegou sua bolsa: – Vamos, querido. Eu te dou uma carona. Preciso voltar para casa e ver minha mãe.

Quando Esther e JC deixaram o apartamento, Amy virou outra taça de vinho e perguntou a Daniel se ele tinha entendido a reação de JC.

– Claro que entendi porque ele reagiu daquela maneira. Você foi muito má com ele.

– Você não precisava ter falado com ele daquela forma – Ed parecia estar bastante decepcionado.

– Eu estava só tentando administrar a expectativa dele – disse Amy.

– Dizendo que ele não servia para o papel? Nossa! – Daniel sacudiu a cabeça, demonstrando seu desapontamento.

– Tanto faz – disse Amy. – É o JC causando drama de novo! Ele fica sempre aí de mi mi mi...

Ed levantou-se para também se retirar. Com olhar bem decepcionado e evitando encará-la, ele abraçou Daniel: – Indo nessa, mas amanhã te ligo para combinarmos o horário do cinema. Pra mim já deu por hoje.

Quando Ed saiu, Daniel olhou para Amy decepcionado: – Amy, você sabe que te amo muito, mas o que você fez foi uma grande mancada com o JC.

Amy resmungou e disse para si mesma: "Tanto faz".

Capítulo 9

– Bom dia, Krissi – disse Sheila, uma senhora, que adentrou ofegante o salão. – Desculpe pelo atraso, é que eu acabei de limpar o apartamento do Daniel.

Krissi estava sentada na cadeira acariciando seu gato. Seu cabelo estava tão excêntrico quanto os penteados que ela frequentemente fazia em suas clientes. Com sotaque australiano ela disse enquanto se levantava da cadeira: – Não se preocupe, querida! Você não parou de trabalhar para o Daniel? Eu pensei que ele estivesse se mudado com seu novo marido. Qual é o nome dele, mesmo? Ryan?

– Ah, você não sabe?

– Não sabe o que? – perguntou Krissi já farejando uma boa fofoca.

– Sobre o casamento?

– Não, eu não estou sabendo de nada.

– Ele foi deixado no altar!

– Por quem?

– Pelo noivo, o Ryan, lógico.

Krissy caiu de costas na cadeira, e só não machucou o gato porque ele foi mais rápido e pulou antes. Ela se abanou com ambas as mãos:
– Tô morta!

– Nós duas estamos!

Eu sempre achei que havia algo errado com aquele Ryan. Ele parece meio falso, metido, não sei...

– Quer saber, o pobre Daniel está arrasado.

– Eu posso imaginar – Krissi franziu a sobrancelha. – E Amy não mencionou nada quando eu cruzei com ela. Imagine você que ela está me evitando. Ela me deve aluguel. Ela anda fazendo mais uma das suas, mas eu estou de olho!

Sheila sentou-se na cadeira, pronta para fazer o cabelo e olhou no espelho.

– E por falar no diabo, olha quem está chegando?

Amy abriu a porta e entrou.

Krissi sorriu: – Suas orelhas estão queimando, querida?

– Por quê? O que a senhora estava falando de mim? – perguntou desconfiada.

– Não – disse Krissi, virando-se. – Sheila estava me falando a respeito do casamento. Muito triste esta história. E Daniel, tão adorável. E você nem para me falar nada?!

Amy corou. Ela protegia demais Daniel para fazer comentários a respeito de uma situação tão desagradável.

– Eu estava pensando em te contar, mas ando tão abalada com tudo isso que por enquanto não quero comentar.

– Se é assim, não tem problema, querida. Mas, da próxima vez, vê se não esquece de comentar com as amigas. Ah, eu reservei um horário para você, hoje.

Amy corou novamente e coçou a nuca: – Então, eu preciso cancelar o meu horário.

– Como assim? Você não sabe que eu dispenso cliente de tão solicitada que sou?

Amy olhou para Sheila e revirou os olhos. Krissi não era nem de longe boa cabeleireira, muito menos popular. Amy deixava Krissi arrumar seu cabelo porque era a proprietária do apartamento onde ela morava e estava atrasada com o aluguel. Essa era uma forma de agradar Krissi, fazer "uma média" com ela.

– E você vai me decepcionar depois de tudo que tenho feito por você? – ela falou, fazendo chantagem emocional.

– Ok, então. Mas bem rapidinho, porque preciso ver o Daniel.

– Nunca apresse uma artista, querida. Nunca! Nós artistas precisamos de tempo para criar a nossa arte.

Amy suspirou, balançando a cabeça, preparando-se para o terrível penteado que Krissi faria.

– Ah, claro! – Amy virou-se, revirou os olhos, como sempre, e se dirigiu para a porta de saída do salão.

Assim que Amy se retirou, Krissi e Sheila voltaram a fofocar a respeito do casamento.

***

– E, aí, vocês estão nervosos por causa do teste? Estou tremendo da cabeça aos pés.

Um dos atores que estava sentado ao lado de JC o fitou de cima a baixo: – Oi?!

Outro ator, sentado do lado oposto a JC, riu: – Você poderia repetir o que você falou em inglês?

JC baixou o olhar, sentindo-se constrangido.

O ator, à direita de JC, disse: – Eu definitivamente não estou nem um pouco com medo do teste, porque agora já sei com quem estou concorrendo.

Em seguida, JC foi chamado a subir ao palco e fazer a sua performance. Ele estava totalmente inseguro após ouvir a ironia dos outros dois atores.

Naquele momento, o ator à sua esquerda disse com o intuito de deixá-lo ainda mais nervoso: – Talvez você devesse falar suas falas em Espanhol. Quem sabe, assim, o diretor te entenderia melhor.

JC, de tão nervoso, ao subir ao palco tropeçou e quase caiu. Ele demorou um bom tempo para começar, e o diretor, que estava sentado bem à sua frente, lançou-lhe um olhar expressivo de impaciência insinuando "eu não tenho o dia inteiro à sua disposição."

– Desculpe-me, senhor – disse JC, com as pernas visivelmente trêmulas. Meu nome é Juan Carlos Navarro e eu estou aqui no Reino Unido há três anos. E eu gosto muito do que eu faço e estou muito grato pela oportunidade de estar aqui. Meu sonho é...

– Por favor, pule essa parte chata e vá para suas falas – falou o diretor, virando os olhos em sinal de intolerância.

JC limpou a garganta e respondeu: – Claro!

O assistente de direção, que estava no palco para ler as falas com JC, deu início ao teste.

"Quando seu voo pousou?"

"Faz algumas horas" – disse JC, incorporado na personagem. "Eu vim direto do aeroporto. Muito bom te ver, Oliver!"

"Por que você não trouxe aquele clima agradável da Califórnia?" – disse o assistente de direção lendo o texto.

"O clima aqui é tipicamente inglês mesmo, eu suponho. De qualquer modo, eu não vim aqui por causa do clima. Eu vim para te ver, visitar a Europa, me divertir. Não vamos deixar que um detalhe tão pequeno como o clima nos atrapalhe".

– Corta! Obrigado. Eu acho que já ouvimos o suficiente – disse o diretor de repente. – Na sua interpretação, onde fica o sotaque americano? Você tem noção que o personagem é Americano?

– Claro! Um Latino-Americo – disse JC, sorrindo meio atrevido.

O diretor balançou a cabeça e bufou: – Manteremos contato!

– Muito obrigado por...

– Próximo! – gritou o diretor.

* * *

No salão de Krissi, Amy estava fazendo o cabelo quando o seu celular começou a vibrar.

– Você precisa atender, querida? – perguntou Krissi.

– Melhor né, vai que é o Daniel. Ela alcançou o telefone no bolso de sua calça.

– Oi, Dan. Sim, estou aqui na Krissi. Onde você está?

Daniel disse que estava descendo a Rua Marshalsea Road e estava próximo ao salão.

Krissi, ao retirar a capa de proteção de Amy, seus braços no ar e com grandes gestos comemorou a finalização do seu trabalho.

– Ok, querida. A arte está pronta! O que achou? Krissi virou a cadeira de modo que Amy pudesse se olhar no espelho. Amy ficou de boca aberta e sem palavras.

– E aí, amou? – Krissi perguntou.

– Erm... É... Erm... – Amy detestou o penteado, mas não queria desapontar Krissi.

– Desculpe, Krissi, mas hoje estou sem cabeça. Estou focada em Daniel e preciso ir logo, porque daqui a pouco ele chega.

A campainha do salão tocou, e era Daniel que chegava. Amy foi salva pela campainha.

– Boa tarde, senhoras.

Krissi imediatamente levantou os dois braços: – Oh, Daniel, meu querido! Estou passada! Morta com a notícia! Eu sinto muito, meu pobrezinho!

Amy revirou os olhos perante o gesto melodramático de Krissi.

Krissi correu até Daniel e lhe deu um abraço tão apertado que ele quase sufocou.

– Ok. Eu estou bem – ele disse enquanto tentava se livrar do abraço.

– Oh, Daniel, eu sinto muito. Eu nunca gostei daquele lá – ela delicadamente apontou para o seu charmoso colar.

– Meu olho grego nunca mente, e ele me falou que aquele um não era uma boa pessoa. Eu sempre soube, desde o começo. Aquilo é coisa ruim. Não confio em quem tem olhos azuis.

Daniel estava com os olhos arregalados, extremamente surpreso. E Amy indignada com o que acabava de ouvir, e ficou ainda mais frustada quando se olhou no espelho novamente.

– Eu vou fazer um café pra gente, querido – disse Krissi, e aí a gente senta e você me conta tudo o que aconteceu e com detalhes.

Amy pulou da cadeira: – Não, café não. A gente está sem tempo. A gente vai fazer compras.

– Vamos, Daniel – Amy pegou sua bolsa antes que Krissi tivesse tempo de contra-argumentar e puxou Daniel pela manga da camisa.

– Krissi, obrigada por tudo.

– Deixa eu ajeitar o seu cabelo mais um pouquinho, querida. Você vai fazer compras, não vai?

– Não, não precisa. Sinceramente, está ótimo. Amei.

– Tchau, Krissi – gritou Daniel enquanto era arrastado para fora do salão.

Do lado de fora, Daniel tentou ajeitar o cabelo de Amy: – Devemos pegar um táxi para você arrumar melhor esse cabelo? Está meio estranho – falou Daniel e em seguida ele quase chorou de tanto rir.

Amy parou em frente à janela de uma lanchonete para verificar sua aparência pelo reflexo da vitrine.

– Boa ideia. Honestamente, eu não sei por que ainda faço isso comigo.

Capítulo 10

Amy e Daniel chegaram à Bond Street. A rua estava localizada no bairro de Mayfair, repleta de lojas de grifes como Louis Vuitton, Prada, Dolce & Gabbana dentre outras. Logo que desceu do táxi, Amy abriu os braços largamente. Parecia uma criança na noite de natal, à procura de todos os presentes deixados pelo Papai Noel: – Estou no paraíso! Me sinto em casa! O lugar que por direito é meu!

– Então, qual o plano? – fazer compras era quase uma tortura para Daniel e ele não conseguia esconder o desprazer de estar lá.

– Comprarmos até cair – Amy respondeu, quase cantando de tão feliz que estava.

– Eu achei que o dia fosse para me alegrar?

– Claro que é. Mas se fizermos compras pelo caminho, ficamos os dois felizes.

Ela parecia estar em hipnose. Sua cabeça girava sem parar e suas pupilas dilatavam em empolgação, olhando para todas as lojas finas. Ela andou à frente de Daniel, indo para a loja da grife Gucci.

– Consigo ouvir Roy Orbison cantando o tema do filme "Uma Linda mulher" na minha cabeça nesse exato momento, Dan! Você consegue ouvir também? Oh, Bond Street, eu te adoro! – ela quase dançou na rua antes de entrar na loja da Gucci.

**

De volta ao bairro de Bankside, a música de Taylor Swift "I knew you were trouble" explodia pelos alto-falantes da academia. Ed levantava pesos na academia quando seu celular vibrou com uma ligação no FaceTime. Ele pegou o celular e aceitou a ligação, que era do seu colega de faculdade, Jamie.

– E aiiiiií? – disse Ed. – Há quanto tempo!

– Onde você está? Na academia? Ainda tentando ter um corpo parecido com o meu? – Jamie o provocou.

Ed mostrou o dedo do meio a ele: – Me faça um favor! Enfim, a que devo a honra, recebendo a ligação do Lord Jamie, direto de Dubai?

– Estou te ligando para falar que estarei de volta ao Reino Unido dentro de algumas semanas.

– Então, você nos agraciará com a sua presença?

– Evidente, meu caro!

– Estou ansioso por uma de nossas noites épicas – Ed teve um flashback, lembrando de algumas baladas que tivera com Jamie.

– Tá certo. Deixe sua agenda livre que eu estou chegando.

– Deixarei. Preciso preparar meu fígado.

Jamie riu e disse: – Sim, precisa! Eu tenho que ir. Até mais – e finalizou a ligação.

A Taylor Swift podia ser ouvida cantando o refrão "Oh, Oh, trouble, trouble, trouble".

"Ele com certeza será um grande 'trouble'", disse Ed para si mesmo.

Após o treino, andando pela rua e sonhando acordado, Ed tinha o brilho no olhar de quem estava apaixonado. Quanto mais ele pensava nela, mais ele sorria. Ele olhou para uma vitrine e viu bichinhos de pelúcia em exposição, à venda. Ele teve uma brilhante ideia e decidiu entrar na loja.

Foi direto à sessão de bichos de pelúcia e pegou um pequeno macaco na prateleira. Se dirigiu até o caixa e entregou o pequeno macaco de pelúcia à caixa, que sorriu a ele, flertando.

– Você não tem jeito de quem gosta de bichos de pelúcia.

– Não é para mim. É para uma garota especial que adora macacos.

– Ela é uma garota de muita sorte – ela respondeu, dando uma piscada, ainda flertando com ele.

– Não exatamente. Sorte tenho eu por ser amigo dela!

Na Bond Street, Daniel e Amy também estavam no caixa de uma loja. Olhando para Daniel, Amy bateu palmas, sentindo-se muito feliz com sua compra. Daniel balançou a cabeça e chamou atenção de Amy para a atendente do caixa novamente.

A atendente limpou a garganta: – Sinto muito, mas seu cartão foi negado.

Amy pediu para que a moça no caixa tentasse de novo, e depois de passar o cartão de Amy mais duas vezes, ela confirmou que o cartão tinha sido negado.

– Tente de novo – Amy pediu.

– Eu sinto muito, mas já tentei três vezes – ela pegou a sacola de compras, que Amy tentava adquirir e, com um sorriso sarcástico, a afastou da jovem. – Infelizmente, você não irá levar nada da nossa loja hoje.

– Amy olhou para Daniel com cara de cachorro sem dono: – Por favor?

Ele revirou os olhos, pegou sua carteira e tirou o cartão de crédito.

– Por favor, use esse cartão – Daniel disse à moça do caixa.

Amy sorriu para o caixa, muito satisfeita consigo mesma.

Do lado de fora da loja, ouviram seus celulares tocarem. Pararam e checaram a mensagem.

> **Ed:**
> Ei gente, cogitamos ir ao cinema hoje. Ainda estão a fim?

Amy olhou para Daniel com entusiasmo: – Vamos?

Ele não disse nada, mas olhou para ela indicando que não poderia ser contrariado.

– Ah, vamos. Não se faça de difícil – ela insistiu.

> **Amy:**
> Sim. Mas sem aquelas porcarias de filmes chatos de "astronautas perdidos no espaço", por favor.

Ed, que estava sentado em seu sofá, sorriu quando leu a resposta de Amy.

> **Ed:**
> Não se preocupe. Levarei a minha alegria até vocês hoje. Pego vocês às 19h. Amy, passo dez minutos antes na sua casa. Preciso falar com você.

> **Daniel:**
> Okay.

> **Amy:**
> Okay.

Amy e Daniel colocaram os celulares de volta em seus bolsos.

– Então, Amy, o que foi aquele "dez minutos antes"?

Envergonhada, Amy respondeu que não fazia ideia. Ela pegou suas sacolas do chão e disse: – Vamos, depressa.

Capítulo 11

No bairro de Peckham, Sul de Londres, Esther chegava do supermercado. Ela lutava para abrir a porta e segurar ao mesmo tempo as sacolas de compras. Assim que ela entrou em casa percebeu que sua mãe não estava sentada em sua poltrona de couro.

– Mãe? Cadê a senhora?

Ela largou as compras de mercado no chão e correu em desespero pela casa à procura da mãe. Quando ela abriu o banheiro, encontrou sua mãe no chão.

– Mãe!

Em choque, Esther ajoelhou-se a fim de conseguir levantá-la do chão.

– Me desculpe, eu me atrasei. Achei que daria tempo de fazer algumas compras.

– Não se desespere, querida – falou Mimi, com a voz frágil. – Eu apenas levei um escorregão.

Esther levantou sua mãe do chão, cuidadosamente, e depois a conduziu até seu quarto. Ela estava se sentindo culpada por ter se atrasado, e, responsável por tudo que tinha acontecido.

– Me perdoe, mãe.

– Não se preocupe, minha filha, não foi sua culpa. Eu precisava ir ao banheiro. Eu sei que deveria ter esperado você chegar.

Esther virou-se de modo que sua não visse seu rosto. Sentindo-se extremamente triste pela situação, ela chorou.

***

Em casa, cercada por dezenas de sacolas de compras, tudo resultado de sua compulsão por comprar, Amy olhava-se no espelho enquanto a canção "If I were a boy", de Beyoncé, tocava em seu Iphone.

A imagem que via naquele momento refletida no espelho remetia para uma Amy mais jovem, vestindo jeans, camisa xadrez e tênis All Star. Seu cabelo era oleoso e seu rosto o de uma menina frágil e triste. Ela voltou no tempo e de repente se viu muito mais jovem, sentada no jardim, olhando para o céu, chorando, sentindo falta da mãe.

Seus pensamentos foram interrompidos pelo som de batidas na porta. "Deve ser JC", ela pensou assim que se dirigiu para a porta. "Sempre esquece as suas chaves."

– É você, JC? – ela gritou do seu jeito impaciente. – Esqueceu suas chaves outra vez?

Em seguida, ela ouviu uma voz masculina grave dizer: – Não.

Ela abriu a porta e se deparou com um rapaz lindo à sua frente. Ela se sentiu desconcertada assim que olhou em seus olhos. O estranho, que estava segurando um pacote, notou imediatamente a reação de Amy.

– Oi, você é Amy? – ele perguntou.

– Sim. Mas, como você sabe?

– É que eu sou médium – o homem fez uma pausa e depois disse sorrindo: – Não exatamente. O seu pacote foi enviado para minha avó, Mary e o apartamento dela é ao lado do seu. Eu estou de passagem. Meu nome é Greg. Prazer em te conhecer.

– Ah, tá – ela disse.

Greg, por cima dos ombros de Amy, pôde observar todas as sacolas de compras na sala de estar: – Eu sou capaz de apostar que você é uma garota que adora fazer compras.

Ao perceber o ar de surpresa de Amy perante a observação, ele apontou para as sacolas que estavam atrás dela.

Ela, então, corou: – Acertou!

– Eu acho que as pistas estão ali. – Ele levantou o pacote: – Compras na internet?

– Médium de novo?

Ele riu. – Estou sendo apenas um bom detetive. Lendo todas as pistas que você está me dando.

Ele entregou o pacote a Amy, e ela ficou sem reação. Ele era tão bonito aos seus olhos que ela nem sabia o que dizer. Após breve silêncio, ela se lembrou do penteado esdrúxulo que Krissi havia feito em seu cabelo e passou as mãos rapidamente, tentando dar uma melhorada no "estrago". Após breve silêncio, ela perguntou:

– Você se mudou para cá? Está morando com sua avó?

– Não... Não. Pelo meu sotaque, você já deve ter percebido que eu sou Australiano. Eu só vim para visitar minha vó; vou ficar apenas três semanas aqui em Londres. Estou fazendo um tour pela Europa e comecei por Londres. Mas – piscou para ela – quem sabe eu não conheça alguma garota que me faça ficar mais tempo por aqui.

Repentinamente, Ed chegou. Ele estava vestido como se estivesse indo a um encontro romântico e segurava uma sacolinha de presente contendo o macaco de pelúcia que ele havia comprado naquela tarde. Ele se sentiu extremamente desapontado quando viu Amy e o estranho flertando, obviamente, um com o outro. Amy e o Australiano estavam tão entrosados na conversa que nem ao menos perceberam Ed, ali parado, ao lado deles.

Ed limpou a garganta.

Amy olhou surpresa para Ed: – Greg, este é Ed.

– Oi – cumprimentou Greg. – Beleza aí?

– Oi – respondeu Ed.

– Então, você é o namorado da Amy?

Amy interrompeu, corrigindo Greg rapidamente: – Não. Nós somos apenas amigos. Ed e eu somos velhos amigos, bem amigos, tipo irmãos.

"Velhos amigos", "Apenas amigos" – essas palavras ditas por Amy feriram Ed mais do que uma faca afiada. Ele suspirou profundamente e tentou ao máximo disfarçar sua tristeza.

– Ah, eu entendo – disse Greg. – Pela sacolinha de presente eu presumo que vocês vão sair.

Ed, sentindo-se totalmente desanimado, balançou a cabeça em sinal de afirmação e disse sem graça:

– Mas o presente não é para Amy, é para outra pessoa. Mas, de qualquer modo, nós vamos ao cinema e já estamos atrasados.

– Ah, eu entendi – disse Greg.

– Não! Você não entendeu. Nós vamos ao cinema com outro amigo, o Daniel. Nós somos amigos desde o tempo da universidade – corrigiu Amy apressadamente. – Não é encontro romântico, é apenas um rolê de amigos. Enfim, vamos ao cinema, quer dizer, depois que eu ficar pronta – ajeitou o cabelo novamente. – E após o cinema vamos para um bar daqui da região, onde uma amiga nossa vai tocar. Seria legal se você fosse com a gente!

– Da hora! – Greg respondeu.

– Me passa o seu número de whatsapp e eu te mando um whats para você guardar meu número e depois você me avisa quando estiver pronta – ele deu seu aparelho celular para Amy. Ela adicionou seu número e devolveu o aparelho para Greg.

– Eu te escrevo mais tarde, vizinha – ele disse e se despediu.

– Após Greg ter entrado no apartamento da avó, Amy olhou para a sacolinha de presente e perguntou para Ed: – O que é?

Ed, totalmente desapontado, tirou a sacolinha da vista de Amy: – Não é nada, não! E agiliza senão a gente vai chegar atrasado.

– Uau! Que cara lindo!

EPISÓDIO UM DIA DE CADA VEZ   81

– Quem?

– O novo vizinho!

Ed encolheu os ombros: – O "da hora"?

– O que você quer dizer?

– Sério? Da hora?

– Você não está com ciúme, está?

– Do "da hora"? De verdade? Surfista canguru lesado!

Amy terminou de se arrumar e eles saíram.

– Ah, não!!! Não é o Mustang conversível! Você tem dinheiro Ed, não sei por que insiste em colecionar estes cacarecos velhos que você chama de carro – Amy reclamou quando viu o carro velho de Ed estacionado.

– Ah, sim! Meu bebê favorito!

Enquanto Amy se acomodava no carro, não muito feliz pela escolha do carro, Ed colocava a sacolinha de presente no porta-malas.

"Que mancada", ele pensou ao colocar o presente no porta-malas do carro. Ele entrou no carro e deu a partida: – Bora! Vamos pegar o Dan.

Capítulo 12

– Então, Ed, qual filme vamos assistir? O que você preparou para nós? – Amy perguntou quando adentraram o cinema.

– Surpresa! Esperem até vocês entrarem na sala.

– Ah, por favor, não vai dizer que é um daqueles filmes "astronauta perdido no espaço" que você gosta – disse Daniel, não parecendo muito impressionado.

– Não, Dan, não é. Essa noite é toda focada em você. Eu escolhi um filme pensando em você!

Amy aplaudiu: – Emocionante! Viu Dan, nós somos os melhores amigos do mundo! Hoje o dia é inteiramente pra você.

Ed deu os três ingressos ao rapaz da entrada. Quando Daniel entrou, o rapaz verificou os ingressos e piscou para ele. Ed e Amy riram e o seguiram logo atrás.

– Olha só! O garanhão Summerhayes está de volta! – disse Ed, dando-lhe um tapinha no ombro.

– O quê?

– Aquele cara, conferindo os ingressos do cinema – explicou Amy. – Ele piscou pra você. Daniel está de volta e arrasando corações.

– Ele sorriu: – Tá, tá.

Após todos os comerciais e trailers dos filmes que estavam por vir, Ed esfregou as mãos em sinal de entusiasmo: – Eu mal posso esperar pra você assistir a este filme, amigo! Você vai amar!

O filme começou com uma cena de uma casa velha em um local que parecia ser o interior dos Estados Unidos. Um homem alto e loiro saiu de dentro da casa. A imagem congelou, e Amy imediatamente cobriu a boca.

O nome do ator apareceu em negrito: RYAN GOSLING.

– Ótimo! Tudo que eu preciso é de um filme com o Ryan Gosling! – disse Daniel, tapando seus olhos com as duas mãos e desacreditando no que estava vendo.

Amy ainda cobria sua boca quando o título do filme apareceu na tela: *Aprendendo a dizer adeus*. Daniel cobriu o rosto com as duas mãos e sacudiu a cabeça.

– Preciso ir ao banheiro – disse Daniel enquanto levantava da cadeira.

Ele correu para a saída, deixando Ed confuso em seu assento. Amy bateu no braço de Ed.

– Ei! O que você tá fazendo? *Aprendendo a dizer Adeus*? Essa era sua grande ideia para ajudar o Dan? E com Ryan Gosling?

– Eu achei que ele gostasse do ator Ryan Gosling.

– Sim, ele gostava mesmo do Ryan Gosling... Muito! Mas isso foi antes de seu noivo, que por acaso se chama Ryan, dar um pé nele no dia do casamento.

– Ah! Droga – Ed estapeou a própria testa. – Eu entendi, agora. Ryan Gosling lembra o Ryan Idiota. Faz sentido.

Dãã! – ela disse antes de se levantar. – Fica aí e aproveite o seu filme. Vou tentar dar um jeito nisso.

***

Ela não pensou duas vezes para entrar no banheiro masculino, onde encontrou Daniel apoiado na pia.

– Ei, Dan – ela o abraçou pelas costas. Daniel soluçava sem parar. Um homem aproximou-se da pia, para lavar as mãos, e os encarou.

– Que foi? – Amy o encarou. – Por acaso você nunca esteve com uma garota no banheiro masculino antes? – ela o olhou da cabeça aos pés. – Pelo visto, acho que não, né?! Feio desse jeito.

Ela agarrou a mão de Daniel e o levou para fora do banheiro.

Eles encontraram um lugar mais reservado no canto do grande salão de entrada, que era pintado de azul-claro. Sentaram no chão, próximos um ao outro, e Daniel descansou sua cabeça no ombro dela.

– Eu me sinto um fracasso, Amy! Não teve uma única noite nas últimas semanas que eu não chorei até pegar no sono.

– Ai, Dan!

– Ele me fez sentir tão indesejado, tão rejeitado e...

– Indesejado? Rejeitado? Nunca mais diga isso de novo, Daniel Summerhayes! Me escute. – Amy olhou nos olhos de Daniel e disse:

– Algumas pessoas nascem estrelas. Elas brilham. E por causa de sua luz acabam atraindo várias pessoas. Você é uma estrela, Dan. Você tem tantas pessoas orbitando ao seu redor, iguais a planetas. Isso é o que você me ensinou. E é verdade. Tá tão claro isso pra mim agora. A primeira vez que você me disse isso, eu admito que duvidei um pouco, mas agora eu acredito. A teoria do seu avô é muito real. Faz todo sentido, Dan.

Ela o abraçou forte, e Daniel, por um momento, viajou até as lembranças de sua infância. Nos estudos de seu avô, Daniel o escutava explicar sua teoria sobre o universo e como as estrelas e planetas interagem. Ele também explicava que todos nós somos uma estrela, um planeta, uma lua, um cometa dentre outros astros do universo. Daniel olhava para seu avô com grande admiração.

– *Veja, meu querido neto, somos todos parte do universo. E as leis que se aplicam ao universo também se aplicam aos seres humanos, tanto quanto para todas as coisas no universo.*

– *O que você quer dizer, vovô? – disse um Daniel de onze anos.*

– *Bem, Daniel, você já se perguntou por que os planetas, luas e estrelas são esféricos? Eu não sei o porquê, mas eles são. Não importa onde estejam no universo, todos têm a mesma forma. Isso é uma lei do universo. Minha teoria é que se as estrelas, as luas, os planetas e os cometas existem na mesma forma no universo e interagem do jeito que interagem, os seres humanos também seguem as mesmas leis.*

– *Você está dizendo que alguns de nós são estrelas, alguns são planetas e outros são cometas ou luas?*

– *Correto, filho. Essa é minha teoria.*

– *Então, o que eu sou?*

– *O que você acha que é, meu menino?*

– *Eu não sei, vovô. Me diga você.*

– *Você é uma estrela!*

– *Uau! Uma estrela? Verdade? O que você quer dizer?*

– *As pessoas orbitam à sua volta. Já percebeu? Seus primos, família, seus amigos, seus colegas de escola; todos eles orbitam, estão a seu redor. É algo que você é.*

Daniel estava um tanto quanto confuso.

– *Você já observou que todo mundo quer um pouco da sua aten-ção? Ter um pouco de você? – seu avô continuou. – Ou é atraído pela sua energia? – Você não sabe por que todo mundo te procura o tempo todo? Isso faz parte de ser uma estrela.*

– *É verdade, eu acho. Eu nunca pensei sobre isso desse jeito.*

– *Isso não te faz nem melhor nem pior do que todo o resto. Todos temos nossos papéis e propósitos no universo, e você é uma estrela.*

– *E o que você é, vovô?*

– *Sou um planeta. Eu orbito, eu estou sempre na esfera de ação de sua avó, que é a minha estrela.*

Subitamente, a memória desapareceu, e Daniel sentiu novamente o abraço de Amy.

– Por favor, nunca diga que você não vale nada, só porque um idiota te rejeitou. Você vale mais do que um bilhão de planetas.

Ele derramou uma lágrima: – Uau. Tô sem palavras. Obrigada! Eu te amo, Amy.

– Ótimo! Agora vamos voltar para dentro.

– Droga! Deixamos o Ed sozinho!

– Deixe ele sofrer. Quem sabe da próxima vez ele não escolhe um filme tão idiota – Amy riu.

Capítulo 13

Mais tarde, no bar The Rocket, Esther estava no palco com sua banda.

Ed e Daniel estavam sentados à mesa, tomando um Rockie, o coquetel que eles sempre tomavam quando compareciam ao The

Rocket. Esther estava cantando *Across the Sky*, a música de maior sucesso escrita e produzida por Daniel e Ryan.

Amy chegou com Greg. Ela estava usando um vestido vermelho deslumbrante. Ed olhou para ela, admirando sua beleza.

– Oi, Dan. Este é Greg. Greg, este é Daniel.

Greg e Daniel cumprimentaram-se com um aperto de mão. Greg disse para Ed: – E aí, cara? – Ao que ele respondeu: – E aí, da hora?

Greg não entendeu o que Ed quis dizer, mas se sentou à mesa ao lado de Amy.

Esther terminou a música e agradeceu pela presença e aplausos e apontou para Daniel: – Esta música foi escrita pelo meu grande amigo Daniel Summerhayes. Ela, então, aguardou os aplausos da plateia terminarem e disse: – E agora, eu gostaria de convidar Daniel para subir ao palco e cantar conosco a próxima música.

Daniel subiu ao palco e deu um beijo no rosto de Esther. Em seguida, ela lhe entregou o microfone e recuou para que pudesse cantar fazendo o backing vocal para ele.

Amy and Ed aplaudiram entusiasmados: – Bora lá, Dan! – gritaram juntos.

– Vai lá, mano! – gritou Greg.

Ed olhou para Greg e revirou os olhos.

Daniel começou a cantar Just Hurts, uma canção composta por ele após o rompimento com Ryan.

Just Hurts

(Valter DS, John Nolan and Martchello)

I just can't believe life is taking us apart
(Eu não posso acreditar que a vida está nos separando)
The sparkle is gone
(O brilho se foi)
And only you have run
(E você fugiu)

I just can't believe it's all fading away right now
(Eu não posso acreditar que tudo está se desmoronando agora)
Look what you've done
(Veja o que você fez)
There's no return
(Não há volta)
(O brilho se foi)

(Chorus)
It hurts, just hurts
(Dói, dói muito)
Every time I think of us
(Toda vez que eu penso em nós)

It hurts, just hurts
(Dói, dói muito)
When I think of you and me
(Quando eu penso em você e eu)
Alone at night looking at the sky
(Sozinhos olhando para o céu à noite)
Searching for the stars like we used to do at night
(Procurando as estrelas como nós costumávamos fazer de noite)

Durante a apresentação Daniel começou a chorar. Ele olhou para a mesa, onde Ed e Amy estavam, e notou que eles partilhavam de sua dor. Amy também chorava.

Ele parou abruptamente no palco. Respirou fundo e disse: – Peço desculpas a todos pela emoção. Vamos em frente.

Ele foi até a banda e junto a Esther eles sussurraram para que fosse tocada a última música que haviam ensaiado. Ele retornou ao microfone principal, dessa vez acompanhado de Esther, e começou a cantar.

Warrior
(Valter DS / Martchelo)

Hey you,
(Hey, você)
Look at me and see the warrior
(Olhe para mim e veja o guerreiro)
The one you once tried to stop make living
(Aquele que você tentou fazer deixar de viver)
No, I ain't gonna stop fighting
(Não, eu nunca vou deixar de lutar)
I won't stop looking high to the sky to cast my star
(Eu não vou deixar de olhar para os céus e escolher a minha estrela)
No, you can try, you can try
(Não. Você pode tentar e tentar)
But I'll fly, I'll fly
(Mas eu vou voar e voar)
And I'll never go down
(E eu nunca vou cair)

And then you're gonna have to fly
(E, então, você terá que voar)
High up in the sky
(Alto no céu)

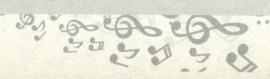

Right through the clouds above
(Acima das nuvens)
And then you'll see me rise
(E, então, você me verá no alto)
Right to the top of the world
(Bem no topo do mundo)
Because I am a star
(Porque eu sou uma estrela)
Which makes me a warrior
(E eu sou um guerreiro)
And you'll never see me cry
(Você nunca irá me ver chorar)
Because I am a warrior
(Por que eu sou um guerreiro)
And nothing knocks me down
(E nada me afeta)
You can try, you can try
(Você pode tentar e tentar)
But I'll fly, I'll fly
(Mas eu vou voar, e voar)
And I'll never go down
(E eu nunca vou cair)
Because I am a warrior
(Porque eu sou um guerreiro)

Capítulo 14

Andando pela região de Southbank às margens do Rio Thames, Amy, Ed e Greg elogiavam Daniel em sua performance no The Rocket. Ed tossia enquanto fumava um cigarro, alegando que seria o último, prometendo ao grupo que pararia de fumar de uma vez por todas.

– Você foi tão bem, Dan – Amy disse, deitando sua cabeça no ombro dele. – Eu amei aquela última música.

– É, amigo. Legal ver que você está de volta – disse Ed, em meio à tosse.

– Eu não teria conseguido sem vocês – disse Daniel.

– Eu fiquei impressionado – disse Greg. – Você é muito talentoso, irmão! Aquela última música, uau! É algo que eu compraria agora mesmo, se tivesse disponível.

– Eerr, obrigado.

A tosse de Ed piorava. – A propósito, cadê o JC? É uma pena que ele não esteja aqui hoje pra se divertir com a gente.

Amy calou-se, olhando para baixo, sentindo-se constrangida pelo que tinha dito a ele na noite anterior.

Ed apagou o cigarro: – Eu mandei mensagens a ele, mas ele não respondeu a nenhuma. Estou curioso pra saber como foi o teste.

– Estou me sentindo um pouco mal pelo que falei a ele ontem à noite – disse Amy.

– Com certeza, você deve desculpas a ele – disse Daniel.

– Nah! – ela disse. – Tenho certeza que ele tá bem.

Mais tarde naquela noite, antes de ir para a cama, Amy tirou do forno os cookies com gotas de chocolate que tinha assado e os colocou em um prato decorado. Amy sempre assava cookies com gotas de chocolate quando queria algum favor, ou se desculpar por algo. Ela tentou ligar para ele, mas a ligação ia direto para a caixa postal. Então, decidiu ir para a cama. Antes disso, lhe escreveu um recado:

Ei, JC, fiz seus cookies com gotas de chocolate favoritos.
Por favor, não leve a sério o que eu te disse a noite passada.
Eu não quis te magoar.
Nos falamos pela manhã.
A. xoxo.

Perdido nas ruas, no meio da noite, em algum lugar no Sul de Londres, JC tentava religar seu celular.

"Droga de celular!", ele disse a si mesmo. "Sempre sem bateria bem quando eu preciso de ajuda para encontrar o caminho pra cair fora desse lugar".

Quando ele ergueu a cabeça, percebeu que tinha sido cercado por uma gangue de cinco jovens encapuzados. Os jovens foram se achegando a ele, formando um círculo.

– Ei, você, seu maldito estrangeiro – gritou o membro mais alto da gangue. Ele empurrou JC contra a parede, fazendo-o derrubar seu celular. – Vai apanhar feio, mano!

Em pânico, com sua voz falhando, JC implorou para que o deixassem em paz.

– Por favor, me deixem em paz. Eu já estou indo embora do bairro... – ele disse com a voz trêmula, embargada pelo choro.

– Vá para casa, estrangeiro. Volte para o seu país – disse outro membro da gangue. – Ninguém te quer aqui.

O mais alto deu um soco no rosto de JC, e outro lhe socou o estômago, levando-o ao chão. Os cinco jovens passaram a chutá-lo violentamente. Eles correram assim que notaram uma pequena poça de sangue se formando no chão.

Episódio
A Garota de Ipanema

Capítulo 15

Era uma manhã ensolarada no bairro de Bankside, e Ed estava sentado no terraço de um restaurante com alguns amigos de academia. Todos vestiam suas roupas fitness, bebendo shakes de proteína e tomando sol, aproveitando os raros raios de sol do Verão inglês.

– Foi uma boa ideia dormir cedo ontem, porque hoje levantei me sentindo ótimo, e agora terminei meu treino e foi sensacional! – disse Ed para Brian.

– Pois é, eu também – respondeu Brian. – Eu sempre me sinto bem melhor depois de treinar. Venho me arrastando de manhã para a academia, mas quando chego aqui, fico cheio de energia.

– Pode crer. Ótima ideia não ter saído na balada ontem para não estar de ressaca hoje – Mike, que parecia bem magro perto de Brian e Ed, riu.

O alto-falante do restaurante tocava uma versão de "Garota de Ipanema", cantada por Amy Winehouse. Eles não tinham prestado a mínima atenção à música, uma vez que estavam ocupados planejando a corrida "Detonados na Lama": uma corrida de 15 quilômetros ao longo da costa do Norte da Escócia, em um circuito com obstáculos que incluíam lama, se jogar em uma câmara com água repleta de cubos de gelo, cordas e até mesmo choques elétricos. Se você sobrevivesse aos 20 obstáculos e terminasse a corrida, você ganharia um energético e uma camiseta com o logo da corrida e dos anunciantes.

Quando Ed revelou seus planos a Amy e Daniel, Amy ficou boquiaberta por alguns instantes e em silêncio. "Um asmático que insiste em fumar feito uma chaminé, participando de um evento desses é além de uma ideia estúpida, é uma sentença de morte" ela pensou.

Os rapazes estavam empolgados, bebendo seus shakes de proteína, preparando-se para a corrida, quando uma garota deslumbrante passou por perto. O queixo de Ed quase caiu ao chão. Ela era alta, não tão alta quanto Ed, e bronzeada, e seus cabelos eram loiros ondulados. Ela passou por eles, carregando uma mala de viagens e olhando o seu celular.

Ed e seus amigos estavam enfeitiçados pela beleza da jovem. De boca aberta e, em sincronia, viraram a cabeça, seguindo cada movimento dela.

Ah, se ela soubesse que quando ela passa, o mundo inteirinho se enche de graça, cantou Amy Winehouse ao fundo, como se aquele momento fosse um video clipe para a música.

À medida que a música prosseguia, Ed tornava-se mais e mais petrificado.

– Aaaah – disse Ed, como se estivesse em transe.

Brian deu uma cotovelada em Ed: – Olha, olha... Ela é absolutamente maravilhosa!

– Ela tem que ser uma modelo, não é possível – disse Mike.

– Uma supermodelo – arrematou Brian.

Ah, se ela soubesse que quando ela passa, o mundo inteirinho se enche de graça, Amy continuava a cantar conforme a loira passava por eles novamente. Ed recebeu um tapa na nuca, de Brian, e foi puxado de lado por Mike.

– Ei, sai dessa! – disse Mike, rindo.

Ed saiu do transe e olhou para seus colegas. – Ela é tipo, uau, e quero dizer, uau. Ela é mais do que uma modelo, é uma uber model.

– Parece que ela está perdida. Vá lá resgatar a menina, cara – disse Brian, rindo.

– É, vá lá dar orientação a ela, se você tem coragem – Mike o desafiou.

Ed levantou-se. Olhou em volta, mas nem sinal dela: – Ela desapareceu.

– Ah – brincou Brian.

– Preste atenção à música, cara – disse Ed, apontando para os alto-falantes. – Talvez ela seja a garota de Ipanema, perdida em Bankside, haha!

EPISÓDIO A GAROTA DE IPANEMA 97

– É irônico, cara, mas sua história de amor acabou ao mesmo tempo em que a música terminou.

***

Amy invadiu o apartamento de Daniel e encontrou Ed andando em círculos, sonhando acordado. Ele ainda pensava na garota de horas atrás.

– Ei, e aí? – disse Amy. – Eu corri o caminho todo para chegar aqui. O que aconteceu com o JC? – ela estava quase sem ar.

– Como assim? Eu li rapidamente a mensagem que dizia pra eu vir para cá. Daniel está no quarto, então, eu não sei o que está acontecendo.

– É bom que seja importante. Tenho coisas a fazer hoje, já que prometi ao JC que ajudaria a arrumar a casa. Depois daquela noite, preciso sair de sua listinha negra.

– O que quer que seja, é melhor ser importante. Acabei de ter a melhor visão da minha vida, e sinceramente eu prefiro procurar a garota de Ipanema a ficar aqui.

Amy lançou-lhe um olhar confuso e tentou não prestar muita atenção no que Ed dizia. Em seguida, Daniel saiu do quarto de hóspedes, colocando seu dedo indicador sobre a boca em sinal de silêncio.

– Ei, Dan – disse Amy, falando alto e alterada como sempre. – O que foi? O que aconteceu? Por que tanto pânico?

– Shhhhh! Fale baixo! – pediu Daniel. – Ele acabou de cair no sono.

– Quem? JC você está aí? – ela perguntou.

– Sim, JC está aqui. Ele foi atacado na noite passada.

– O QUÊ? AI, MEU DEUS – Ed não pôde se conter e, em choque, gritou.

– Shhhhhhhh. Daniel, contrariado, gesticulou para ambos. – Vou ter que pedir de novo. Falem baixo!

Amy estava horrorizada: – O que aconteceu? Meu deus, por que eu não fiquei sabendo? Ela correu para o quarto de hóspedes, mas Daniel a segurou antes que alcançasse a maçaneta da porta. Ele a puxou em sua direção e, vendo a sua angústia, ele a abraçou. – Ele tá ferido? – ela perguntou, quase chorando.

Daniel a afastou: – Onde diabos você se meteu? A polícia tentou te ligar a noite toda e seu telefone estava desligado.

Ed riu: – Seu telefone estava desligado? Hmmm, distraída de novo. Tem alguma coisa a ver com aquele Canguru? O "da hora"?

– Nããão! Eu esqueci de pôr pra carregar antes de dormir. Mas, calma. Você acabou de dizer polícia? Eu ouvi os recados de voz do meu celular, tinha um número desconhecido, mas achei que era do cartão de crédito me cobrando. Acabei nem ouvindo as mensagens. Me sinto péssima agora.

– Sim, a polícia – disse Daniel. – JC foi atacado na noite passada em Croydon, depois do seu teste para aquele filme.

– Nossa! Coitado do JC – Ed parou de provocar Amy, percebendo ser mais sério do que pensava.

– Aparentemente, foi atacado por uma gangue... Foi um ataque xenofóbico – Daniel explicou. – Eles também roubaram seu celular e o espancaram.

– Amy caiu no sofá com as mãos na cabeça, sentindo-se ainda pior por causa do modo como ela tinha tratado JC duas noites antes.

Houve uma longa pausa até Amy perguntar: – Mas, ele está muito mal?

– Eles o espancaram bastante. Foi encontrado por um carro de polícia e levado ao hospital. Tentaram te ligar, mas como seu celular estava desligado me encontraram via e-mail. Acho que ele falou meu nome e eles encontraram minhas informações na internet. Por sorte, eu estava acordado a noite passada tentando achar inspiração para uma nova música, quando recebi um e-mail da polícia pedindo para que entrasse em contato urgente.

– Ele está bem agora? – perguntou Ed.

– Ele está com o olho roxo, cortes no rosto e vários hematomas no peito e barriga, mas ficará bem. Eu digo, fisicamente, sim. Mas, parece que está bastante sensível. Vai precisar de todos nós.

– Podemos vê-lo agora? – ela implorou.

– Não. Eu acabei de trazê-lo do hospital faz 30 minutos. Fiz chá para ele, e ele acabou de pegar no sono. Acho melhor que ele fique aqui comigo por uns dias. – Ele olhou para Amy. – Você fica fora de casa o dia todo, e como eu trabalho de casa, vou poder cuidar dele.

– Boa ideia. Deixa eu ir em casa e pegar algumas roupas pra ele. Vai precisar de roupas limpas – ela olhou para Ed, que parecia muito pensativo. – Ed, você vem comigo?

Ed não respondeu. Ele parecia estar bem longe.

– Ed! – ela gritou, o que o fez pular.

– Eu? – ele respondeu.

– Shhh! Você vai acordar o JC! – Daniel o avisou novamente, perdendo a paciência.

– Você vem comigo até minha casa pegar algumas roupas para o JC e trazer aqui?

– "Erm", não – disse Ed. – Eu tive uma ideia. Algo que talvez possa animá-lo. Além disso, você deveria pedir ajuda ao "Da hora". Deixa eu ir e tentar conseguir ajuda. Já volto. – Ed apressou-se em direção à porta e deixou o apartamento sem se despedir ou explicar aonde ia.

– Da hora? – Daniel perguntou confuso.

Amy revirou os olhos, suspirando: – Coisas de Ed.

* * *

Quando Amy chegou ao seu prédio, viu Krissi conversando com uma estranha na porta de entrada.

– Aqui é onde o Juan Carlos mora – Krissi explicou. – Mas como disse, não posso deixá-la entrar. Você tem que esperar por...

Amy passou correndo por Krissi e a estranha.

– Oi Krissi, tchau Krissi – ela disse, apressadamente, sem querer parar, já que não queria ficar presa a nenhum tipo de conversa, especialmente a uma que estivesse relacionada ao aluguel atrasado.

– Ei, Amy. Bom te ver.

– Desculpa Krissi, mas agora não. Preciso correr. O JC precisa de mim.

– O quê? Juan Carlos? O que aconteceu? Me conta – Krissi arregalou seus olhos, sedenta por uma boa fofoca.

– Você disse Juan Carlos? – perguntou a jovem.

Amy olhou a menina dos pés à cabeça com desdém: – E você é?

– Ah, desculpe – disse Krissi. – Esta é... Desculpe, querida, esqueci seu nome. Como você disse que se chama?

– Isabella. Sou amiga de Juan Carlos. Vim aqui para...

– Sim, claro – Krissi a interrompeu. – Amy, esta é a Isabella, e ela é amiga de Juan Carlos. Ela é da Colômbia.

– Brasil. Sou do Brasil – a jovem a corrigiu.

Krissi a ignorou : – Ela é da América do Sul.

– Ah, sim – disse Amy, lembrando-se de uma conversa que tivera com JC sobre uma amiga que o visitaria por alguns dias. – Isabella, a amiga brasileira dele que mora em Nova Iorque, certo?

– Isso!

Isabella estendeu sua mão bem feita.

– Meu nome é Amy, e sou a dona do apartamento dele – se apresentou Amy apertando a mão da jovem.

Krissi ficou furiosa: – Como é que é? EU sou a dona do apartamento.

– Desculpe, eu esqueci desse pequeno detalhe – Amy tentou deixar o momento passar e continuou a virar a chave na fechadura.

Krissi, que corou, não deixaria barato: – Pequeno detalhe como você esquecer de pagar seu aluguel?

– Eu me corrijo. Eu sou amiga de apartamento. Eu divido o apartamento com ele – corrigiu Amy. – Enfim, JC comentou que você viria, mas minha memória está cada vez pior.

– Ele vai voltar para casa logo? – perguntou Isabella em meio ao clima tenso entre Amy e Krissi.

– Sinto em dizer que não. Ele foi atacado por uma gangue e...

Tanto Isabella quanto Krissi cobriram a boca com as mãos.

– Estou morta! – exclamou Krissi, com seu jeito excessivamente dramático. – Atacado?! Morri!

– Não há motivo para pânico – Amy lançou um olhar raivoso para Krissi. – Ele está bem agora. Meu amigo Daniel está cuidando dele.

– Posso vê-lo? – perguntou Isabella, aflita.

– Preciso ir também – disse Krissi. – Juan Carlos é muito querido, quero ter certeza que está bem.

Amy bufou, não escondendo sua insatisfação. – Ok. Esperem aqui. Me deixe pegar umas roupas limpas pra ele. Já desço.

– Essa garota é tão grossa – disse Krissi a Isabella. – Ela nem perguntou se você gostaria de deixar sua mala no apartamento.

A jovem disfarçou, fingindo não ter ouvido o comentário de Krissi e sorriu sem graça.

Capítulo 16

Álbuns de vinil e mais álbuns de vinil foram espalhados pela sala. Os olhos de Mimi brilhavam de alegria. Ela estampava a maioria das capas dos álbuns, exibindo seu largo e alegre sorriso.

– Olhe esse, mãe. Olhe como você está linda nessa foto – disse Esther, segurando um dos poucos LPs que Mimi não estava sorrindo.

– Ah, esse é meu álbum mais especial. Um dos meus favoritos.

– É um dos meus favoritos também, minha querida. – Esther tinha ouvido a história diversas vezes, embora nunca se cansasse de ouvi-la. – Foi gravado ao vivo no Copacabana Palace, no Rio de Janeiro – ela enfatizou *Rio de Janeiro,* gesticulando graciosamente as mãos.

Esther leu o título – "Mimi Taylor, ao vivo no Rio. Convidados especiais – Tom Jobim e João Gilberto".

– Ah, meus dois amigos brasileiros mais queridos – por um momento Mimi foi transportada de volta ao Rio, por volta de 1960. – Foi uma noite especial. Tom e João aceitaram meu convite para dividir algumas faixas comigo e gravamos ao vivo. Meu primeiro e único álbum de bossa-nova. Foi naquela mesma turnê, no Rio, que conheci...

Esther completou a frase: – Meu pai – e lascou um beijo na bochecha da mãe.

– Você deve estar tão cansada dessa história, não né, querida.

– Não, não estou. Eu nunca me canso das suas histórias, especialmente desta. Por favor, conte.

– Foi no bar do hotel Copacabana Palace. Foi uma noite agradável, com uma lua cheia brilhante refletindo na piscina, à nossa frente. Copacabana Palace era um hotel magnífico naquela época, você sabe. O lugar para se estar. Bem, eu tinha mais um show para fazer no Rio antes de voltar para o Reino Unido. Eu estava no bar, bebendo um drink, com meus cantores segunda voz, e com os integrantes da banda, quando o garçom aproximou-se e me entregou uma rosa.

– Uma pequena rosa branca – Esther sorriu feliz em ver sua mãe sorrir.

– Eu fui completamente pega de surpresa. Não me entenda mal, eu tinha muitos admiradores me mandando todo tipo de flores naquela época, mas essa era diferente. Não consigo explicar o sentimento, mas era muito poderoso. Quando peguei a flor, olhei para o jovem rapaz que o garçom apontava, senti minhas pernas tremerem – ela riu, lembrando como seu marido estava vestido. – De certa forma, eu sabia que aquele jovem rapaz seria o amor da minha vida. Ela encostou e descansou a cabeça na cadeira. Fechou os olhos e se lembrou de cada segundo daquele momento no Rio de Janeiro.

***

Daniel fervia água na chaleira para fazer chá quando o interfone tocou. Ele liberou a entrada de Amy, voltou à cozinha e colocou mais água na chaleira, presumindo que Amy também tomaria chá. De repente a porta abriu, e Amy se apressou, claramente, tentando ser a primeira a entrar no apartamento, como sempre. Daniel mal teve tempo de receber Amy porque Krissi invadiu o recinto, com os dois braços para cima, falando mais alto do que o normal.

– Oh, Daniel, querido, sinto muito em saber o que aconteceu com o coitado do Juan Carlos.

Daniel não pôde evitar de olhar o bizarro estilo de cabelo dela. Ela se aproximou dele dando-lhe um abraço tão forte que ele quase perdeu o ar. Daniel olhou confusamente para Amy tentando entender a razão de Krissi estar em seu apartamento. Amy encolheu os ombros e falou balbuciando: – Não é minha culpa.

Daniel conseguiu se livrar de Krissi e foi para trás da bancada de sua cozinha, que serviu de barreira.

– Ele está bem. Está dormindo... Bem, talvez estivesse dormindo antes de ouvir todo esse barulho. Gostaria de um pouco de chá?

– Ah, sim, por favor, querido.

Daniel olhou para Isabella, que estava de pé na porta, ainda carregando sua mala.

– Desculpe, sou Daniel, e você é...?

– Oi, sou...

– Ah, desculpe – interrompeu Krissi. – Quanta grosseria minha. Deixe te apresentar. Daniel, esta é a amiga de JC, Imelda.

Amy disse – Imelda, da América do Sul – e cobriu a boca para não soltar uma gargalhada.

Oi, Imelda, da América do Sul, com sotaque de norte-americano – disse Daniel. – Prazer em te conhecer.

– Prazer em te conhecer, Daniel. Você tem uma bela casa, a propósito.

– Ah, obrigado. Você é muito gentil. E bonita também. Na verdade... Muito bonita.

Krissi balançou a cabeça: – Não se preocupe querida, você não faz o tipo dele. Se é que você me entende.

Isabella sorriu de modo desconfortável para ela.

– Por favor, Amy – disse Daniel. – Você poderia colocar mais água na chaleira? Vou mostrar o apartamento para Imelda e explicar o que aconteceu com o JC – sendo um cavalheiro, ele estendeu sua mão para Isabella, e ela aceitou. – Você pode deixar sua mala em qualquer lugar. Venha comigo.

Quando eles deixaram a sala, o rosto de Amy mostrava todos os sinais de ciúmes. E percebendo a irritação de Amy, Krissi a provocou: – Ela é maravilhosa, não é? Acho que nunca vi uma garota tão bonita! – ela levantou uma sobrancelha, sabendo muito bem que seu comentário acabaria com Amy.

Amy revidou: – Você deveria se oferecer para fazer o cabelo dela.

– Você acha que ela gostaria dessa ideia?

– Ela vai amar. Quer dizer, depois de uma viagem tão longa, quem não gostaria de uma oferta tão gentil? Mas só se você conseguir encaixá-la, eu sei o quanto você é ocupada – então, foi a vez de Amy levantar uma sobrancelha.

– Eu sei querida, vou tentar encaixar algumas coisas. Não é fácil, você sabe... Ser tão popular.

– Esse é meu terraço secreto – disse Daniel quando chegaram no topo do prédio. – Não é realmente usado pelos outros moradores.

Uma noite acidentalmente encontrei um caminho para chegar aqui, e desde então venho aqui com os amigos.

– Você tem um apartamento muito bonito, Daniel. Eu adorei o ar industrial do seu apartamento, os painéis de luzes de neon na parede e especialmente a junção da sala de estar com o estúdio e espaço criativo. Todos os cantinhos são muito bem decorados.

– Obrigado. Na verdade, tenho muito orgulho do meu apartamento. Sendo um músico, foi bem especial encontrar um apartamento em um prédio ao lado da antiga sede da Stock Aitken Waterman.

– Desculpe, mas me perdi na história.

– Mike Stock, Matt Aitken e Pete Waterman: eles produziram milhares de hits musicais nos anos 80 e 90 – ele apontou para o prédio ao lado. – Kylie Minogue, Bananarama, Rick Astley – todos foram gravados lá, no prédio ao lado. – Ele percebeu que Isabella não sabia do que ele estava falando. – Bem, como você pode ver, eu gosto muito do meu apê.

– E você deveria mesmo. A propósito, eu não quis corrigir sua amiga lá embaixo, mas meu nome na verdade é Isabella. Sou do Brasil, mas vivi em Nova Iorque a maior parte da minha vida.

– Oh... Agora o sotaque americano faz sentido. E eu aqui te chamando de Imelda... Perdão.

– Não, não, sério, está tudo bem. Apenas achei que seria muita grosseria corrigir sua amiga na sua frente.

– Ei, eu sinto que devo pedir desculpas pelas duas lá embaixo. Krissi é um tanto excêntrica, com um bom coração, e Amy... Bem, ela é apenas a Amy. Mas, também tem um coração de ouro.

Daniel coçou a nuca pensativo. Ele achava Isabella muito parecida com uma modelo famosa, que nunca conseguia lembrar o nome, mas que frequentemente aparecia em comerciais.

Krissi estava sentada em uma poltrona amarela, uma daquelas poltronas modernas que parecem bem interessantes, mas muito desconfortáveis nas costas. Apesar de ser muito difícil, ela se esforçou para manter sua postura elegante. Amy estava no sofá maior, vendo seu celular. O silêncio foi quebrado pelo barulho da porta de entrada.

– Olá, moças – cumprimentou Ed, quando adentrou.

– Ed, é um prazer te ver – disse Krissi, assanhada.

– O prazer é todo meu, Krissi.

– E quem é esse belo rapaz? Um amigo seu? – ela ajeitou o cabelo e a pupila dilatou, quase escondendo completamente o azul de seus olhos.

– Este é o Stuart – um amigo de tempos atrás que acabou de se mudar para Londres. Stuart, esta é Krissi, e aquela moça lá no sofá com cara emburrada é a Amy.

– Prazer em conhecê-las – disse Stuart.

– Stuart é meu plano de ajudar JC – disse Ed, muito orgulhoso de si mesmo.

– Você pretende apresentá-lo a ele? – perguntou Krissi. – Boa ideia, Ed, mas não sabia que Juan Carlos já tinha saído do armário.

Stuart deu um passo para trás: – Como é que é?

Surpreso, Ed a corrigiu: – JC não é gay.

Amy suspirou alto: – Isso já está um pouco demais. Que conversa de doido. Vou atrás de Daniel avisar que vocês estão aqui.

Amy deixou a sala, parecendo mais emburrada que antes, e Ed disse: – Não, me deixe explicar. Escute, meu plano é esse...

Apoiados na parede no terraço, Daniel e Isabella estavam em uma conversa séria.

– Como você conheceu o JC? – perguntou Daniel.

– A história é um pouco longa. Nasci no Brasil, mas vivi a maior parte da minha vida em Nova Iorque. Minha mãe nasceu e foi criada no Rio de Janeiro e meu pai é americano, de Nova Iorque. Quando JC fez intercâmbio, ele estudou na minha escola. Nós nos tornamos amigos próximos e mantemos contato desde então. Eu o visitei na Espanha algumas vezes antes de ele mudar para Londres.

– Desculpe perguntar, mas vocês têm... Algo? – ele perguntou.

– Algo? – ela perguntou.

– Sim, juntos. Tipo, um casal?

– Ah, não. Amigos. Puramente amigos. É platônico. Na verdade, eu achava que JC era...

Eles foram interrompidos pela porta batendo na parede. Amy adentrou o terraço e olhou diretamente para Daniel, fazendo questão de evitar Isabella. – Ei, Dan, Ed chegou, e ele tem um namorado para JC.

Krissi e Stuart ouviam o plano de Ed para ajudar JC quando Amy entrou na sala seguida de Isabella e Daniel.

Quando Ed viu Isabella, ele gritou de uma forma bem boba: – É você!!!

Confusa, Isabella olhou para ele e para todo mundo na sala: – Eu?

– MEU DEUS! É você! A garota de Ipanema que vi mais cedo.

Todos na sala congelaram, não entendendo o que estava acontecendo com Ed. Ele agia feito tolo na presença dela.

Isabella não sabia como reagir: – Desculpe, mas eu te conheço?

– Ed, calma – pediu Daniel. – Você vai assustá-la.

– Não – disse Ed. – Você não me conhece, mas eu te conheço. Quer dizer, te vi mais cedo, nessa manhã, quando eu estava do lado de fora de um restaurante com meus amigos. Eu tentei te seguir, mas você desapareceu.

Daniel aproximou-se dele: – Agora, você está parecendo um stalker, Ed.

– Eu te vi com sua mala, olhando para o celular como se estivesse perdida.

Isabella encolheu os ombros: – Eu estava um pouco perdida, quando tentava encontrar a casa do JC. O mapa do meu celular estava me mostrando um caminho totalmente errado.

Amy parecia irritada com a atenção que Isabella recebia, especialmente, de Ed.

– Uau, você realmente existe! – disse ele, com um sorriso largo, mais bobo que antes.

– É, existe... Infelizmente – disse Amy, sem perceber que todo mundo na sala tinha ouvido o que ela acabara de dizer.

Entraram todos em um silêncio constrangedor após a observação de Amy, e foi Isabella, fingindo não ter ouvido o comentário de Amy, quem quebrou o silêncio.

– Bom, eu não sou a garota de Ipanema – ela disse. – Mas nasci no Rio.

– Exato. Assim como na música. – Ed parecia um adolescente na frente da sua paixão do colégio. – Alta, loira e bonita... E do Rio.

– Éééé... – disseram Daniel e Stuart ao mesmo tempo.

Isabella corou: – Obrigada, gente.

Amy a imitou, usando um tom infantil: – Obrigada, gente... Argh!

Daniel, Stuart e Krissi olharam para Amy e a encararam, desacreditando em sua insistente indelicadeza. Ed e Isabella continuavam a olhar nos olhos um do outro.

– O meu Deus. Ninguém pode descansar nesse lugar. Para que tanto barulho, galera? – gritou JC da entrada do quarto de hóspedes. Ele estava com um olho roxo e parecia bem pálido e esgotado. Quando viu Isabella, seu olhar severo se desfez e ele abriu um grande sorriso:

– Bella!

– JC!

– Meu Deus. Senti sua falta, amor! – Ele tentou correr para ela para lhe dar um abraço, mas foi impedido pela dor em seu quadril.

– Não. Não se mexa. Você fica aí – Isabella correu em direção a ele e lhe deu um abraço delicado, sendo bem precavida para não machucá-lo.

– Ela não é linda?! – disse Ed para Krissi.

– Realmente. Muito lindaaaa – Krissi respondeu, certificando-se que Amy a escutava.

Daniel fez café e chá para todo mundo enquanto todos se acomodavam pela sala, em volta de JC, que narrou o que havia acontecido na noite anterior. Ele usou suas melhores habilidades de atuação para descrever a agressão e terminou dizendo que a polícia tinha considerado o ataque muito sério, já que parecia ter sido motivado por sua nacionalidade.

Krissi estava irada: – Oh, querido, coitado de você. Eu odeio crimes! Eles precisam ser encontrados e presos. Todos eles!

– Meu Deus, que assustador! – Isabella acariciou a bochecha de JC. – Você poderia ter sido morto.

JC fez uma cara de bebê: – Sim, eu poderia.

Amy chegou da cozinha, segurando sua xícara de chá. Ela se sentou do lado de Ed, bloqueando a visão dele para Isabella.

– Bom, mas não morreu – ela disse, de modo insensível. Reparou que todos olhavam para ela. – Digo, graças a Deus que não morreu. Você está aqui e está bem. Algumas pequenas marcas aqui e ali, mas bem. Tá pronto para outra.

Krissi limpou a garganta : – Ed, você me dizia antes que tinha um plano.

– Sim, Stuart, o namorado! – Amy fazia tudo que podia para ser inadequada.

Daniel a cutucou, lançando um olhar severo: – Chega, né?! – ele pediu baixinho.

– Sim, Krissi. – Ed pausou e empurrou Amy para o lado para olhar para JC, e talvez Isabella também. – Bem, eu me lembrei do que você nos disse sexta à noite como estava nervoso para seu teste – ele parou, sendo bem cuidadoso com as palavras para não machucar JC. – E, você sabe como pode ser desafiador para você fazer o sotaque americano.

– E britânico – Amy interrompeu, o empurrando de volta.

Ed suspirou e a empurrou novamente: – Mas nada é impossível neste mundo, meu amigo. Como sei que você é um guerreiro, não um desistente, trouxe meu amigo aqui, Stuart, que ensina elocução no seu tempo livre. Ele está disposto a te dar algumas aulas de graça.

– Uau! – disse Isabella. – Que ideia maravilhosa, Ed!

– Uau! Que ideia maravilhosa, Ed! – Amy a imitou, e Daniel lhe lançou outro olhar severo.

JC parecia muito emocionado. Ele fez menção de levantar para abraçar Ed, mas foi interrompido pelo próprio. – Ei, não tem necessidade de abraços, parceiro. Você está muito ferido para isso.

– Poxa, Ed, quanta gentileza sua. Mas, eu não quero ser um fardo para ninguém, especialmente para você, Stuart.

Stuart prontamente disse que não seria fardo de forma alguma.

– E se algumas pessoas – JC olhou para Amy – estiverem certas e eu não puder me livrar do meu sotaque espanhol?

– Ei, se lembra do que eu falei? – Ed disse. – Você é um guerreiro, não um perdedor!

– Sim, e não estamos falando em se livrar do seu lindo sotaque espanhol – disse Stuart. – Você apenas precisa aprender como pronunciar as palavras com sotaque Inglês britânico ou americano quando for preciso.

– Vocês acham que eu consigo?

Com exceção de Amy, todos responderam juntos: – Claro que consegue.

Isabella o olhou nos olhos: – Você é capaz de qualquer coisa! Não foi o que você me disse quando eu não tinha certeza se seguiria a carreira de modelo? Você me fez continuar. Então, agora é minha vez. Estarei ao seu lado!

Ed sussurrou para Amy: – Ai Deus, ela é modelo! – e Amy revirou os olhos.

– Dan, muito obrigada por oferecer um lugar para eu ficar, mas agora que Bella está aqui comigo, estou bem para ir para casa – JC tocou a mão de Isabella e usou aquela voz de bebê novamente: – Você ficará na minha casa, certo?

– Na verdade, reservei um hotel – ela respondeu.

Ed se levantou: – Hotel? Não! – Percebendo que tinha se manifestado com muita paixão, sentou novamente e diminuiu o tom de voz. – Quero dizer, claro que não. Você pode ficar no meu apartamento se quiser. Tenho um quarto livre.

Agora quem se levantou rapidamente foi Amy: – Ela pegou a mala de Isabella e foi direto para a porta. – Não, não. Não precisa. Isabella ficará no meu apartamento.

– MEU apartamento, você quer dizer – Krissi a corrigiu.

– Tem certeza? – perguntou Ed. – Estou mais bem localizada, do lado da galeria de arte, do Tate Modern, e tenho uma suíte privativa para ela.

Amy pegou o braço de Isabella e a arrastou até a porta: – Temos certeza. JC e Isabella não se veem há tanto tempo e precisam passar um tempo juntos – ela deu um sorriso falso a Isabella. – Vamos lá, querida, te instalar.

JC e Daniel olharam um para o outro, sem saber ao certo o que Amy planejava. Todos desceram as escadas, e quando JC alcançou o último degrau, resmungou de dor.

– Vocês não podem ir andando – disse Daniel. – JC acabou de sair do hospital.

– Concordo plenamente – disse Ed. – Dou uma carona a vocês.

Amy jogou os dois braços para cima: – Qual é Ed, como se Isabella quisesse ser levada nessa sua lata velha.

– É um conversível – disse Ed, sentido.

– Sério? – perguntou Isabella animada. – Adoro carros vintage!

Ed sorriu: – Eu também! Meu pai tem alguns colecionáveis. Consegui esse conversível como presente dos meus 21 anos. Tenho três carros antigos na garagem – ele falava todo orgulhoso.

– Estou te dizendo, Ed, não precisa – Amy estava repleta de ciúmes. – Moramos só a 5 minutos daqui.

– Tá bom, então, Amy – disse JC. – Você vai andando, e Isabella e eu vamos de carro. Obrigada, Ed, nós aceitamos a carona.

JC entrou no conversível de Ed, e Isabella o seguiu.

– Você me deixa no caminho? – pediu Krissi, entrando no carro sem esperar pela resposta de Ed.

Ed pegou as malas de Isabella e levou para trás do carro. Abriu o porta-malas e tirou o saco de presente, aquele mesmo que ele tinha na noite anterior na casa de Amy e deu para o Daniel: – Dan, por favor, guarde isso na sua casa por enquanto, para eu poder colocar a mala de Isabella no porta-malas.

– Claro – Daniel respondeu.

– Ei, parceiro, você me deixa na estação? – perguntou Stuart.

Quando Stuart juntou-se a Krissi, Isabella e JC no carro, Ed colocou a mala de Isabella no porta-malas. Muito feliz em ter Isabella em seu carro, ele correu para frente e fez-se confortável no banco do motorista.

– Ei, e eu? – perguntou Amy, ao mesmo tempo que Isabella dizia:

– Que carro legal, Ed.

– Obrigado – ele respondeu, corando, antes de ligar o carro, dizendo tchau para Daniel e partindo.

– Eu não acredito que ele me deixou aqui falando sozinha – disse Amy.

– Foi você quem disse que queria ir andando – Daniel respondeu. – Tome cuidado com o que você deseja.

– Tanto faz! Não tô nem aí!

Daniel teve uma luz naquele momento: – Você não está com ciúmes, está?

– Eu? Ciúmes? Do Ed? Não seja tonto.

– Sim, você mesma. Ciúmes do Ed.

Ela balançou a cabeça, vamos mudar de assunto, Dan!

Quando entraram novamente no apartamento, Amy viu Daniel colocando a sacolinha de presente na mesa de centro.

Ei, esta é a sacolinha de presente que Ed trouxe com ele a noite passada. Ele estava meio estranho – ela começou a abrir a sacolinha.

Daniel a tentou impedir: – Amy, você não pode abrir o...

Mas, ela não o escutou e abriu mesmo assim. Ela tirou o macaco de pelúcia. Por alguns segundos, ela ficou sem palavras.

– O que aconteceu? – perguntou Daniel.

– Ai, meu Deus, Dan! Ele comprou isso para mim! Eu sabia... Minha intuição me dizia que era para mim.

– Um bicho de pelúcia? – ele perguntou confuso.

– Não Dan. Não é apenas um bicho de pelúcia. É um macaco! Um macaco!

– E?

– Qual é meu animal favorito?

– Ah! Então, você acha que ele comprou para você?

– Sim! É exatamente o que estou dizendo.

– Por que ele não te deu então?

– Porque quando ele chegou ao meu apartamento, na noite passada, ele provavelmente achou que eu estivesse flertando com o "Da hora".

– Ah, o neto australiano da vizinha.

Amy assentiu animada. Então, ficou quieta por um tempo, sentindo-se estúpida por não perceber que Ed gostava dela. Olhando para baixo, evitando os olhos de Daniel, ela respirou fundo e se abriu com ele.

– Ed e eu nos beijamos brevemente em seu... Você sabe... – ela achou doloroso falar a palavra casamento.

– Sim, eu vi, mas eu bloqueei isso e ignorei o fato, considerando que Ed tinha acabado de terminar com Sophie, que por acaso é minha irmã. Também, além de tudo que aconteceu naquele dia, eu não pude lidar com nenhuma outra situação. Mas, só porque você ignora algo, não significa que você não tenha de lidar com isso eventualmente.

Amy estava com a expressão animada novamente: – Exatamente, Dan. Precisamos lidar com isso.

– Eu não tenho de lidar com nada. Você tem, não eu. Para ser sincero, a única coisa com a qual eu preciso lidar é com a informação de que meus dois melhores amigos se beijaram... Argh! – chacoalhou a cabeça.

– Eu o empurrei... E a noite passada ele veio com essa pelúcia linda e fofinha e lá estava eu toda toda com o "Da hora", digo, Greg.

– E agora ele está todo todo com a garota de Ipanema. Você precisa admitir Amy, a garota de Ipanema dá uma surra no "Da hora" na escala de beleza, e cérebro também – ele riu.

Ela fez cara de choro: – O que eu faço, Dan?

– Vou te falar o que fazer. Você não vai fazer nada, NADA! Deixa quieto. Vocês dois são amigos, e é assim que devem ficar.

Daniel foi para seu quarto e voltou com sua mochila: – Vou para a academia. A propósito, você viu nosso grupo no whatsapp? Ed acabou de mandar mensagem, dizendo que convidou Isabella para ir ao The Rocket para ver Esther cantar. E eu acabei de convidar todo mundo para alguns drinks aqui antes.

Amy fez uma das suas coisas favoritas, além de suspirar e fazer compras, ela revirou os olhos: – Ah, ótimo. Vamos mostrar a ela nosso local de encontros favorito. Acabamos de conhecâ-la há 30 segundos, e ela já faz parte do grupo. Ótimo!

Capítulo 17

Daniel decidiu tomar um café antes do treino na academia. Assim que ele abriu a porta de entrada da cafeteria ele a bateu contra alguém que saía e fez com que a pessoa derrubasse café sobre a própria roupa. Ao olhar para as pernas do rapaz, Daniel apressou-se em pedir desculpas. Ele pegou uma caixa de guardanapos que estava sobre um balcão próximo à porta. Em seguida, tirou alguns guardanapos da caixa e, ao entregá-los, viu que era o rapaz com quem ele havia se chocado a caminho do seu casamento.

– Oh, meu Deus! – disse Daniel. – É você!

– Nossa, acho que nós trocamos de papéis. Quem está derramando bebidas sobre mim agora é você. Davy começou a rir.

– Eu sinto muito. Sou muito desajeitado mesmo – disse Daniel, enquanto dava um tapinha no peito de Davy com um guardanapo, tentando secá-lo. – Você poderia ter se queimado com esse café.

– Na verdade não. Este café estava na mesa há um bom tempo. Com certeza, já estava frio.

Daniel, em certo momento sentiu-se constrangido por causa dos tapinhas no peito de Davy, então, parou e jogou os guardanapos no lixo. – Deixa fazer algo para reparar isso.

– Que tal marcarmos um café?

Daniel percebeu que Davy piscara mais rápido quando ele fez a pergunta.

– Beleza, então. Vou para a academia por uma hora. Ele apontou para a academia, que estava bem à frente deles. – Talvez pudéssemos...

– Nos encontrarmos aqui daqui a uma hora? Davy não escondia a empolgação.

– Digamos uma hora e quinze?

– Combinado! – disse Davy – apertando a mão de Daniel. – Te vejo, então, em uma hora e quinze minutos.

* * *

Amy estava mexendo em sacolas de compras em seu quarto, criando espaço para Isabella colocar suas roupas. Isabella notou que havia sacolas de compras com roupas ainda etiquetadas e caixas de sapatos que nunca tinham sido usados, mas achou melhor não dizer nada.

Amy olhou por todos os cantos, procurando espaço para colocar as malas da visita.

Ela acabara de empurrar uma de suas malas para o espaço já lotado debaixo da cama quando disse a Isabella: – Escute, eu queria pedir desculpas pelo que disse mais cedo, quando falei que você era da América do Sul. Foi uma piada de mau gosto.

Tudo bem, Amy. Estou muito orgulhosa das minhas raízes sul-americanas. Nós brasileiros temos samba no pé!

O quê? – Amy fez careta, sem entender o que ela quis dizer.

Foi JC quem explicou o significado da expressão: – Os brasileiros são todos muito bons no samba e amam o carnaval. – Isabella tentou dançar o samba no meio do quarto de Amy, rindo de sua própria falta de jeito e de swing.

– Infelizmente, em termos de dança, tenho os pés e a falta de ritmo do meu pai.

– Seu pai? – perguntou Amy.

– Ele é americano. Minha mãe é brasileira. Eu acho que se eu tivesse crescido no Brasil, minhas habilidades de samba seriam muito maiores, mas infelizmente não foi o caso.

– Então, você nem cresceu no Brasil?

– Eu cresci em Nova York. No Upper East Side, para ser bem precisa.

– Peraí! Então, você é uma falsa brasileira? – Amy balançou a cabeça, suspirando profundamente.

– Amy! – JC a repreendeu.

Todavia, nenhuma das observações descabidas de Amy conseguiu tirar o bom humor de Isabella.

Bem, eu nasci no Rio e falo português fluentemente, embora com um pouco de sotaque americano! Então, diria que não. Sou meio a meio.

EPISÓDIO A GAROTA DE IPANEMA **117**

***

Mimi estava sentada em frente à penteadeira, olhando-se no espelho e segurando a escova perto dos lábios, fingindo que era um microfone. Ela estava cantando uma das antigas canções de jazz de seu set list de músicas apresentadas no Hotel Copacabana Palace de 1962. O toca-discos tocava a gravação original da música, um dueto com Tom Jobim. A música era "Quiet Nights of Quiet Stars".

Da porta do quarto, Esther a assistia em silêncio. Ela admirava a mãe cantando. Mimi estava de olhos fechados, para que pudesse aproveitar cada segundo da jornada em seu passado. Ela foi tirada de seu devaneio pelo som dos aplausos de Esther no final da música.

– Linda, mãe, linda!

– Eu não percebi que você estava aí me observando, querida.

– Eu ouvi você e achei maravilhoso. Ela caminhou até a mãe e segurou-lhe a mão: – Eu tive uma ideia enquanto ouvia você cantar. Por que não vem comigo ao The Rocket esta noite? Você pode me ver cantar.

– Tem certeza, querida? Eu não seria um fardo para você?

– Você nunca é um fardo! Vou ligar para Justine e dizer que ela não precisa vir hoje. Você vem comigo!

Mimi abraçou Esther com entusiasmo para mostrar sua emoção.

***

– Se eu não me engano, no dia que nos conhecemos você estava indo para um casamento – disse Davy, enquanto colocava açúcar em seu café. – O seu casamento.

Daniel sorriu sentindo-se um pouco encabulado: – Você tem uma boa memória.

– Então, como foi o casamento?

Daniel olhou para baixo por um momento. Ficou quieto, mas logo decidiu levantar a cabeça novamente e ser forte. Inspirou e expirou novamente.

– Não foi. O casamento não aconteceu. Deu tudo errado.

– Ah, espero que não tenha sido eu derrubando suco na sua camisa branca que estragou seu casamento.

Sua expressão mudou para raiva: – Não, não se preocupe. O casamento foi arruinado por outro idiota.

Davy encostou em sua cadeira como se tivesse levado um soco: – Poxa, que chato!

Daniel colocou sua mão sobre as de Davy, que seguravam sua xícara de café. – Desculpe. Eu não quis te chamar de idiota. Foi mal. Aquele dia foi um desastre do começo ao fim, e me traz más lembranças e sentimentos ruins. Foi mal mesmo, não quis ser grosseiro.

– Então, sem casamento? Como pode? O dia que nos conhecemos...

– Conhecemos? – Daniel riu. – O dia em que você derramou suco de frutas vermelhas no meu smoking, você quer dizer?

Davy deu risada, curtindo o bom humor de Daniel: – Sim! O dia em que derramei todo meu suco no seu lindo smoking. Você estava todo feliz e ansioso pelo dia.

– Eu estava mesmo, e muito!

– O que aconteceu? Alguém mais derramou algo em você?

– Ele não apareceu – foi duro para conseguir segurar o choro e não chorar na frente do rapaz.

– Não! O noivo? Digo, seu futuro marido?

Essa era a primeira vez que Daniel contava sua dolorosa história para alguém que não fosse de seu círculo mais íntimo de amigos.

– Eu estava no altar, com todos os convidados, a banda cantando as músicas escolhidas por nós, meus pais, os pais dele... Todo mundo olhando para mim como se eu tivesse cinco anos de idade e tivesse acabado de ser abandonado pelos meus pais na rua. É tão constrangedor quanto parece, confesso.

– Que idiota!

– Exato! Ele poderia ter me dito semanas antes. Ele poderia ter dito que não tinha certeza sobre tudo enquanto escolhíamos o cartório, ou reservávamos o local da festa, ou comprávamos os comes e bebes. Ele poderia ter me dito minutos antes de eu entrar na maldita cerimônia com todos os convidados lá, mas não. Ele resolveu se acovardar e me deixar lá sozinho enfrentando todos!

– Você teve alguma notícia dele depois disso?

– Nem um pio. Tudo que sei é que ele voou para algum lugar dos EUA. Enfim... – Daniel passou seus dedos pelo cabelo. – Basta. Já contei muita coisa sobre mim e meu quase casamento. Me conte de você. O que você faz da vida? Tirando trombar com estranhos e manchar suas roupas.

– Ah, eu também os convido para sair.

Ambos caíram na risada juntos.

– Claro que sim! E eu aposto que você se apaixona por aqueles que são abandonados no altar por seu parceiro logo antes de dizerem seus votos de eterno amor.

– Bom... Aí, já é uma outra história. Eu acho que não nos apresentamos devidamente ainda. Você estava muito bravo comigo naquele dia, com razão! Meu nome é Davy, Davy Barker. Prazer!

– Prazer, Davy. Eu me chamo Daniel Summerhayes.

– Eu moro aqui na esquina. Sou advogado junior. É meu primeiro ano lá no escritório de advocacia. Sabe como é, longas horas de trabalho e um salário baixo. Eu trabalho muito, pois tenho o sonho de um dia me tornar um sócio lá no escritório. E você? O que você faz?

– Sou um produtor criativo. Eu escrevo e produzo músicas e estou trabalhando em uma série de TV. Bem... Eu estava trabalhando em uma série com Ryan, meu ex. Mas desde que Ryan fugiu, não sei o que vai acontecer com o projeto.

– Parece um pouco complicado.

– Sim, é – Daniel sacudiu a cabeça e resolveu mudar de humor. – Vamos mudar de assunto. Eu tive uma ideia. Você parece ser um cara bacana, apesar de sair por aí derrubando suco nos outros! – sorriu. – Uma amiga minha vai cantar hoje à noite, eu e meus amigos vamos nos encontrar em meu apartamento para uns drinks antes de irmos para o bar. Você gostaria de ir?

– Tá aí. Gostei da ideia. Eu vou adorar.

Capítulo 18

Isabella terminava de se arrumar. Ela vestia um vestido de verão branco com estampa florida, e mesmo adotando um visual bem natural e simples, ela estava deslumbrante.

Colocando os brincos em frente ao espelho, ela não estava feliz em deixar JC em casa: – Eu ainda acho melhor ficar com você. Eu vim para cá para ficar com você, e você não parece bem.

– Eu concordo – disse Amy. – JC precisa de companhia, e você definitivamente deveria ficar em casa com ele.

Amy escolheu uma roupa mais sofisticada, usando um vestido brilhante, salto quinze e muita maquiagem.

– Quer saber? Eu também vou – disse JC. – Eu não quero ficar aqui sentindo pena de mim mesmo. Preciso me animar. Me dê cinco minutos para trocar a camiseta.

– Eba! – comemorou Isabella. – Não precisamos ficar muito. Quando você quiser é só avisar e nós voltamos para casa. Além do mais, um pouco de ar fresco vai te fazer bem.

Amy virou a cabeça para o outro lado e suspirou: "– Será que ela nunca cansa de ser feliz assim?" – pensou enquanto revirava os olhos e olhava para o teto, contando até 10 para não perder a paciência.

Ed foi o primeiro a chegar na casa de Daniel, em partes porque ele gostava de ter seus particulares com Daniel, já que era o único amigo de seus amigos homens para quem Ed podia abrir o coração sem ser zoado por ser muito sensível, mas também porque estava muito animado em ver Isabella outra vez.

– Então, você convidou esse tal de Davy para sair com a gente, hoje? – perguntou Ed enquanto abria a bebida. – Ótimo. Está na hora mesmo de você ter alguém.

A conversa deles foi interrompida pelo interfone.

– Eu não iria tão longe, Ed. – Ele apertou o botão do interfone e liberou a entrada de Esther e de sua mãe, Mimi. – Ele parece ser um cara decente, e achei que não tivesse nenhum problema convidá-lo.

– Legal. Gostamos de pessoas decentes. E falando em pessoas decentes, estou ansioso para ver a garota de Ipanema hoje. – Ed tinha olhos apaixonados. – Dá para ver que tem algo especial naquela garota.

À porta de entrada, Esther adentrou, devagar, ajudando sua mãe. Mimi foi saudada alegremente por Ed e Daniel, que disseram juntos:
– Senhora Taylor!

Ela parou, olhou para eles e sorriu: – Olá, cavalheiros.

– Que prazer em vê-la aqui! – Daniel foi até ela e gentilmente beijou sua mão.

Ed seguiu Daniel e beijou a mão dela também. E enquanto Daniel a conduzia de vagar até o sofá, Ed se apressava para deixar o local confortável para Mimi se sentar. Ed pegou muitas almofadas para apoiar suas costas.

– Por favor – ele disse indicando para ela se sentar quando terminou seu conjunto de almofadas como apoio para as costas.

– Achamos que seria uma pena mamãe ficar dentro de casa com uma noite linda de verão como essa – disse Esther.

– Eu vim, para ver meu belo cavalheiro favorito – Mimi piscou para Daniel. – E também pelo seu Martini especial, claro.

– Deixe comigo, Sr.ª Taylor. Seu Martini já está chegando.

Mais tarde naquela noite, Mimi estava rodeada por Esther, JC e a nova convidada do grupo, Isabella. Em homenagem à Mimi, Daniel colocou uma playlist de músicas que ela gostava. A música "Wonderful tonight", cantada por Michael Bublé e o cantor Ivan Lins, tocava ao fundo.

– Você é do Rio? – perguntou Mimi ao que Isabella respondeu que sim. – Ah, que cidade maravilhosa, minha querida. Minha cidade favorita no mundo.

– Já esteve lá? – perguntou Isabella.

– Sim, já – seus olhos brilhavam. – Há muito tempo. Fui nos anos sessenta. Fiz uma turnê na América do Sul e o Rio foi de longe minha cidade favorita. Minha filha, Esther e eu conversávamos sobre minha passagem no Rio hoje cedo, não é mesmo, minha filha?

Esther, com olhar meigo, confirmou: – Isso mesmo, mãe.

Mimi parou por um instante, parecendo pensativa. JC, Isabella e Esther olharam para ela, imaginando o que estaria passando em sua cabeça naquele momento.

Após breve pausa, Mimi disse: – Eu era uma cantora de Jazz.

– Era não! Você É uma cantora de Jazz, mamãe – disse Esther com ênfase na sua afirmativa.

– Não... Estou falando sobre ser uma cantora. As apresentações noturnas, a plateia curtindo as melodias de minhas músicas. As turnês. Os aplausos da plateia – Mimi falava lindamente, pronunciando cada palavra. Ela gesticulava com tamanha graciosidade e elegância, que fez brotar em JC e em Isabella um olhar de admiração sobre ela. Eles apreciaram estar em sua presença e ouvir suas histórias.

No outro lado da sala, Ed olhava por cima do ombro de Daniel, diretamente para Isabella. Ele não conseguia deixar de olhar para ela.

EPISÓDIO A GAROTA DE IPANEMA **123**

– Ed, pare de encarar a menina – Daniel o cutucou de leve. – Você vai afastá-la.

– Eu sei. Mas ela é tãããão bonita.

Amy resmungou: – Ela não é tudo isso. Quero dizer, já vi garotas bem mais bonitas entre as modelos que usamos no trabalho.

– Bem, sim, mas não se esqueça de que ela é modelo também – Daniel tentou amornar Amy, antes de ela ficar sem graça.

Amy, como de costume, deu vazão aos seus impulsos, falando alto o suficiente para Isabella escutar: – Sim, mas como todos sabemos, há várias modelos por aí que gastam seu tempo trabalhando em lojas de departamento, espirrando perfumes. Com certeza, ela é mais uma dessas que se dizem modelos, mas na verdade trabalham em lojas de departamentos.

Davy, que havia chegado não fazia muito tempo, parecia totalmente desconfortável com os comentários dela.

Amy tentava chamar atenção de Isabella, que estava do outro lado da sala conversando com Mimi, JC e Esther: – Ei, Isabella. Venha aqui, por favor.

Isabella pediu licença e foi até Amy.

Todo mundo, incluindo Davy, que não conhecia nada de Amy, pressentiu que algo desagradável estava prestes a acontecer.

– Você disse mais cedo que é modelo, certo? – perguntou Amy.

– Isso mesmo.

Então, quais tipos de trabalho você já fez até agora?

Isabella não queria se gabar. Quando o assunto era trabalho, ela era discreta e não se sentia confortável em dar explicações a respeito de sua vida profissional. – Posso dizer com alegria que estou constantemente ocupada trabalhando.

– Aqui em Londres conheço muitas meninas que dizem ser atrizes ou modelos, mas na verdade trabalham no varejo, dando amostras de cosméticos e espirrando perfumes.

– Graças a Deus tive sorte na minha carreira e não precisei fazer nenhum desses trabalhos, além de modelar. Mas você está certa, é uma indústria muito competitiva, e muita gente não sobrevive sem ter de fazer outros trabalhos para se sustentar quando os contratos ficam escassos. Não me entenda mal, não tem nada de errado em trabalhar no varejo. É apenas uma pena que pessoas não possam fazer o que gostam.

Parecendo totalmente desinteressada no que Isabella dizia, Amy a interrompeu: – Você pode citar um de seus trabalhos?

JC suspirou e foi logo cortando Amy para acabar com sua arrogância para cima de Isabella: – Por que você não pesquisa no Google? Digite no seu celular: Isabella Antonise.

Amy imediatamente colocou a mão no bolso procurando o celular. Deslizou seu dedo pela tela e digitou o nome de Isabella no Google na esperança de não encontrar nada. Sua cara caiu quando apertou ENTER e viu todos aqueles resultados aparecendo.

Por favor, não acredite na publicidade – disse Isabella, não querendo que Amy se sentisse mal ou ameaçada por seu sucesso. – Não é tão glamoroso quanto parece. Estou em dieta desde meus 13 anos, e minha jornada começa às cinco da manhã e nunca tem hora para acabar.

Daniel agarrou Isabella pelo braço: – Venha comigo. Vou fazer um dos meus drinks especiais para você.

Quando Daniel e Isabella dirigiram-se à cozinha, Ed e Davy espiaram o celular por cima do ombro de Amy.

– Vogue Magazine? Vanity Fair? – Amy parou, em choque. – E ela é a estrela da nova campanha de lingerie da Calvin Klein.

Atrás dela, Ed e Davy se entreolharam. Ed balbuciou "Uau", e Davy assentiu com a cabeça.

JC aproximou-se de Amy: – O que você estava falando mesmo sobre trabalhar em lojas de departamento? – Amy lançou um olhar furioso para JC.

Após a situação ter se acalmado, e todos terem se juntado em um grande círculo, fazendo todo tipo de perguntas para Isabella, a maioria sobre sua carreira internacional, Daniel foi para um canto com Amy, onde ele mantinha os seus instrumentos musicais, que ele chamava de área do mini palco da sua sala.

– Amy, isso já está um pouco demais – ele disse em tom sério.

Amy tinha a expressão de uma criança mimada. Era como se todas suas inseguranças estivessem vindo à tona de uma vez. – O quê? – perguntou rispidamente.

– Seus comentários mal-intencionados em relação à Isabella – Daniel circulou seu rosto com o dedo indicador. – Sua expressão sarcástica, seu tom arrogante...

– É difícil ver Ed todo apaixonado por ela. Parece um cachorro em frente àquelas TVs de cachorro.

– Sejam lá os seus sentimentos, é melhor baixar o tom, porque está muito evidente o seu ciúme por ele. E está ficando muito feio a forma como você a está tratando. Além do mais, ela é uma garota muito bacana e não merece ser tratada assim. Melhor você pedir desculpas a ela e mudar o seu repertório.

Esther aproximou-se por trás: – Daniel, eu acho que deveríamos ir.

Ele olhou para o relógio: – Você está certa.

Daniel bateu palmas: – Pessoal, precisamos sair em cinco minutos. Vou pedir dois táxis.

Capítulo 19

Era uma noite temática sobre Frank Sinatra e Tom Jobim no The Rocket, o local do encontro semanal e onde Daniel e Ryan costumavam testar suas novas músicas com o público fazendo altas apresentações com sua banda.

Sentada em uma das diversas mesas circulares, Mimi estava acompanhada por JC, Ed e Davy. Eles assistiam à Esther e Daniel e à banda tocando uma das músicas de bossa-nova que Mimi havia cantado com Tom Jobim por volta dos anos sessenta. Ed virou-se para Davy e percebeu que ele estava fascinado com a apresentação de Daniel.

Ele deu um tapinha no ombro de Davy: – Ele é bom, né?

Davy apenas assentiu com a cabeça.

Do outro lado do bar, Amy esperava Isabella sair do banheiro. Ela decidiu seguir o conselho de Daniel e se desculpar com ela. Quando Isabella deixou o banheiro, Amy a parou.

– Ei, está curtindo a noite, até agora?

– Sim, seus amigos são bem legais – Isabella respondeu. Ela continuou andando em direção à mesa onde os outros estavam sentados, achando estranhas as palavras amigáveis de Amy.

Amy agarrou seu braço: – Eu só queria me desculpar por meus... Você sabe... Meus comentários mais cedo... E...

– Ah, está tudo bem. Eu não levei a sério. – No momento em que Isabella falava, seu vestido esbarrou em uma das velas decorativas, que estava em uma pequena pilastra, e imediatamente pegou fogo. Isabella continuou a falar, sem perceber as chamas na barra de seu vestido, e achando estranho o olhar de horror de Amy.

– Isabella, você está pegando fogo! – disse Amy, sem saber o que fazer.

E a modelo, pensando que Amy a estivesse elogiando, sorriu e sacudiu a cabeça, balançando seus cabelos: – Eu sei. Eu tenho o sangue brasileiro, eu sou quente – ela riu.

Amy a interrompeu, gritando: – Não, sério, você está pegando fogo.

Ela procurou em volta algo para apagar o fogo. Em uma prateleira atrás delas havia um vaso com rosas brancas. Amy não pensou duas vezes para pegá-lo e jogar todo o conteúdo do vaso em Isabella.

– O que você está fazendo? – gritou Isabella, molhada dos pés à cabeça.

Ed, que estava a caminho do banheiro, acompanhado por JC, viu Amy jogando água e uma porção de rosas brancas em Isabella e correu até elas.

– Seu vestido estava pegando fogo! – disse Amy.

Ela foi agarrada por Ed, que se aproximou por trás.

– AMY! – gritaram Ed e JC ao mesmo tempo.

As pessoas próximas começaram a apontar e a rir de Isabella, que estava completamente encharcada e com uma rosa presa nos cabelos. Pensando ser uma das brincadeiras maldosas de Amy, e se sentindo totalmente constrangida, Isabella tirou a flor do cabelo e saiu correndo. Chorando, ela correu por entre as pessoas no bar, algumas delas que ainda riam dela, até alcançar a saída.

– Seu vestido estava pegando fogo. Eu só estava tentando...

Ela foi interrompida por Daniel, que estava no intervalo da sua apresentação: – O que aconteceu aqui? Isabella acabou de passar por mim, toda encharcada e chorando.

– Amy sendo Amy, de novo – disse JC. – Ela jogou um vaso inteiro, cheio de flores e água, na Bella – ele encarou Amy com raiva em seu olhar. – Vou atrás dela.

Se um olhar pudesse matar, Amy teria caído morta naquele momento.

– Não, cara, fique aqui – disse Ed. – Eu vou atrás dela.

– Eu não fiz nada – disse Amy. – Estávamos conversando e eu estava justamente me desculpando com ela quando vi o vestido dela...

Daniel ergueu sua mão direita para sinalizar um "pare": – Você, Amy, se desculpando? Até parece... Sabe de uma coisa? Você foi muito longe desta vez – ele ignorou os olhos marejados dela. – Que cena você acabou de causar. É melhor você ir embora antes de ficar mais bêbada e causar mais problemas.

Daniel afastou-se, seguido por JC.

– Ei, Isabella! – Ed gritou quando a viu correndo à sua frente. Ela o ignorou e continuou correndo, não sabendo exatamente para onde estava indo. Seu cabelo ainda estava molhado. Ed gritou de novo e implorou que parasse. Suas palavras surtiram efeito, já que ela parou na esquina.

– Eu me sinto tão idiota – ela disse enquanto Ed chegava mais perto.

Ele a segurou forte: – Ei, está tudo bem. Está tudo bem.

– Que tonta eu sou – tinha tristeza em sua voz, como se estivesse prestes a chorar.

Ed a abraçou mais forte ainda: – Não é. Amy é uma boa menina, você sabe. Ela não tem intenção de fazer as coisas ruins que faz. Percebendo que o vestido de Isabella ainda estava molhado, Ed tirou sua jaqueta e colocou sobre ela: – Se aqueça. Do contrário você vai pegar um resfriado.

Ele a abraçou novamente, criando um clima romântico entre eles. Olharam um nos olhos do outro e, então, se beijaram.

De volta ao The Rocket, Esther cantava "Fly Me to the Moon", acompanhada pela banda.

Daniel estava perto do palco, falando com Davy. Parecia bem incomodado com o incidente anterior.

– Desculpe por toda essa bagunça – ele disse.

– Parece que não somos os únicos derramando líquidos por aí – brincou Davy. – Desculpe, a piada foi mal. Estava só tentando te animar.

– Sem problemas, tudo bem. Só que estou me sentindo mal pela forma que falei com Amy. Ela não é má, você sabe. Ela é apenas insegura, e... Um pouco perdida, acho.

– Nunca é tarde para se desculpar. Se você se sente mal, vá falar com ela.

– Naah. Vamos curtir nossa noite. Amy é casca grossa. Ela estará bem amanhã de manhã. A propósito, olhe para senhora Taylor. Olhe o quanto ela parece estar curtindo a noite.

Na mesa mais próxima ao palco, Mimi assistia à Esther, sem piscar, seus olhos brilhavam de admiração e orgulho. Ela batia suas mãos delicadamente ao compasso da música.

***

Amy voltava para casa de cabeça baixa, sentindo-se vulnerável e triste. Quando virou a esquina, viu Ed e Isabella abraçados. Ela esfregou os olhos, pensando ser um truque dos seus olhos embaçados e marejados, mas quando chegou mais perto, foi como se tivesse levado um soco no estômago. Era verdade. Eles estavam se beijando, no meio da rua, diretamente na sua frente.

Ela se virou e saiu correndo o mais rápido que pôde, parando apenas quando estava bem longe de ambos. Ela tirou os sapatos e passou a caminhar descalça. Encostou-se a uma parede de tijolos e em seguida sentou-se no chão. Descalça, segurando os sapatos, ela chorou. O rímel correu pelo seu rosto. Tinha suas pernas dobradas e joelhos altos. Ela abraçou as pernas e descansou o rosto nos joelhos.

Após certo tempo, ela ergueu a cabeça e reparou em um letreiro no prédio que estava à sua frente.

"O que eu não desejo para mim, eu também não desejo aos outros – autor desconhecido."

Após ler a frase, ela olhou para os céus e suspirou: – Muito obrigada pela ironia, Universo! Agradeço.

Daniel e Davy decidiram ficar no The Rocket para uma saideira, após Mimi, JC e Esther terem ido embora.

– Obrigada por me convidar esta noite – disse Davy, sorvendo sua bebida. – Foi divertido.

Daniel deu um meio sorriso: – É, até que não foi mal. Novamente, quero me desculpar por Amy. Não a via se comportando assim há muito tempo, mas ultimamente parece que alguma coisa a possui. Ela anda agindo de forma muito estranha.

– Na maioria das vezes, as pessoas inseguras acabam sendo más com outras pessoas como mecanismo de defesa. São inseguras, não se sentem bem consigo mesmas e acabam descontando no outro toda a sua amargura e infelicidade. É uma pena que ela pense que deva agir assim.

Daniel concordou e bebeu: – Talvez esteja acontecendo algo que ela não tenha dividido com ninguém. Ela nunca superou a morte da mãe quando ela era pequena. Quando a conheci na faculdade, ela tinha um temperamento muito difícil, bem parecida com a Amy que você viu esta noite.

Daniel ouviu seu telefone tocar. Ele olhou na tela e viu que era uma mensagem de whatsapp de JC.

– Está tudo bem? – perguntou Davy.

– É o JC. Ele disse que quando chegou em casa, Isabella olhou para a barra do seu vestido e constatou que era verdade. O vestido realmente tinha pegado fogo.

> **Daniel:**
> Amy está bem?

> **JC:**
> Ela não está em casa :(.

> **Daniel:**
> Algum sinal dela?

> **JC:**
> Nada. Mas vou sair agora para procurá-la.

Amy não estava longe de casa. Estava a duas ruas distante, sentada no chão e olhando para o céu, quando JC a encontrou.

Ele se sentou ao seu lado e a abraçou: – Você está bem?

Ela assentiu e limpou o nariz: – Eu fui tão maldosa – ela disse, quase inaudível.

JC levantou e segurou sua mão: – Vem. Vamos para casa.

Ela segurou a mão dele, e ele a ajudou a se levantar. Ele abraçou a cintura dela e fizeram o caminho para casa.

Quando atravessavam a rua principal, pararam para um ônibus de dois andares passar e lá estava ela, em uma propaganda, por todo o ônibus: Isabella, deitada, usando uma lingerie preta da marca Calvin Klein.

– Amy balançou a cabeça: – Ela é bem famosa, né?

– Sim. Bastante – disse JC, e beijou sua cabeça.

> **JC:**
> A encontrei e trouxe de volta para casa. Está sã e salva. Beijos

> **Daniel:**
> Fico feliz. Boa noite, JC. Beijos

Antes mesmo de Daniel ter tempo de colocar o celular no bolso, ele começou a tocar novamente. Ele entrou em choque. Seu coração disparou e ficou pálido. Ele não podia atender à ligação, mas também não conseguia parar de olhar para o celular. O celular parou, mas ele continuava a olhar para ele. Levantou-se rapidamente, precisando de ar. O "banheiro", ele pensou.

– Você está bem? – perguntou Davy.

– Só preciso ir ao banheiro. Volto em um minuto.

Quando se afastou, seu celular, o qual ele tinha deixado na mesa, tocou de novo. Davy olhou para a tela que brilhava, que dizia "Ryan 'meu amor' ligando". Davy olhou em outra direção. O celular tocou mais uma vez, anunciando uma mensagem de voz de Ryan.

Episódio
A menina de coração partido

Capítulo 20

Feliz que sua tia Frances viria de Nova Iorque para visitá-la, Amy entrou na recepção do Hotel Mondrian, na região de Southbank, tentando localizá-la. E vendo-a pela mesa da recepção, Amy correu até ela com os braços abertos, parecendo uma garotinha de cinco anos toda feliz.

– Titia, senti tanto sua falta – ela disse, lhe dando um grande abraço.

– Também senti a sua falta, minha querida.

Amy recordou-se que tia Frances cheirava à jasmim. O abraço era reconfortante, e Amy permaneceu nele por um pouco mais de tempo.

– Eu fiquei tão feliz quando vi sua mensagem – Amy a abraçou novamente. – Que surpresa maravilhosa. E na hora certa. Bem quando eu preciso da minha família comigo. Tem tanta coisa chata acontecendo na minha vida no momento.

Amy afastou-se da tia e percebeu que o rosto de Frances expressava preocupação.

– E por falar sobre a visita surpresa, está tudo bem com você? Agora fiquei preocupada com a sua expressão.

– Vamos tomar um café enquanto conversamos – ela disse, abraçando a cintura da sobrinha e a conduzindo ao restaurante do hotel.

***

Amy já não aguentava mais o silêncio e o comportamento estranho de sua tia que parecia estar pisando em ovos com ela.

– Vamos, tia – ela falou, bebendo seu café nervosamente. – Por favor, me diga o que está acontecendo. Você está doente ou algo do gênero? Foi por isso que você veio me visitar assim, de supetão? Você está doente, não está? – Diante do silêncio de sua tia ela implorou: – Por favor, me fale. Você está me deixando preocupada.

Frances permaneceu em silêncio por um pouco mais de tempo, antes de finalmente ter forças para contar a novidade: – Está tudo bem comigo, Amy. Eu não estou doente, Amy. É a sua mãe.

– O quê? – Amy sentiu o café voltar na garganta com uma sensação horrível e amarga.

Frances colocou suas mãos sobre as de Amy, que estavam na mesa: – Ela entrou em contato comigo. Está de volta à Inglaterra e quer te ver.

Amy puxou suas mãos: – Não acredito nisso. Depois de todos esses anos, depois de tudo que ela fez, agora ela está de volta? – Amy gritava, atraindo atenção das pessoas sentadas nas demais mesas, assim como a equipe do restaurante.

Frances abaixou sua voz e tentou apertar a mão direita de Amy como uma forma de acalmá-la: – Ouça, minha querida, ela me contatou e me pediu para falar com você e seus irmãos. Ela quer te ver e se desculpar por...

Amy a interrompeu, levantando sua mão direita: – Eu não quero escutar isso! – ela tentou deixar a mesa, mas Frances levantou seu braço e a impediu.

Frances olhou para Amy numa mistura de seriedade e tristeza: – Escute! Ela está morrendo, Amy.

A informação caiu feito uma bomba nuclear, o mundo de Amy caiu em esquecimento. Amy apoiou a cabeça nas mãos. Todas as más lembranças, seu sentimento de solidão, suas inseguranças, todo o trauma causado por causa da sua mãe afloravam para ela, explodindo todos de uma só vez.

– Eu não consigo falar sobre isso – ela disse, pegando sua bolsa. – Preciso sair daqui, agora.

– Você não pode fugir desta situação, minha querida. Ela é sua mãe e precisa de você agora.

– Ah! Agora que está morrendo ela precisa de mim!? Que ótimo!

– Seja maior, seja melhor. Ela quer ver você e seus irmãos e... Acho que ela quer se explicar.

– Explicar o quê? Não tem explicação para o que ela fez, e eu não quero vê-la. Desculpe, mas essas são minhas palavras finais sobre o assunto. Eu te amo, tia Frances, mas honestamente, se você veio de Nova Iorque até aqui para me pedir isso, você desperdiçou seu tempo.

– Tommy, Bryan e Nick concordaram em vê-la. Pense bem, minha querida. Esta é sua última chance de ver sua mãe. Ela não tem muito tempo: – seus olhos marejaram. Apesar de Frances nunca ter concordado com nenhuma das decisões na vida de Stella, e ter vivido longe dela por muito tempo, Stella ainda era sua irmã, e era tremendamente doloroso processar a informação.

– Não acredito que esses pequenos traidores fariam isso. Não acredito que eles esqueceriam o que ela fez conosco e simplesmente a visitariam e brincariam de família feliz – Amy levantou-se e colocou a mochila no ombro.

– Você entende quanto estrago ela causou a mim e a meus irmãos? Eu não tenho relacionamentos sérios por causa dela, eu não confio nas pessoas por causa dela. Se eu me sinto feia e indesejada como eu me sinto em todos estes anos é por causa dela. Eu não vou revisitar este trauma. Estes sentimentos são muito doloridos e eu os coloquei em uma caixa, e quando eu achava que podia continuar com a minha vida, ela vem e abre essas feridas novamente. Licença, mas eu tenho que ir.

Amy apressou-se pelo restaurante. Tão rápido que esbarrou em um garçom, fazendo com que ele derrubasse uma bandeja cheia de pratos. Conforme os pratos caíam no chão, espatifando-se e causando confusão, Amy deixava o salão, sentindo-se muito desastrada.

Capítulo 21

A quadras do hotel Mondrian, onde Amy havia encontrado sua tia, Daniel, JC e Ed conversavam no restaurante The Breakfast Club enquanto almoçavam. Era a primeira vez que os três se encontravam desde o incidente do "vestido em chamas" no The Rocket.

– Duas semanas e ela não respondeu a nenhuma das minhas mensagens! – Daniel falou enquanto passava manteiga no pãozinho.

– Ela ficou muito chateada com todo mundo naquela noite. Aparentemente, ela estava realmente se desculpando com Bella quando o vestido de Bella pegou fogo – disse JC. – Ela está chateada porque nenhum de nós acreditou nela.

– Como poderíamos? – perguntou Daniel. – Ela estava o tempo todo sendo tão sarcástica e desagradável daquele jeito em relação à Isabella.

– Eu sei – concordou JC, saboreando seu prato favorito: panquecas com ovos e calda de melado. – Até mesmo Isabella tentou falar com ela sobre isso, mas Amy não deu a menor atenção.

– Eu disse a Isabella para ficar na minha casa – disse Ed. – É muito ruim para ela ficar na sua casa com aquele clima pesado.

– Eu tentei falar com ela esta manhã antes de sair do apartamento, e ela me deixou completamente desanimado – JC falava com sua boca cheia de panquecas. – Do jeito que a coisa está indo, eu acho que vou acabar indo morar com você também, Ed!

Daniel olhou para Ed e riu tanto que quase derramou seu café.

– Boa tentativa, amigo! – disse Ed, balançando a cabeça. – Mas isso não vai acontecer.

Em seguida, Daniel prendeu a respiração, tentando controlar sua risada. Ele estava imaginando JC chegando de mudança no apartamento de Ed e estragando o sonho romântico do amigo, o de compartilhar seu ninho com Isabella. Uma vez recuperado, ele respirou profundamente. Ficou quieto e pensativo.

– O que foi, Dan? – perguntou Ed.

– Estou preocupado com ela. – Daniel coçou a nuca e suspirou novamente: – Eu acho que ela está com algum problema.

– Por que você está tão apreensivo? – perguntou Ed novamente. – É apenas a Amy sendo a Amy. Ela gosta de dar conselhos a todos, dizer a todos o que devem fazer com suas vidas, mas quando se trata de seus próprios problemas, ela se isola, e não se abre com ninguém. O que quer que esteja acontecendo, ela resolverá, e eu tenho certeza que ela vai ficar bem em breve.

Ed foi interrompido pelo garçom, que se aproximou da mesa para trazer a conta. Ed tirou a carteira do bolso, pegou o cartão do banco e entregou ao garçom.

– Essa é minha – falou ele, olhando para Daniel. – Você está sempre nos bancando. Minha vez de pagar.

Daniel colocou as duas mãos no ar: – Eu não vou brigar por isso! Já que você insiste.

– Obrigado, Ed – disse JC.

– Sem problema. Agora, vocês me desculpem, mas eu preciso ir. Tem uma top model brasileira me esperando!

– Saudações a Isabella por mim – disse Daniel.

Ed levantou-se da mesa: – Serão dadas – ele se inclinou e abraçou JC e Daniel antes de sair do restaurante.

JC olhou para Daniel aliviado: – Fico feliz que ele tenha pago a conta. Eu não teria condições de pagar. Todas as contas chegaram, mas Amy não tem dinheiro nem para a metade delas... Como sempre. Então, eu vou precisar pagar por ela novamente. Eu, realmente, não sei o que essa garota faz com o dinheiro dela. Ela é sempre "magra".

Daniel começou a rir: – É lisa, JC. Você quer dizer que ela está lisa, sem dinheiro – ele riu. – Estes seus erros são até que bonitinhos! Por mim, você não perderia isto nunca. Estes pequenos erros que você comete fazem parte do seu charme, JC. – JC ficou sem entender, mas resolveu não comentar. Daniel continuou:

– Estou preocupado com ela. Ela me pediu dinheiro emprestado, dizendo que era para pagar o aluguel, e agora você está dizendo que ela não tem dinheiro para o aluguel. Tem alguma coisa que não está certa nessa história.

– Nem me diga! Sou eu que banco tudo naquele apartamento. Tudo mesmo! Eu trabalho como barista lá na cafeteria e consigo pagar as minhas contas e as dela. Já ela, que tem aquele trabalho glamuroso na agência de publicidade, está sempre magra, digo, lisa – ele se levantou. – Bem, vou nessa, senão vou me atrasar em mais de dez minutos para o meu turno. E o meu normal é dez minutos de atraso. Mais do que isso vão pegar no meu pé!

Daniel o seguiu e eles deixaram o restaurante.

– Vejo você à noite para o jantar lá em casa? – gritou Daniel para JC enquanto ele corria rua abaixo em direção ao café onde trabalhava.

– Sim, com 'certozo'! Até mais tarde – ele gritou de volta.

– "Com certozo" – Daniel repetiu para si mesmo enquanto balançava a cabeça e ria sozinho.

***

Era o final do Verão, mas parecia que o Outono já tinha começado com tudo em Londres. Folhas secas douradas tinham caído prematuramente das árvores e dispostas no chão das ruas do bairro de Chelsea.

Usando um chapéu e óculos de sol, Amy parecia estar muito glamurosa andando para cima e para baixo na Rua King's Road. Ela carregava muitas sacolas de compras e estava totalmente absorvida em sua terapia de compras. Ela retirou a luva de couro da sua mão direita para colocar seus fones de ouvido. Quando apertou o play, Jessie J. veio à tona, cantando "Price Tag".

Para Amy, os óculos de sol funcionavam como escudos, escondendo de todos a tristeza que sentia. Ela colocou de volta a luva enquanto olhava para uma vitrine. Uma lágrima caiu por entre os óculos e correu pelo seu rosto. Amy rapidamente enxugou a lágrima e entrou na loja, saindo, em menos de dez minutos, com mais outra sacola.

No lado Sul do Rio Thames, Ed, que não havia conseguido trocar o uniforme de rugby e colocado uma roupa limpa, estava em seu Corvette clássico, seu segundo carro favorito entre sua coleção vintage. Ele passou pelo seu apartamento, um complexo de prédios novos chamado Neo, ao lado da galeria de arte moderna, o Tate Modern, e foi em direção ao apartamento de JC e Amy, onde combinou de buscar Isabella para seu encontro. Ele também ouvia Jessie J., mas a música que tocava era "Laserlight", que relatava exatamente como ele se sentia naquele momento: otimista, para cima e feliz da vida.

Ele baixou o volume da música para atender ao celular: – Ei, querida Bell. Estou a caminho. Estarei aí em dois segundos.

Quando ele desligou, sorriu e acelerou. Aumentando a música novamente, virou a esquina e viu Isabella parada do lado de fora do prédio, à sua espera. Ela estava muito chique, usando um lenço de cetim esvoaçante e um chapéu de palha.

Quando diminuiu a velocidade, o sol, atrás dela, enalteceu sua beleza ainda mais. Ed a admirou com prazer.

– Deixe abrir a porta para você – ele disse. Mas, Isabella arrematou: – Não, não, não, não se preocupe – abriu a porta do passageiro e entrou no carro.

– Uau – exclamou Ed.

– Uau o quê?

– Você está linda.

– Ah! – Isabella corou e arrumou o vestido: – Eu não sabia o que vestir hoje. Confesso que fiquei um tempão provando vestidos.

– Você acertou em cheio.

– Ah, obrigada.

– Está ansiosa para o nosso passeio?

– Sim, claro. Estou muito ansiosa. Mais do que você pode imaginar.

Amy estava falando ao celular com alguém da companhia do cartão de crédito quando o táxi em que ela estava parou em frente ao seu apartamento, logo atrás do carro de Ed.

– Eu literalmente acabei de pousar no Reino Unido – mentiu Amy à moça, no outro lado da linha. – Assim que chegar em casa eu entro no computador e faço o pagamento – ela mordeu as unhas. – Tá bom, Tá bom...Tá bom!

– São doze libras – cobrou o motorista do táxi.

Amy olhou sua bolsa e tirou uma nota de dez. Quando vasculhou na sua bolsa de moedas, seu celular tocou com uma mensagem.

> **Tia Frances:**
> Amy, querida, por favor me ligue. Precisamos conversar sobre sua mãe.

A ansiedade de Amy piorou. Suas mãos tremiam e ela se sentiu sufocada. Ela, por acaso, encontrou as moedas que precisava e colocou na bandeja do táxi. Quando pisou fora do táxi com suas sacolas de compras, viu Ed e Isabella dentro do carro, e os assistiu se beijando antes de partirem. Ela derrubou suas sacolas no chão e foi, então, vencida pelas emoções. Lágrimas escorreram por seu rosto e ela, rapidamente, procurou os óculos de sol em sua bolsa para colocá-los e esconder a aflição que sentia.

Envergonhada por estar chorando no meio da rua, em frente ao seu prédio, pegou suas sacolas e entrou. Percebendo ter alguém no elevador, ela virou no corredor e pegou as escadas. Conforme subia as escadas, mantinha os óculos para esconder as lágrimas que insistiam em cair. Ela virou a chave na fechadura e se sentiu aliviada por estar em seu apartamento. Largou as sacolas no meio de tantas outras espalhadas pelo chão do quarto e as deixou lá. Ela colocou seu Iphone no auto-falante e apertou o play antes de ir até a cozinha. Abriu a geladeira e pegou uma garrafa de vinho e uma taça, mas como a garrafa estava quase no fim, ela só pôde encher um terço da taça. Abriu o lixo e jogou a garrafa e bateu a tampa e ficou lá, sentada no chão da cozinha, soluçando, não sabendo o que fazer.

***

Daniel estava deitado em seu sofá, tocando violão, brincando com algumas palavras para compor uma música nova.

Autumn days
(Valter DS / Rocio Ruano)

A writer lied to me
(Um escritor mentiu para mim)
He said life is all about romance
(Ele disse que a vida é só romance)
Everyone dance
(Todos dançando)
Everyone kiss
(Todos se beijando)
Was that just a summer dream?
(Será que foi tudo um sonho de Verão?)
Autumn days are dark
(Dias de Outono são escuros)
Gloomy and cold, oh my
(Tristes e frios, oh, Deus)

And now here I am
(E aqui estou)
So lonely, so lonely
(Tão sozinho, tão sozinho)
When the autumn comes
(Quando o Outono chega)
And the pain becomes unbearable
(E a dor se torna insuportável)
We were inseparable
(Nós somos inseparáveis)
Only love can take pain away
(Apenas o amor consegue curar a dor)
Only you can take my pain away
(Apenas você consegue curar a minha dor)

Seu celular tocou. Olhou para a tela e viu o nome de Davy. Não estava muito entusiasmado para falar ao telefone, mas resolveu atender mesmo assim.

Ao contrário dele, Davy soava feliz e entusiasmado: – Oi, tudo bem? Não nos falamos já há alguns dias. Como vão as coisas? O que você tem feito?

– Estou bem – sem motivação alguma. – Estou mais ou menos.

– Você parece um pouco distraído – disse Davy. – É uma boa hora para conversar?

– Na verdade, estou enrolado com um compromisso nesse momento. Posso te ligar depois?

– Sim. Quando? – Davy perguntou.

Seu entusiasmo foi massacrado por Daniel, que respondeu: – Depois.

Daniel desligou bruscamente. Em seguida, ele voltou ao seu violão para continuar a compor sua nova música.

Autumn days are dark
(*Dias de Outono são escuros*)

Gloomy and cold, oh my
(*Tristes e frios, oh, Deus*)

And here I am
(*E aqui estou*)

So lonely, so lonely
(*Tão sozinho, tão sozinho*)

When the autumn comes
(*Quando o Outono chega*)

And the pain becomes unbearable
(*E a dor se torna insuportável*)

We were inseparable
(*Nós somos inseparáveis*)

Only love can take pain away
(*Apenas o amor consegue curar a dor*)

Only you can take my pain away
(Apenas você consegue curar a minha dor)

Autumn days are dark
(Dias de Outono são escuros)

Gloomy and cold, oh my
(Tristes e frios, oh, Deus)

And here I am
(E aqui estou)

So lonely, so lonely
(Tão sozinho, tão sozinho)

When I think of you
(Quando eu penso em você)

I see no rain
(Eu não vejo chuva)

It's like summer
(É como o Verão)

Coming back all over again
(Voltando no meio do Outono)

Because only you can take my pain away
(Porque apenas o amor pode curar minha dor)

Only you can take my pain away
(Porque apenas você pode tirar minha dor)

Ele parou de cantar e tocar o violão e fechou os olhos. Foi, então, que percebeu que tinha sido grosseiro. Descansou o violão em seu colo, pegou seu celular e ligou para Davy.

– Ei. Me desculpe... Estou tendo altos e baixos no momento. Acho que ainda ando um pouco triste com aquele dia do não casamento. Mas, enfim. Eu preciso sacudir a poeira – ele forçou a si para sair da sua zona de conforto e por impulso perguntou: – Você gostaria de um café?

– Não com o nosso histórico. Já que um dos dois vai acabar levando um banho de café – Davy brincou.

Daniel riu: – Está bem, então. Vamos caminhar pelo rio em Southbank. Nos encontramos em uma hora do lado de fora do Globe Theatre?

Do outro lado da linha, Davy deu um pulo de felicidade e sorriu: – Claro. Te vejo às cinco – respondeu tentando não demonstrar o tamanho da sua alegria.

Daniel saiu de seu apartamento para encontrar Davy, e deixou Esther ensaiando. Ela cantava no mini palco que Daniel construira na sala. Concentrada e inspirada, Esther apagou todas as luzes e fechou as persianas, criando um ambiente confortável, para focar ainda mais na letra da música que Daniel tinha escrito e pedido para ela dar um toque pessoal.

Keep on Shining
(Valter DS)

Oh, I have been walking alone
(Oh, eu estava caminhando sozinho)
Looking for a place to park all my feelings
(Procurando um lugar para estacionar todos meus sentimentos)
Of frustration and sadness
(De frustração e tristeza)
I want to leave them all behind
(Eu quero deixá-los para trás)
I want to forget that once I made all those mistakes
(Eu quero esquecer que um dia eu cometi todos esses erros)
And keep on moving
(E poder seguir em frente)

Amy entrou no apartamento sem ser notada por Esther, que continuava cantando de olhos fechados, totalmente envolvida em sua música. Amy tirou os sapatos para não fazer barulho e se sentou em um canto no chão. Ela dobrou as pernas e abraçou os joelhos.

Esther continuava a cantar:

It's so hard to survive
(É tão duro conseguir sobreviver)
When everything around you falls apart
(Quando tudo à sua volta se desfaz)
And crumbles down
(E desmorona)
And everyone you know seems so far away
(E todos que você conhece parecem estar tão longe)

Com os olhos fechados, Amy deixou a voz de Esther tomar conta de sua alma. Embalada pela musicalidade, Amy viajou muitos anos no tempo. Ela se viu como uma garotinha que era debochada na escola por diversas razões: por ser muito magra, por ter espinhas, por usar roupas de menino, o qual ela fazia porque vivia com seu pai e seus irmãos e não tinha outros referenciais de como se vestir, mas principalmente porque era, na sua cabeça, sua forma de se distanciar de sua mãe e de se parecer com seu pai, quem ficara para cuidar dela e de seus irmãos. Não importava as roupas que usava, quanto custava os sapatos que calçava, como uma jovem adulta, Amy nunca conseguira tirar a pequena Amy de sua cabeça.

Ver Ed com Isabella trouxe um velho e conhecido sentimento à tona; o de ser rejeitada por alguém que amava. Era uma mistura de todos os sentimentos e traumas vividos voltando de uma só vez: primeiramente perdendo seu melhor amigo, que parecia estar apaixonado por uma estranha, e agora a volta de uma mulher que a fizera chorar e secretamente implorar, toda noite, para que voltasse.

Os pensamentos de Amy voltaram à realidade assim que Esther terminou a música.

And you can't escape
(E você não pode fugir)

Keep on shining
(Continue brilhando)

Keep on fighting
(Continue lutando)

Keep tall
(Mantenha-se confiante)

And don't give in
(E não desista)

You can make it happen
(Você consegue vencer)

You just need to believe in yourself
(Tudo o que você precisa é acreditar em você)

Quando Esther acendeu a luz ela viu Amy em um canto, com o rosto inchado de tanto chorar.

– Eu estava tão concentrada na música que não percebi que você estava aí.

– Foi minha intenção. Entrar sorrateiramente e ser o mais silenciosa possível. Estou feliz em ser invisível agora. Para você e para o mundo.

– Ei, ei, ei. Do que você está falando, senhorita raios de sol? Qual a razão para tanta tristeza em seus olhos verdes?

Amy não respondeu. Ela estava paralisada e visivelmente chateada. Esther foi até ela e se sentou no chão, ao lado de Amy.

– O que você faz quando seu pior pesadelo volta dos confins do seu passado para te perseguir? Quando você está encurralada, sem ter para onde escapar? Estou totalmente perdida e não sei se consigo segurar essa barra.

– Talvez você devesse encarar isso com a cabeça erguida. Talvez a vida esteja te dando a oportunidade de resolver uma questão que te incomoda há tempo tempo.

– E se eu não quiser resolver o problema?

– Então, você pode fugir. Mas fugir significa se render ao medo. E o medo é o pior inimigo da felicidade. Ninguém pode ser verdadeiramente feliz tendo o medo vivendo dentro de si.

Amy ficou em silêncio e se encostou em Esther, que a abraçou e acariciou seu cabelo.

Capítulo 22

Ed e Isabella estavam sentados às margens do rio no bairro de Richmond. Eles estavam lado a lado contemplando toda a beleza daquele local. Próximo a Ed havia meia garrafa de Champagne num balde de gelo e uma caixa de morangos. Ed pegou um morango da caixa e com ele acariciou os lábios de Isabella. Isabella sorriu e mordeu o morango. Eles se beijaram seguidamente, como se fossem personagens de um filme romântico de Hollywood.

– Afinal, você está gostando de Londres?

– Muito. Quando eu cheguei aqui em função do trabalho e para ver JC, eu jamais poderia imaginar que poderia...

– Encontrar um admirador? Me... Encontrar? – e deu uma risadinha.

– Encontrar alguém tão legal como você – Isabella ajeitou os cabelos em um rabo de cavalo e sorriu encabulada.

– Legal? Jura? Mesmo trajando meu uniforme de rugby para o nosso encontro?

– Quer saber, você fica ainda mais bonito de uniforme.

Ed abraçou fortemente Isabella pela cintura, trazendo-a bem perto dele e deu-lhe um beijo no pescoço. Então, ele olhou para o rio e se sentiu um tanto melancólico.

– O que foi? – perguntou Isabella, acariciando os cabelos de Ed.

– Eu já estou temendo pelo final do mês, quando seus trabalhos terminam e você vai ter que voltar para casa.

– Não vamos pensar nisso agora. Vamos aproveitar o momento juntos. Quem sabe o que o futuro nos reserva, certo?

– Certo – ele respondeu e a beijou novamente.

Isabella, então, olhou fundo em seus olhos: – Se você não se incomodar, eu gostaria de te fazer uma pergunta... Ela hesitou não tendo certeza se deveria abordar o assunto.

– JC, me disse que todo esse comportamento de Amy pode ser ciúme.

– De você? – disse Ed, sem levá-la a sério.

– Sim, mas, na verdade, ciúme de você.

– De mim?

– Sim, ciúmes por estarmos juntos.

Ed não respondeu. No fundo, ele esperava e desejava há anos que Amy gostasse dele, não como colega de universidade, amiga somente, mas gostasse de verdade e se tornasse sua namorada.

– Isso é verdade? Ela gosta de você? – perguntou Isabella.

Ele deu de ombros, tentando se livrar de seus pensamentos e da pequena chance de que ela pudesse gostar dele.

– Claro que ela gosta de mim. Somos melhores amigos.

– Não, não, Ed. Quero dizer gostar de você... Como uma garota gosta de um garoto. Você sabe.

– Não seja boba. Ele a puxou e a beijou novamente.

* * *

Daniel tentou ajeitar o cabelo, que esvoaçava com o vento. Ao observá-lo brigar com o seu cabelo, Davy o considerou o menino mais bonito que já tinha visto. Davy riu quando Daniel desistiu de controlar seu cabelo, deixando o vento agir como um secador de cabelo gigantesco, movendo-o em todas as direções.

Daniel sorriu: – Você ri. Meu cabelo está parecendo um sofá estourado.

– Sabe, Daniel, eu realmente gosto muito da sua teoria sobre as estrelas e os planetas.

– É do meu avô, na verdade.

– Eu tenho pensado nisso desde a primeira vez que você me falou a respeito, e eu sinceramente acho que eu sou um planeta.

Daniel tirou o cabelo do rosto: – O que te faz pensar assim?

– Eu sou apenas um cara normal. Nunca fui o centro das atenções em qualquer lugar – na escola, na faculdade... Sou, geralmente, muito tímido.

– Bem, não há nada de errado em ser um planeta. Como meu avô costumava me dizer, somos todos igualmente importantes, e todos nós temos nossa importância individual no universo.

– E por falar em universo, eu estou trabalhando em um caso que me fez pensar em você e em sua teoria sobre as estrelas e os planetas.

Daniel mostrou surpresa e, lisonjeado, perguntou: – Sério? É sobre o que?

– É um grande negócio. Um cliente chinês está estudando a mineração na América do Sul. Ele quer comprar uma mineradora e lá na firma eu e os outros advogados da equipe estamos estudando sobre o assunto de mineração.

Daniel estava confuso: – E isso te fez pensar em mim?

– Para dizer a verdade, o ouro. Foi o ouro que me fez pensar em você.

– Como assim, o ouro?

– Sim, o ouro. Você sabia que existe um estudo científico que afirma que o ouro é estranho à Terra? Que, na verdade, não é um minério natural do nosso planeta?

Daniel sacudiu a cabeça negativamente.

– Ah! – comemorou. – Até que enfim eu sei algo sobre o universo que posso te ensinar!

Daniel sorriu, considerando Davy bastante atencioso: – Continue.

– Eu tenho pesquisado muito sobre esse caso e, de repente, talvez porque eu estivesse pensando em você, decidi pesquisar as origens do ouro. E... Boom! A surpresa. O ouro é formado por supernovas! O que você sabe é...

– A enorme explosão que ocorre no final da vida de uma estrela – afirmou Daniel.

– Exatamente! Então, as supernovas fizeram o ouro, e ele foi trazido para a Terra através de meteoros e asteroides nos primeiros estágios da criação da Terra. O que significa que todo o ouro encontrado em nosso planeta realmente veio do espaço e das estrelas. O que significa... Davy fez uma pausa, esperando Daniel concluir.

– Que o ouro é um elemento extraterrestre – disse Daniel, trazendo a discussão de volta ao seu início.

– Exatamente!

– Uau. Eu realmente não sabia disso.

– Supostamente, o corpo humano tem ouro nele, o que significa que...

– Todos nós temos algo das estrelas dentro de nós – concluiu Daniel, achando a teoria muito cativante.

Capítulo 23

– Traidores! Todos vocês! – Amy gritou ao telefone com seu irmão. Ela pausou, dando-lhe uma chance de se explicar, mas logo perdeu a paciência e o interrompeu. – Eu não ligo para o que você tem a dizer.

Independentemente das razões dela, não justifica ela ter nos deixado. Nunca!

Ela tirou o telefone do ouvido enquanto seu irmão tentava explicar novamente o porquê de ele e seus irmãos decidirem ver sua mãe. Ele tentou convencê-la de fazer o mesmo, desconhecendo o fato de que ela não estava prestando atenção a uma só palavra que ele dizia. Ela colocou de novo o telefone no ouvido.

– Você pode ir lá e ouvir a história triste dela, mas eu não vou me colocar nessa situação. De jeito nenhum! – Houve mais uma pausa breve, antes de ela explodir totalmente. – Não! E esta é a minha palavra final! Ela pode morrer. E eu não ligo! Na verdade, ela morreu para mim quando nos deixou – ela desligou o telefone na cara do seu irmão. Suspirou e xingou em voz alta. Jogou o celular no criado-mudo do lado da cama. O telefone tocou novamente. Pensando ser seu irmão Nick ligando de novo, ela atendeu dizendo: – Já te disse Nick, não vou... Então, ela ouviu uma voz feminina do outro lado da linha.

– Srt.ª Lewis?

– Sim, ela mesma.

– Olá, Srt.ª Lewis. Sou da Armstrong empresa de cobrança, estou ligando a pedido de seu banco.

Amy bateu a palma da mão em sua cabeça várias vezes: "Que burra. Não acredito que atendi esta ligação", pensou.

– Podemos discutir maneiras para você quitar seus pagamentos vencidos?

***

Na cafeteria, JC lavava louças, com sua chefe Teresa atrás dele literalmente respirando em sua nuca. Não satisfeita com seu trabalho, ela o observava de perto.

– Juan Carlos! Você está ficando cada vez mais preguiçoso! Pode, por favor, lavar direito essas louças! Esfregue direito. Com vontade! – ordenou ela, impaciente.

Ele a olhou contrariado, voltou-se para a louça e xingou em espanhol.

– O que foi que você disse? – Teresa perguntou com suas mãos no lábio.

– Eu disse "claro", em espanhol.

Nervosa, ela saiu pisando fundo, e JC suspirou de alívio.

– Saudações shakespearianas, Juan Carlos. Como vai, meu querido amigo? – cumprimentou Stuart quando chegou no balcão.

O aspecto sisudo de JC se derreteu e ele abriu um sorriso: – Estava ansioso para ver você... Digo, eu estava ansioso para nossa aula.

Stuart corou e sorriu de volta para ele: – Legal. Você está pronto?

JC começou a desamarrar seu avental, mas antes que pudesse responder a Stuart, Teresa voltou.

– JUAN CARLOS! Você ainda tem três minutos de trabalho antes de terminar seu turno. Tempo é dinheiro – ela repetiu, com mais ênfase. – Tempo é DINHEIRO!

Stuart afastou-se: – Eu te espero lá fora e te vejo em... Digamos que em dez minutos?

JC olhou de rabo de olho para Teresa sem tirar os olhos dela e desafiou: – Não, Stuart, eu lhe vejo em dois minutos e vinte segundos!

Stuart assentiu e riu levemente antes de deixar a cafeteria.

***

Daniel convidou seus amigos para jantar em sua casa, uma desculpa que ele inventara para todo mundo se retratar com Amy. Ele teve de implorar para ela ir, e mesmo assim ela somente aceitou depois de muita insistência de Esther.

– O jantar estava ótimo, Daniel. Obrigada por me convidar – agradeceu Isabella. Ela jogou um beijo no ar para ele do outro lado da mesa.

Ele sorriu e disse que o prazer era seu em ter todos seus amigos, e ela, reunidos: – A vida é feita de bons amigos, e nesse departamento sou muito privilegiado.

Esther levantou-se: – Vamos fazer um sarau?

– Sim, vamos. Vamos nos juntar em volta do palco – ele se levantou e olhou para Isabella: – Você sabe cantar?

– Eu? Ah, não. Eu mal sei como me manter em pé nesses saltos altos e caminhar pela passarela, quem dirá cantar!

Ela foi tão graciosa em sua resposta que todos, menos Amy, riram com ela. Amy ficou calada durante todo o jantar, e apesar de todos acharem que era pelo ocorrido no The Rocket, a verdade é que ela estava tão triste pensando em sua mãe que esquecera completamente do incidente com o vestido. Ela sorria com a boca fechada toda vez que eles riam, e se esforçou muito durante todo o tempo para não deixar sua tristeza transparecer, e chorar.

– Qual é? – disse Ed. – Eu ouvi você cantando no chuveiro. Você canta lindamente!

– Ed, para você, tudo que Isabella faz é lindo! – disse JC.

Ed olhou para ela, acariciou seu cabelo: – É, você tem razão. Tudo o que a Isabella faz é lindo!

JC e Ed aplaudiram, cantando o nome de Isabella, e então ela subiu ao palco. Um pouco vergonhosa, ela pegou o violão que estava apoiado a uma das banquetas e o posicionou em seu colo. Ela ajeitou seu cabelo e pressionou os lábios: – Está bem. Vamos lá. Não me culpe se eu quebrar todos os vidros da sua janela com minha voz estridente!

– Estamos apenas nos divertindo – disse Daniel.

– Eu vou, então, cantar uma música em português. A música chama-se "Assim, assim".

– Perfeito! Eu vou pegar o outro violão e tentar te acompanhar – disse Daniel.

Enquanto isso, Ed, JC, Davy, Esther e Amy se ajeitavam no sofá. Amy ainda parecia aérea e silenciosa.

Isabella ajeitou o violão mais uma vez e começou a tocar a canção.

Amy olhou para o chão, enquanto JC e Ed balançavam suas cabeças de um lado para o outro, seguindo o ritmo da música. Isabella

Episódio A menina de coração partido 157

não era uma ótima cantora, como ela havia avisado. Na verdade, ela parecia uma desajeitada quando cantava, apesar de ser uma moça charmosa e cheia de simplicidade, o que fez com que todos a admirassem ainda mais. Ela cantou:

Assim, Assim
(Valter DS)

De olhos fechados,
Ele chegou em mim,
De jeito faceiro,
Foi chegando 'pertin'
Eu lhe pedi um 'cheiro'
E ele fez assim, assim,
'Pertin' de mim

(Refrão)
O Nosso amor é como o céu e o mar,
Desenha estrelas no meu coração
Você chegou assim, assim
E agora mora no meu coração

JC inclinou-se para Ed: – Ed, ela é muito adorável.

Sem tirar os olhos dela: – Eu sei, certo? Eu a chamo de minha garota de Ipanema – disse Ed com o olhar apaixonado.

– Você deveria tentar também, Amy – JC provocou Amy.

Amy estava com os pensamentos longe, pensando em sua mãe e não escutou a provocação de JC e, então, pediu para ele repetir o que tinha acabado de dizer, o qual ele fez. Ela olhou para ele com indignação: – Tentar o quê? Cantar fora do tom como ela?

Ed respondeu sarcasticamente: – Não... deveria tentar ser menos grosseira e menos tomboy!

Amy não gritou, não respondeu de forma sarcástica, como era o seu habitual, ao invés de reagir como esperado, seus olhos encheram-se de lágrimas e ela deixou a sala.

– Foi mal! – disse JC, sentindo pena dela.

– Eu sei. – Ed levantou-se do sofá. – Deixa eu ir atrás dela.

Isabella ainda cantava "Assim, assim", desconhecendo o que tinha acabado de acontecer. Daniel, ainda tocando sua guitarra, olhou para JC e acenou com a cabeça como se perguntasse o que tinha acontecido, e JC encolheu os ombros.

Capítulo 24

Ed foi para o terraço do prédio e encontrou Amy encostada na parede de tijolos, olhando para o céu. Ele foi até ela, esperando que ela se virasse e o xingasse, mas ela não o fez. Ela continuou de costas para ele, quieta, olhando para o céu.

– Te achei. Por que você levou tão a sério aquela piada? Foi só uma brincadeira. Você me provoca e eu te provoco. É isso que fazemos desde que nos conhecemos na época da Universidade – Ed se aproximou um pouco mais para conseguir enxergar o rosto dela.

– Ei, o que aconteceu? Você está chorando? – ele gentilmente a virou para ele e enxugou as lágrimas que escorriam em seu rosto. – O que tem de errado? Por que você está chorando? Não era sério o que eu disse lá embaixo. Eu juro que era uma brincadeira.

Amy soluçou e, com sua voz cortada, disse: – Eu só quero ser amada, Ed. Desde que ela partiu, eu não consigo parar de sentir essa rejeição horrível. É como se ninguém nunca fosse me amar.

Naquele momento, Ed sentiu-se tocado por um sentimento enorme de afeto por Amy. Todo o amor que ele sentia por ela veio à tona, naquele instante. Seu desejo era trazê-la para junto de si e fazê-la se sentir protegida e amada.

– Ela não te deixou, Amy. Ela morreu. Não foi escolha dela deixar você. Ela não te rejeitou...

– Sim, ela me deixou, Ed. Ela me rejeitou, sim.

– Não. Ela morreu! Não se sinta assim rejeita. Não é sua culpa ela ter morrido.

– Nãooo! Você não entendeu. Ela não morreu. Essa é a verdade. Ela não morreu. Essa foi uma mentira que inventei para tornar as coisas mais aceitáveis. Eu inventei essa história para esta dor doer menos.

Ela não conseguia olhar para Ed naquele momento. Olhou de volta para o céu. Era a primeira vez que admitia a um de seus amigos que tinha mentido a respeito de sua mãe.

– Então... Você tem...

– Mentido. Todo o tempo. A verdade é que ela não morreu. Ela escolheu nos deixar. Uma manhã, meus irmãos e eu acordamos e ela tinha ido embora. Achávamos que ela tinha ido fazer compras e voltaria logo. Mas, ela nunca mais voltou.

Enquanto ela contava aquela dolorosa história da sua vida a Ed, ela fechou os olhos e reviveu aquela lembrança dolorida: – Procuramos por ela pela casa toda, até encontrarmos nosso pai sentado no jardim. Seus olhos estavam vermelhos, como se tivesse chorado a noite toda – ela soluçou e fungou. – Ele simplesmente olhou para nós e disse que a mamãe não ia voltar mais. Aparentemente, ela estava tendo um caso com um francês e decidiu deixar meu pai para viver com ele. Eu me recusei a acreditar. Meu pai nos deixou faltarmos na escola naquele dia, e então eu passei o dia inteiro olhando pela janela do meu quarto, esperando minha mãe voltar.

Ed a abraçou e acariciou o alto de sua cabeça com seu queixo.

Amy respirou profundamente: – Os únicos modelos que eu tinha enquanto crescia eram meu pai e meus irmãos. Meu pai entrou em depressão e ele...

– Ele não conseguiu tomar conta de você – Ed completou sua frase.

Ela balançou a cabeça concordando: – Foi meu irmão mais velho, Tommy, que tomou as rédeas e tomou conta do Bryan, do Nick e de mim. Ele fez o que pôde, da forma que sabia. Mas estava muito longe do que uma mãe faria. Ele era um menino... Não um adulto, muito menos uma mãe.

Ela fez uma pausa para recobrar a respiração e controlar suas lágrimas. Ed afagou os braços dela e a apertou com força contra ele, e pela primeira vez em muito tempo, ela se sentiu confortada e protegida.

– Eu cresci sendo chamada de moleque, tomboy. Na escola, na rua... Eu não me importava. Na verdade, deixei de me importar. Se ela não poderia me amar, eu também não poderia me amar. Eu me sentia muito sozinha e rejeitada. Quando criança eu não tinha a quem recorrer. É como se não fizesse mais sentido eu estar viva. Minha mãe não estava lá, meu pai estava muito triste para se importar com qualquer outra coisa que não fosse com sua própria tristeza. Eu só queria sumir. Sumir deste mundo. Um ano antes da faculdade, eu fui parar no hospital depois de tentar o suicídio.

"Oh, Amy, eu te amo tanto", ele pensou.

– Tudo bem. Não precisa ter pena de mim. Uma coisa muito boa aconteceu depois disso, e eu aprendi algo muito importante. Eu conheci a irmã da minha mãe. Meu pai ligou para ela, pedindo ajuda, e ela veio de Nova Iorque para ficar comigo. Ela disse que ela e minha mãe nunca se deram bem, e quando ela se mudou para Nova Iorque, minha mãe a descartou totalmente. Foi só quando meu pai a contatou, contando o que tinha acontecido comigo e pedindo ajuda que ela descobriu sobre mim e meus irmãos. Minha mãe simplesmente escondeu dela que ela tinha tido filhos.

– E essa é a tia Frances – complementou Ed.

Amy aquiesceu: – Ela mudou as nossas vidas. Deixou o trabalho e toda sua vida para trás, e se mudou para Chester, apenas para ficar comigo e ter certeza de que eu estaria bem. E pela primeira vez desde que minha mãe tinha nos abandonado, eu e meus irmãos nos sentimos amados e cuidados. Ela veio com seu jeito todo americano e sua elegância e mudou nossas vidas. Ver aquela mulher incrível deixar sua vida inteira para trás e se dedicar à nossa família tocou meu coração.

Ed sorriu, sentindo muita empatia por ela. Seu coração transbordava de amor. – Ela fez você sentir como se sua mãe estivesse de volta.

– Acho que foi isso – disse Amy.

– Ela voltou para os EUA?

– Sim, ela regressou para lá quando eu ingressei na faculdade. Costumávamos conversar todas as noites. Pelo telefone e depois pelo Skype. Ficamos muito próximas, desde então. De certa forma, ela me ensinou como me amar.

Amy não pareceu muito convincente quando disse aquilo. Ed olhou em seus olhos, pressionou seus lábios e disse: – Mas não totalmente.

Ela fechou os olhos tentando segurar as lágrimas: – Todos os vestidos e sapatos caros, o excesso de maquiagem e todas aquelas porcarias super caras que eu compro. É tudo para esconder a garota que ainda estou tentando aprender a amar. Por que você acha que eu gasto todo meu dinheiro e, na verdade, até dinheiro que não tenho em tudo isso? – ela puxou sua blusinha. – É meu jeito de tentar me sentir bem.

– Ei, menina, não se coloque para baixo. Essas roupas e sapatos não te fazem bonita, porque simplesmente você já é naturalmente linda. Absolutamente deslumbrante. Mesmo nos seus tempos de moleque na faculdade – ele a fez rir – você já era deslumbrante. Não permita que os erros da sua mãe te afetem desse jeito. Ela deveria se sentir mal pelas escolhas erradas que fez. Deixar quatro crianças pequenas para trás, por causa de um homem! Isso é triste. Esse erro é dela não seu. Você é amada por muitas pessoas...

Ela o interrompeu: – Mas não por ela.

– Você não sabe isso. Talvez, naquela época, ela fosse uma adulta que não soubesse o que é o amor. Talvez ela não se amasse, e por essa razão não pudesse amar ninguém mais. É isso. Talvez ela fosse uma adulta perdida, procurando por uma maneira de se amar, assim como eu e você e todo mundo. Eu acho que a diferença é que sua jornada a conduziu a um erro massivo que causou muita dor para você e sua família.

– Você não entende, Ed. Ela está morrendo. Ela está no hospital nesse momento, e ela está morrendo, e quer me ver. Ela está com câncer. Parece que não tem cura. Ela veio para a Inglaterra para conversar conosco. Aparentemente, ela quer se explicar e ter perdão pelo que fez. Parece que quando chegou aqui ela acabou ficando ainda mais doente e foi internada. Ela está lá no Norte, em Chester.

– Então, vá! Vá e veja o que ela tem a dizer, e então você será capaz de julgar. Dê a ela e a você essa oportunidade. Se não fizer isso, poderá ser arrepender pelo resto de sua vida.

Amy olhou para ele, com tal vulnerabilidade que Ed nunca tinha visto em vinte e dois anos de vida e soltou: – Estou com medo, Ed.

Ele agarrou as mãos dela e as uniu e, as segurando firme, as aconchegou junto ao seu peito: – Eu sei. Eu sei, menina. Eu vou com você. Eu estarei do seu lado o tempo todo. Prometo.

Eles se olharam e se aproximaram cada vez mais, bem lentamente. Eles estavam prestes a se beijar. Um beijo que ambos queriam. Seus lábios ficaram próximos, quase se tocando, mas foram interrompidos pelo som da porta batendo na parede. Os dois se afastaram imediatamente, quebrando o clima romântico.

Daniel e Isabella entraram no terraço. Daniel imediatamente sentiu o clima entre Ed e Amy e, se sentindo mal por Isabella, começou a resmungar algo para desviar sua atenção. Isabella, eufórica com sua cantoria e com o sarau acontecendo lá embaixo, não pareceu se importar muito com Ed e Amy sozinhos no terraço.

– Achei você! – ela disse. – Estamos nos divertindo muito lá embaixo. Vamos descer. Esther está cantando para nós – ela se aproximou de Ed, cheia de alegria. – Querido, eu cantei três músicas! E Daniel disse que eu sou uma boa cantora.

Daniel fez uma mímica por trás, dizendo ser mentira. Ela na verdade era uma péssima cantora, mas ele não teve coragem de dizer.

– Já estamos descendo – respondeu Ed.

– Eu quero cantar uma música com você também – ela disse a ele antes que Daniel a segurasse pela mão e a levasse de volta à sala.

Ed abraçou Amy com força e perguntou: – Você ficará bem?

Ela descansou sua cabeça contra o peito dele e respondeu: – Sim, ficarei. Obrigada, Ed.

– Você é minha estrela! – ele disse a ela.

"E você é minha constelação", ela pensou, mas não teve coragem de dizer a ele em voz alta.

***

Esther estava no mini palco, cantando para o grupo. Isabella, que estava agarrada a Ed, assentiu para Esther e disse para JC: – Eu absolutamente adoro a voz dela.

– Ela é ótima, não é? – disse JC.

– É difícil acreditar que alguém como ela não teve a chance de gravar um cd ainda – disse Isabella.

– Ela teve, uma vez – JC explicou. – Ela foi convidada a ir para os EUA, mas sua mãe sofreu um acidente e Esther acabou perdendo a oportunidade.

Isabella levantou sua mão e cobriu a boca: – Ah... Então, foi assim que a dona Mimi machucou as pernas?

Foi Ed quem respondeu dessa vez: – Suas pernas nunca foram as mesmas depois do acidente, e Esther vem se dedicando à sua mãe, a partir de então.

Do outro lado da sala, Daniel e Davy conversavam em um canto. Parecia ter um ar de romance entre os dois. Eles olharam um nos olhos do outro, e sua linguagem corporal demonstrava a atração que sentiam.

– Eu preciso confessar que realmente curti nosso encontro – disse Daniel.

– Hmmm, então, agora estamos chamando de encontro? – Davy riu, sentindo borboletas em seu estômago.

Daniel corou. Era estranho ter esse tipo de sentimento por alguém novamente. Afinal, ele havia conhecido Ryan na época da faculdade e nunca namorado ninguém mais. – Eu acho que sim.

Nem Daniel nem Davy notaram que a porta de entrada do apartamento foi aberta e alguém havia adentrado o apartamento e caminhava em direção ao local onde estavam os dois conversando. Ambos estavam prestes a se beijar quando ouviram alguém ao lado deles, limpando a garganta.

– Olá.

Daniel sentiu arrepios pela espinha quando ouviu aquela voz: – Ryan???

Quando viu Ryan, bem à sua frente, Daniel sentiu suas pernas tremerem. Toda sua energia foi drenada revivendo o dia do casamento, lembrando a agonia que sentira quando o pai de Ryan disse que ele estava no aeroporto e que eles não iriam se casar.

Finalmente, quando Daniel conseguiu recobrar a compostura tudo que ele conseguiu dizer foi: – Você voltou!

***

– Sou eu – Amy disse à tia Frances ao celular. – Decidi ir ao hospital.

– Ah, minha querida. Essa é uma notícia ótima. Eu vim para Chester essa manhã. Sua mãe me perguntou sobre você tantas vezes.

Em um tom de voz frágil e doce, Amy disse: – Te vejo em Chester.

– Te amo, minha querida – tia Frances disse a ela, firmemente, querendo que Amy sentisse seu amor por ela e acreditasse que tudo ficaria bem, pois ela estaria lá ao lado dela.

– Também te amo, tia.

Amy desligou e se apoiou na parede do Terraço de Daniel e se concentrou em uma pequena e brilhante estrela no céu escuro.

Episódio
Love of my life

Capítulo 25

Jamie esperava por Ed na recepção do prédio dele.

– Ei, parceiro. Estou muito feliz em te ver – Ed o abraçou. – Quanto tempo faz? Dois anos já?

– Dois e meio, Eddo. Dois e meio – Jamie deu uma olhada no complexo de prédios novos onde Ed vivia, estudando as paredes de vidro e os detalhes bem-acabados. – Muito impressionante, Sr. Threadgold. Um apartamento aqui no condômino Neo, deve ter te custado muito dinheiro.

Ed pegou uma de suas mochilas e apontou para o elevador: – Bem, como você sabe, meus avós me deixaram dinheiro. Enfim, vamos subir, deixa eu te levar ao meu apartamento e te mostrar as instalações rapidamente. Estou correndo para encontrar Amy, já que vamos para Chester.

Assim que entraram no apartamento de Ed, o queixo de Jamie caiu. O apartamento fazia parte de um complexo luxuoso e ultra-moderno, onde as paredes eram feitas todas de vidro. – Uau, essa sua vista, amigo! Daqui você consegue ver o Tate Modern e a Catedral de St. Paul. É isso que eu chamo de vista! Só esta sua vista já vale milhões, quem dirá o apartamento em si – disse Jamie, enquanto Ed colocava as malas no quarto de hóspedes.

Ed lembrou-se que Jamie, diferentemente dele, se importava muito com dinheiro, carros chamativos e ostentação. Ele coçou a nuca e deu um meio sorriso: – "Erm", obrigado. É bem especial, eu concordo. De qualquer forma, me desculpe por não poder ficar aqui com você no seu primeiro dia em Londres. Prometi a Amy que a levaria ao Norte para ver sua mãe. Ela não está muito bem, sabe.

– Quem não está muito bem? A Amy?

– Não. A mãe dela.

Jamie olhou confusamente para Ed: – Eu achei que a mãe do "moleque" tivesse morrido.

Ed colocou sua jaqueta: – Ela tinha... Quer dizer... Ela não tinha. Ah... É uma longa história. Preciso ir. Tem comida na geladeira e nos armários. Fique à vontade. Devo voltar amanhã à noite – ele pegou sua mochila e partiu.

***

Daniel entrou na cafeteria onde JC trabalhava e sentou em uma mesa do lado da janela. "Onde Ed vai a essa hora da manhã com sua mochila de viagem?", ele pensou quando viu Ed saindo do seu prédio e pegando um táxi.

– Ei Dan, bom dia! Cappuccino com leite de soja com raspas de chocolate por cima, como você gosta, no capricho – JC colocou a bebida de Daniel na mesa e sentou na cadeira do outro lado da mesa.

– Bom dia! – disse Daniel, ainda olhando para fora da janela e observando o táxi de Ed virar a esquina e sumir. – Acabei de ver o Ed pegar um táxi, e ele levava uma mochila de viagem. Ele vai a algum lugar no meio da semana?

JC limpou a garganta. – Acho que você ainda não está sabendo da história de Amy?

Daniel virou e olhou para JC: – Qual história de Amy? – JC levantou sua xícara e deu um gole em seu café: – Acho melhor você beber um pouco de café antes. É uma história muito complicada.

Daniel copiou JC e deu um grande gole em seu café, mantendo seus olhos totalmente focados em JC, que parou, olhando para Daniel de forma misteriosa.

Daniel estava impaciente com o silêncio: – Vamos, JC, desembucha, me fala o que está acontecendo.

JC ligou seu "modo Latino dramático de contar histórias" – era assim que Daniel chamava quando JC usava suas habilidades de atuação para contar uma história, exagerar e fazê-la mais dramática do que realmente era. JC começou a fazer grandes gesticulações com seus braços, abriu seus olhos bem abertos, arqueou as sobrancelhas e começou: – Você sabe da história de Amy e de sua mãe?

– Sim, JC, conheço – lá no fundo se segurando para não perder a paciência com JC.

– Bem, você sabe que a mãe dela deveria estar morta...

– Não, JC – disse Daniel. – Ela não deveria estar morta. Ela ESTÁ morta. Morreu quando Amy tinha cinco anos de idade.

– Não, ela não morreu – sacudiu sua cabeça e parou de novo, fazendo uma expressão facial como se fosse um ator em uma novela mexicana, fazendo uma grande revelação antes do final do capítulo, para prender a audiência para o próximo capítulo.

– JC, eu estou perdendo a paciência com você aqui. Você pode me dizer o que está acontecendo?

Ele repetiu: – Ela não está morta. Amy mentiu sobre tudo. A mãe dela os abandonou para fugir com um francês, e Amy sempre se sentiu mal com essa história, então, ela contava para todo mundo que a mãe estava morta. E agora a mãe dela voltou. Está muito doente e decidiu voltar para ver Amy e seus irmãos e tentar reparar o que fez.

Daniel olhou para sua xícara de café. Sua mente trabalhava sem parar. É como se todo o comportamento de Amy finalmente fizesse sentido para ele. Sua compulsão por compras e sua paixão pelas roupas e acessórios mais modernos, a maneira como era muito competitiva e sempre queria ser a primeira em qualquer coisa que fizesse. Tudo isso fazia sentido para Daniel. Ele percebeu que era por isso que Amy sempre tentava se autoafirmar perante as pessoas. Ele permaneceu em silêncio, lembrando os momentos em que não entendia o comportamento de Amy. Foi, então, tomado por uma mistura de pena e empatia por ela.

– Dan? – JC segurou sua mão. – Dan?

Daniel afastou as memórias: – Desculpe, eu estava pensando no que você acabou de me contar. Deve ser horrível. Me sinto tão, mas tão mal por ela.

– Ed se ofereceu para ir à Perdigão com ela e...

– Chester – disse Daniel. – A cidade se chama Chester.

JC mostrou-se impaciente: – Chester, perdigão... Você entendeu. Ed se ofereceu para ir a CHESTEEEER com ela para acompanhá-la neste momento.

– Ah, isso foi legal da parte dele – disse Daniel e em seguida deu outro gole no café. – Me pergunto: Por que ela não me contou nada disso?

– Como ela poderia? Ela só descobriu tudo isso ontem de manhã, e mais tarde na sua casa você teve que lidar com a volta de Ryan – JC bateu na mesa. – Sim! Ryan! esqueci de te perguntar. O que aconteceu depois que fomos embora ontem?

Daniel piscou devagar, como se fosse doloroso só de pensar na situação. Ele suspirou: – Nada demais. Não estou pronto para vê-lo ou falar com ele. Eu disse para ele que preciso de um tempo antes de conversarmos.

– Juan Carlos! – gritou Teresa do balcão. Ela apontava para o relógio: – Seu turno começou há um minuto e doze segundos. Vamos, depressa.

JC levantou-se e pegou as xícaras vazias: – A propósito, parece ser uma semana de retornos. Adivinha quem acabou de retornar de Dubai – ele apontou para o topo do prédio em frente deles, e está lá no apartamento de Ed?

Daniel olhou na direção do apartamento de Ed e, então, olhou de volta para JC: – Não! Ele voltou? O Jamie?

JC balançou a cabeça afirmativamente: – Suponho que tenha chegado essa manhã. Deve estar lá nesse exato momento.

***

Eles chegaram na estação Kings Cross e tiveram de correr para pegar o trem, que estava prestes a partir. Quando se sentaram em suas poltronas no trem, Amy reparou que Ed respirava com dificuldade.

– Por favor, diga que você trouxe sua bombinha – Amy falou, nada impressionada.

Ed colocou a mão no bolso da jaqueta e tirou a bombinha. Ele piscou para ela enquanto inalava.

Amy vestia jeans, tênis tipo 'All Star Converse' e um grande moletom velho com capuz. Ed reparou que ela estava vestida de um jeito que lembrava como ela se vestia nos tempos da universidade. Após recobrar a respiração, e se sentir melhor, Ed, que estava sentado do outro lado da mesa, abriu sua mochila e tirou um sanduíche.

– Eu tinha um moletom muito parecido quando estávamos na faculdade. Era do nosso time de rugby, não era? – Ed analisou o moletom dela, desconfiado, enquanto mastigava o lanche.

Amy mantinha os braços cruzados, como se abraçasse a si mesma, e ela apertou esse abraço ainda mais após Ed ter dito isso. Era de fato um dos moletons velhos de Ed. Ele havia esquecido em seu dormitório quando passara uma noite fazendo uma maratona de filmes de terror e ela nunca o devolveu. O moletom vermelho, com o emblema dourado do time de rugby da universidade, ficava enorme para ela, mas ela o usava toda vez que se sentia carente e vulnerável.

– Não! Não era não – sua voz tremida denunciou a mentira. Ed apontou para o logo no time que estava na direção do coração dela, com a mesma mão que segurava o seu sanduíche. Rapidamente, ela tentou consertar. – Ahhh... Lembrei. Na verdade, era. Era do nosso time sim. Esse foi de um antigo ficante meu da faculdade. Para ser sincera, nem lembro do nome dele direito. – Mike... Não, não... Nick – ela mentiu. – Enfim, peguei rapidamente da secadora essa manhã.

– Sem ofensas, mas acho que você deveria ter se vestido mais de acordo com a ocasião – disse Ed, arrependendo-se imediatamente do que tinha dito.

– Nem ligo – disse Amy, colocando o capuz de modo a cobrir metade do seu rosto e encostando na janela do trem.

***

Daniel olhava vagamente para tela do computador. A nova música que ele estava mixando tocava ao fundo, porém tudo que ele conseguia ouvir era a voz de Ryan.

Eu voltei, porque precisamos conversar – foram as últimas palavras de Ryan antes de Daniel o expulsar na noite anterior.

Daniel encolhia-se à medida que relembrava, repetidamente, das palavras de Ryan. Pegou o celular e desbloqueou a tela, olhando suas mensagens, e ficou mais frustrado ainda ao constatar que Davy não havia respondido às suas mensagens enviadas na noite passada.

– Acho melhor eu ir, assim vocês dois conversam – Davy disse a Daniel, não conseguindo encarar Ryan.

– Talvez seja melhor – disse Ryan.

– Nãooo – Daniel insistiu: – Fique, por favor, está tudo bem. Não tenho nada para conversar com esse aí.

Ryan riu irônico: – Estou vendo que não demorou nada para você me substituir.

JC, Isabella e Esther assistiam à estranha cena, sem saber o que fazer.

– Não se atreva, Ryan! – gritou Daniel, perdendo sua calma.

Davy pegou seu casaco e balbuciou um tchau antes de deixar o apartamento, parecendo bem desconfortável com a situação.

***

A música terminou e Daniel, com os cotovelos na mesa, apoiou a cabeça entre as mãos. Seu celular começou a tocar. Ele, esperançoso, animou-se pensando que fosse uma ligação de Davy, contudo, suspirou ao verificar a imagem de Ryan na tela. Rejeitou a ligação.

– Você vai ter que falar com ele uma hora ou outra. Você sabe disso, né? – disse Esther, que tinha entrado no quarto minutos antes. Ela se aproximou dele e o envolveu em um abraço. Ela o amava como se fosse um irmão mais novo: – Vocês têm anos de relacionamento para discutir. Você não pode fugir da conversa. Vai ser difícil, mas precisa acontecer. Não se esqueça que vocês também têm a série de TV. Você trabalhou tão duro naquele projeto, não jogue tudo fora por causa dele.

Daniel lamentou-se: – Aaaaah, eu me sinto tão triste.

– Eu sei que se sente, querido. Eu queria tanto ter uma varinha mágica e fazer esse sentimento desaparecer.

Daniel riu: – Talvez você pudesse usar sua varinha mágica para voltar no tempo e o impedir de ser tão imbecil e me abandonar no altar.

Eles ficaram em silêncio por um tempo.

– Você está certa – ele disse, finalmente. – Preciso encarar essa conversa de cabeça erguida para poder seguir com a minha vida.

Daniel pegou seu celular e mandou mensagem para Ryan.

> **Daniel:**
> Ok. Vamos conversar. Te vejo daqui a uma hora em frente ao The Rocket.

Capítulo 26

– Oi Nick, como vai? – disse Ed quando entrou no carro do irmão mais novo de Amy.

– Já tive dias melhores, Ed. E vocês, fizeram boa viagem?

– Sim, fizemos – Ed respondeu. – Obrigado.

Amy entrou no carro sem ao menos cumprimentar seu irmão. Ela tinha dito a ele para não se incomodar em esperá-los na estação de trem, porque iriam até o hospital de táxi, mas Nick, por ser tão teimoso quanto sua irmã, lá estava, aguardando-os do lado de fora da estação.

– Então, você não vai falar comigo, é isso? – ele perguntou, com uma mão no volante e a outra do lado de fora do carro.

– Eu te disse que pegaríamos um táxi. Eu sinceramente não sei por que você se incomodou. Não quero mais ver você e nem os outros traidores enquanto eu viver – Amy mantinha o olhar focado no lado de fora do carro. Sua feição não era das mais amigáveis.

Nick riu para ela: – Enquanto você viver? Isso é um pouco dramático, não acha?

– Nick, eu não estou brincando – ela finalmente o encarou. – Vocês três foram contra mim e foram encontra-lá e brincaram de família feliz. Vocês cederam muito facilmente. Ela nos fez muito mal!

– Pelo amor de Deus, Amy, cresça – ele disse, aumentando o tom da voz. – Isso não é sobre você e sua mania de querer controlar todos à sua volta! Nossa mãe voltou e...

– Nossa mãe? – Amy gritou. – Não a chame de nossa mãe! Ela nos deixou, você não se lembra?

Ed encolheu-se no banco de trás enquanto irmão e irmã gritavam um com o outro no banco da frente.

– Eu vou chamá-la do que eu quiser – disse Nick. – E sim, nossa mãe está morrendo! Achei que ela merecesse uma chance de se explicar e...

– E o quê? Explicar por que ela não ama a gente? – Amy tinha uma mistura de sarcasmo e dor em sua voz.

– Talvez – disse Nick, antes de diminuir a velocidade e parar no meio de uma rua silenciosa.

– Agora, me escute. Se você veio aqui cheia de raiva e não está disposta a ouvi-la de coração aberto, é melhor eu te levar de volta para a estação.

Amy virou a cara: – Está bem. Chega! Eu vou ouvi-la. Agora pare de me irritar.

Nick estacionou do lado de fora do hospital. Ele e Ed saíram do carro e ficaram aguardando Amy, que parecia não ir a lugar algum. Ela ainda estava sentada, olhando para baixo.

– Vamos, Amy! – pediu Nick, impacientemente.

Ele foi até o lado do carro onde ela estava e quando se inclinou percebeu que ela estava chorando. Ele abriu a porta do carro e estendeu a mão para ela. Ela pegou sua mão, saiu do carro e o abraçou tão forte que ele mal conseguia se mover. Ele chorou também.

À entrada do hospital, o irmão mais velho, Tommy, e seu irmão do meio, Bryan, estavam apreensivos, andando em círculos.

– Por onde você andou? – perguntou Tommy.

– Tivemos um pequeno atraso – Nick explicou. – Mas está tudo bem agora.

Os dois irmãos pareciam ansiosos a respeito de algo.

– O que aconteceu? Por que vocês dois estão com essa cara? – ela perguntou.

– Que cara? – perguntou Bryan.

– A cara que você faz quando está com medo de me dizer algo. Ela... – Amy parou. – Ela morreu?

– Não, não – disse Bryan, afastando-se. – Vai Tommy, você conta para ela.

– Escute – Tommy falava com muito cuidado. – Antes de você ficar brava, tente relaxar, está bem?

Amy começou a perder a paciência: – Eu odeio quando você fala assim.

– Ok – disse Tommy. – É o seguinte, descobrimos que ela teve três filhos... Você sabe, com o francês.

– Três? – perguntou Nick, surpreso.

– Eles chegaram logo depois que você saiu para buscar Amy e Ed na estação de trem – disse Bryan. – Eles vieram logo que descobriram que ela começou a passar mal.

Amy afastou-se e sentou na cadeira mais próxima: – Caramba! Três outros irmãos? E tem mais alguma coisa que a gente ainda não saiba? Mais alguma revelação bombástica para vir à tona?

Todos se calaram. Ed chegou, trazendo um copo de café para ele e outro para Amy. Ele quebrou o silêncio, cumprimentando Bryan e Tommy.

– Como você quer fazer? – Tommy perguntou para Amy. – Você prefere que todos nós entremos com você, ou você prefere ter um tempo sozinha com ela?

– Ah, não – ela respondeu de imediato. – Vocês todos vão comigo – ela parecia nervosa. – Não quero ficar sozinha com ela não... – sua voz agora era trêmula e frágil.

Ed sentou-se ao seu lado e colocou a mão sobre seu joelho: – Vai ficar tudo bem. Estarei aqui te esperando.

– Você promete?

– Sempre – ele tocou seu queixo.

***

Daniel olhava ansioso para o relógio. Começava a se arrepender de ter marcado um encontro com Ryan. Checou seu celular novamente e sentiu leve dor no coração quando viu que Davy não tinha respondido à suas mensagens ainda.

– Oi – Ryan chegou por detrás de Daniel.

O coração de Daniel disparou. Suas pernas ficaram trêmulas. "Se controle! Não o deixe ver sua fraqueza", pensou antes de se virar e encarar Ryan.

– Oi – Daniel respondeu, olhando nos olhos de Ryan rapidamente e, em seguida, desviando o olhar. – Podemos ir à cafeteria perto da casa de Ed?

– Talvez devêssemos ir a algum lugar mais privado e neutro?

– Por que? Está com medo de ser visto por um dos meus amigos?

– Qual é, Dan. Por favor, me dê uma chance de me explicar. Eu não quero conversar com você em um lugar lotado onde não conseguiremos escutar um ao outro. E, para ser sincero, sim, eu não estou interessado em ver um deles. Com certeza, eles irão fazer o maior drama e causar uma cena.

Daniel suspirou: – Há um restaurante novo que acabou de abrir, perto daqui, a algumas ruas para baixo, e parece até calmo.

A caminhada até o restaurante foi um tanto constrangedora – cincos minutos que mais pareceram uma eternidade para ambos. Ryan tentou iniciar uma conversa, mas Daniel não demonstrou interesse. Ele ignorou a maioria das perguntas de Ryan, e as poucas que respondeu foi de modo monossilábico.

– Certo, comece – disse Daniel, sentando-se na mesa de frente para Ryan.

Ryan perdeu completamente sua coragem quando percebeu que Daniel não tinha baixado a guarda.

Focado na colher, Ryan mexeu seu chá, tentando encontrar um jeito de abordar o assunto.

– Você parece esquecer que eu te conheço muito bem – Daniel falou alto. – Eu sei exatamente o que está pensando.

Ryan permanecia em silêncio, olhando para sua caneca e mexendo o chá.

– Como eu vou conseguir me redimir com você e me livrar dessa situação horrível que me coloquei? – Daniel o fitava com raiva em seu olhar.

– Escute, Dan – ele não tinha a força para olhar diretamente nos olhos de Daniel. – Eu... – Ryan pausou, aparentemente perdido nas palavras. Ele não era bom em se desculpar.

Impaciente, Daniel bateu na mesa: – Você o quê? Devo entender que você está tentando se desculpar! Se desculpar por ter me abandonado? Desculpar-se por ter me feito passar vergonha na frente da minha família, de amigos e de todos os seus parentes, que nunca gostaram de mim mesmo? É isso o que você está tentando me dizer, Ryan?

– Eu sinto muito – Ryan disse discretamente, olhando em volta no restaurante, sentindo-se envergonhado. – Abaixe o tom de voz, Dan – ele sussurrou. – As pessoas estão olhando.

Isso fez com que Daniel ficasse ainda mais irritado. – Dane-se elas? Que se dane você, na verdade! Você sabe o quanto eu me senti humilhado em pé lá no altar, te esperando? Isso sim é vergonhoso.

– Você não vai parar de gritar, vai? – perguntou Ryan, com sua cabeça curvada.

– NÃO! – Daniel gritou ainda mais alto.

– Eu sinto muito, está bem?! Sinto mesmo. Eu entrei em pânico – disse Ryan. Amarelei... Quando chegou próximo do dia do nosso casamento eu simplesmente entrei em pânico.

Daniel jogou seus braços no ar: – Você entrou em pânico?! Eu também! Mas eu encarei. Tenho vinte e três anos. Você acha que eu estava confortável com a ideia de ficar preso a alguém e prometer que iria amá-lo até o resto da minha vida? Eu estava super apavorado. Mas, eu engoli o medo e fui corajoso. Eu tinha certeza de que você era a pessoa com quem eu queria passar o resto da minha vida.

– Viu... Esse é meu ponto. Eu surtei. Pensei sobre sua idade, e o quanto você é jovem para assinar um contrato que nos obriga a nos comprometer com algo que não temos nem certeza que seremos capazes de cumprir.

Daniel bateu suas mãos fechadas na mesa e gritou: – Tão romântico!

– Exato. Você é o romântico, Dan. Eu sou o cérebro, o lógico. Somos assim, sempre foi assim. Você cria e faz todas as coisas fofinhas, e eu faço as coisas práticas, e faço seus sonhos se tornarem realidade. Não espere que eu seja quem eu não sou.

– Ótimo. Agora a culpa é minha. Isso é tão sua cara, Ryan. Virar o jogo a seu favor.

Naquele momento, todos os clientes do restaurante os encaravam e nem tentavam fingir que não estavam ouvindo a conversa.

– Você vai dizer que eu planejei o casamento inteiro sozinho? Você vai dizer que eu imaginei tudo? Não, não. Eu inventei na minha cabeça uma situação onde VOCÊ se ajoelhou, no quintal da casa do Elvis lá em Graceland, e me pediu em casamento. Você não estava lá, não é? Ou fui eu que imaginei tudo isso?!

– Não, Dan. Eu não estou dizendo nada disso. Eu te pedi em casamento após realizarmos o sonho de irmos para Graceland, onde nosso cantor favorito viveu e escreveu a maioria das músicas que gostamos. Eu ajoelhei naquele jardim e fiz o pedido. Eu te ajudei a planejar a cerimônia, a festa e tudo. Não estou negando isso – Ryan estava tão agitado quanto Daniel. – Eu assumo completamente a responsabilidade pelo que fiz.

– Pelo que você não fez, você quer dizer.

– SIM – ele gritou de volta para Daniel. – Eu sinto muito. Só estou dizendo que surtei e pensei muito sobre a vida depois do casamento e como as coisas mudariam... – Lágrimas escorreram pelo seu rosto: – Eu sinto muito a sua falta.

Daniel levantou-se. – Eu achei que poderia ter essa conversa com você, mas ainda é muito cedo – ele colocou a mão no bolso, tirou o dinheiro e o depositou sobre a mesa. – Tome aqui minha metade da conta. Retirou-se, mas quando chegou na porta do restaurante, resolveu voltar para a mesa. Ryan olhava para ele com ares de esperança.

Daniel pegou as notas que tinha deixado na mesa: – Quer saber, você paga a conta inteira, é o mínimo que pode fazer – colocou as notas novamente no bolso e saiu do restaurante.

Capítulo 27

Eles abriram a porta devagar e Amy, escondendo-se por trás dos três irmãos, olhou entre seus ombros em um misto de curiosidade e ansiedade. Tudo que conseguiu ver foram três rapazes, que ela presumiu serem seus meio-irmãos.

Quando a porta se abriu, os três rapazes em volta da cama viraram-se e olharam para Amy e seus irmãos.

– Oi, gente – disse o mais velho com um sotaque francês pesado. – Ela está sob forte medicação e acabou de dormir.

Amy focou em sua mãe, deitada na cama hospitalar. Ela parecia mais debilitada do que Amy tinha imaginado. Seu cabelo, que já tinha sido loiro e enrolado, estava grisalho, e ela parecia bem mais velha do que uma mulher de cinquenta e poucos anos.

"Bom dia querida. Hora de ir para a escola. Você ama ir para escola, não é?!" Amy lembrou-se do rosto de sua mãe quando a acordava pela manhã. Amy, por não prestar atenção à conversa entre seus irmãos e seus meio-irmãos, enquanto olhava para sua mãe, foi pega pelas lembranças. "A mamãe logo estará aqui para te buscar, querida. A mãozinha de Amy segurou forte na mão de sua mãe, quando sua mãe tentou a entregar para a professora." Amy lembrou-se que costumava entrar em pânico quando tinha que se separar da mãe, sentindo como se ela nunca fosse voltar. "Talvez fosse a vida me preparando", ela pensou.

– Amy – Bryan a cutucou.

– Desculpe – ela despertou de suas lembranças. – O que é?

– Este é Phillipe – Bryan apontou para o mais velho, que estava em meio aos irmãos, e depois para os outros dois. – Este é Patrice – ele disse. – E esse é Fabian.

Patrice parecia estar em plena adolescência, enquanto Fabian, julgando pela estatura pequena e as sardas, não teria mais do que dez anos.

– Oi – cumprimentou Amy. – Prazer em conhecê-los. – Ela se virou para os irmãos. – Podemos ir agora? Ela parece estar dormindo, e talvez seja melhor não atrapalhar seu sono.

– Talvez você esteja certa – concordou Nick. – Vamos pegar algo para comer.

– Podemos ir com vocês? – perguntou o pequeno Fabian. – Não comemos desde que chegamos. Eu tô com fome.

– Claro – assentiu Tommy. – Vamos levá-los à cidade, onde poderemos comer uma comida decente.

– Talvez alguém pudesse ficar aqui, caso ela acorde – sugeriu Phillipe.

Nick, Bryan e Tommy olharam para Amy. Ela deu um meio sorriso e acabou assentindo.

– Você quer que a gente traga algo para você? – perguntou Nick.

Amy disse não estar com fome, mas pediu para que convidassem Ed para ir junto, ela sabia que Ed estava faminto. O mais novo dos irmãos franceses aproximou-se dela, pedindo-lhe que tomasse conta de sua mãe. Amy olhou para o menino e ficou hipnotizada por seus grandes olhos azuis e cílios longos. Ele piscava muito, como se implorasse para Amy cuidar da mãe, o que derreteu seu coração. Ela concordou e foi pega de surpresa quando ele a abraçou forte.

– Eu não quero que minha mãe morra – ele chorou, com seu rosto pressionado na barriga dela.

Amy não sabia o que fazer ou dizer. Ela olhou para seus irmãos e para Phillipe e Patrice, e eles olharam de volta para ela, com a tristeza estampada em seus rostos. Amy, então, acariciou a cabeça de Fabian, com sua mão esquerda e com a outra mão acariciou suas costas. A cena era desoladora. Após o menino se acalmar, segurou a mão de Phillipe.

Quando os meninos deixaram o quarto, Tommy aguardou um pouco até que ele e Amy estivessem sozinhos.

– Eu sei que é difícil – ele disse. – Mas pense o quanto esperamos que ela voltasse. Ela está aqui agora – ele disse algo similar ao que Ed tinha dito a ela na noite anterior, no terraço de Daniel.

– Foi ela quem cometeu o erro, não você. Não carregue essa raiva aí dentro – apontou para o seu coração. – Use essa oportunidade para se libertar de toda dor e sofrimento. Perdoe – ele se inclinou e beijou o topo da cabeça dela suavemente.

Quando Tommy deixou o quarto e Amy viu-se sozinha com a mulher que ela costumava chamar de mãe, ela sentiu enorme peso em sua cabeça e, ela não conseguia se virar e olhar para sua mãe, deitada na cama.

Ela fechou os olhos, e pela primeira vez em muitos, muitos anos, rezou em silêncio, pedindo forças para Deus. Ao final de sua conversa silenciosa com Deus, ela ouviu uma voz bem fraca chamando seu nome. A voz era frágil, quase cortada, mas no fundo do seu coração Amy podia reconhecer o tom. Era sua mãe, e era a mesma voz que ela ouvia quando tinha cinco anos de idade. Lágrimas imediatamente rolaram descontroladamente pelo seu rosto. Lentamente, ela se virou em direção à cama. Amy manteve a cabeça baixa, pois estava com muito medo de olhar para ela.

– Minha querida – falou sua mãe com a voz bastante fraca. – Minha princesa...

Aquelas palavras tocaram Amy tão fundo que ela não resistiu e chorou ainda mais. Ela respirou fundo e com coragem levantou a cabeça e a encarou. E lá estavam mãe e filha olhando uma para outra pela primeira vez em dezoito anos. Ambas soluçavam, chorando, sentindo tristeza e muita dor. Movida por instinto, desistindo de lutar contra o amor que sentia por ela, Amy aproximou-se da cama, inclinou-se, posicionou sua cabeça ao lado da cabeça de Stella e a abraçou. Suas lágrimas continuavam a cair, e à medida que cada lágrima caia, se misturavam umas às outras, tornando-se uma lágrima só.

Amy soluçou tanto que não conseguia parar de tremer. Quanto tempo Amy esperou por aquele momento, o de sentir novamente o rosto da mãe próximo ao seu. Tantas vezes ela chorou, se sentindo só, secretamente implorando a Deus para ajudá-la a encontrar uma forma de reencontrar sua mãe. Seu primeiro dia na escola, o primeiro sutiã, seu primeiro beijo – momentos especiais de vida que foram vazios, porque ela não os pôde compartilhar com sua mãe. Suas medalhas de ouro nas competições de natação da escola, as três notas A em seus exames no final do colégio, sua graduação na faculdade com mérito: ela teria trocado todas essas conquistas por um momento como aquele, em que ela podia sentir a cabeça de sua mãe tocando a sua novamente.

– Eu sinto muito. Eu sinto muito, muito mesmo, querida – Stella disse entre os soluços. Sua dor e arrependimento estavam estampados em sua face.

Amy não conseguia responder. Ela não tinha condições de falar.

Stella continuava a falar com voz muito fraca: – Não teve um único dia desde que parti que não pensei em você e em seus irmãos, e que não chorei sentindo a falta de vocês. Eu quero que saiba disso, minha querida. Eu me culpo todos estes anos. Meu remorso é eterno.

Amy afastou-se um pouco da mãe, cobrindo sua boca com ambas as mãos. Ela estava histérica. Amy queria dizer a Stella o quanto a odiava pelo que tinha feito. Ela queria gritar, xingar, mas não conseguia. Tudo que ela sentia naquele momento era amor e um desejo de não estarem se encontrando em um hospital, mas ao invés disso, estarem em uma cafeteria e tendo aqueles momentos de mãe e filha.

– Você está tão linda, querida. Você se tornou uma jovem muito bonita.

Amy percebeu que era difícil para sua mãe falar, então, ela pensou em dizer a Stella para não falar muito e se poupar, mas ela não o fez.

Ela precisava ouvir aquelas palavras pelas quais esperou por tanto tempo. Pegou a mão da mãe e arrumou seu cabelo.

– Eu senti tanto... – Amy disse com voz cortada, antes de dizer a palavra que ela não conseguia mais evitar. – Eu senti tanto a sua falta, mãe.

**

– Mamãe, você canta para mim? Eu gosto de dormir enquanto você canta – disse uma Amy de cinco anos, quando escalou a cama.

Stella a cobriu com um cobertor pink e aconchegou a filha na cama: – Claro, meu amor.

A pequena Amy abraçou seu macaco de pelúcia com um braço e se aproximou de sua mãe.

Stella pegou sua mão e a segurou firme. Quase dormindo, Amy olhou para ela com admiração e usou de muita força para ficar acordada para ouvir a música.

Sua mãe teve de se concentrar para conter o choro. Ela olhou para o teto, respirou fundo e começou a cantar sua música favorita do Queen, 'Love of my life', uma música que Amy jamais esqueceria e jamais conseguiria ouvir novamente, depois daquela noite.

Amor da minha vida, não me deixe,
Você pegou meu amor,
E agora você me deixa...

Enquanto cantava 'Quando eu envelhecer, eu estarei lá ao seu lado para lembrá-la o quanto eu ainda te amo' Amy dormiu.

Stella soltou o choro que estava preso e soluçou a partir do momento em que Amy fechou os olhos. Ela beijou a testa de Amy dizendo adeus, e então deixou o quarto. Mais tarde, naquela noite, quando todos na casa dormiam, Stella pegou uma mala que arrumara mais cedo naquele dia e deixou a casa, para nunca mais voltar.

Amy abriu seus olhos e viu que sua mãe ainda dormia. A lembrança da última música que sua mãe cantara lhe veio à mente. Amy começou a cantar, e sua mãe, então, acordou enquanto Amy cantava o último trecho da música.

Ela segurou a mão da mãe, entre lágrimas, e cantou: *Quando eu envelhecer, eu estarei lá ao seu lado para lembrá-la o quanto eu ainda te amo.*

Quando terminou a música, Amy cantou baixinho olhando nos olhos da mãe: – Eu ainda te amo, mamãe.

Sua mãe sorriu para ela, derramou uma lágrima e fechou os olhos pela última vez em vida.

Capítulo 28

O funeral aconteceu dias depois em um pequeno vilarejo na França, onde Stella decidiu viver depois de deixar a Inglaterra.

Daniel e Ed compareceram ao funeral para apoiar Amy. Daniel pegou o carro de Esther emprestado e ele e Ed dividiram a condução. Amy pediu para seus meio-irmãos um momento para falar antes do enterro, e quando o momento chegou, ela e Daniel se levantaram. Daniel trazia um violão com ele. Eles ficaram de frente para uma pequena multidão de membros da família e amigos próximos.

– Meu melhor amigo aqui, Daniel, gentilmente aceitou meu pedido de cantar e tocar uma música que minha mãe costumava cantar para mim toda noite antes de eu dormir.

Tommy, Bryan e Nick, que estavam sentados na primeira fileira, próximos de seus meio-irmãos, choraram.

– Desde a última vez que ela cantou essa música para mim, quando criança, não consegui mais ouvi-la – Amy respirou fundo para segurar o choro e poder continuar. – A vida nos afasta, às vezes, por razões que não entendemos – ela olhou para os meio-irmãos. – E, às vezes, nos une de uma forma que embora não nos ajude a esquecer o mal do passado, talvez ajude a suavizar as feridas deixadas e as torne aceitáveis, nos fazendo deixar a raiva para trás para manter apenas o amor – ela deu um sinal para Daniel, e ele começou a tocar e depois a cantar "Love of My Life" da banda Queen.

Amor da minha vida, você me machucou
Você partiu meu coração
E agora você me deixa
Amor da minha vida, você não consegue ver?
Traga de volta, traga de volta
Não tire isso de mim
Porque você não sabe
O que isso significa para mim

Amor da minha vida, não me deixe
Você roubou meu amor
E agora me abandona

Amor da minha vida, você não vê?
Traga de volta, traga de volta
Não tire isso de mim
Porque você não sabe
O que isso significa para mim

Você se lembrará
Quando isso acabar
E tudo ficar pelo caminho
Quando eu envelhecer
Eu estarei ao seu lado
Para lembrá-la o quanto eu ainda te amo
Eu ainda te amo

Volte rápido, volte rápido
Não tire isso de mim
Porque você não sabe
O que isso significa para mim
Amor da minha vida
Amor da minha vida

Ao final da sua apresentação, curta, porém sincera, todos os presentes estavam em lágrimas.

– Assim como na letra da música – disse Amy, tentando sufocar as lágrimas, ela pausou para se recompor. – Assim como na música, eu cresci, e ela envelheceu, e fomos abençoadas por termos tido a oportunidade de olhar uma para outra mais uma vez e lembrar do quanto ainda nos amávamos. Apagamos a tristeza e mantivemos apenas o amor. Eu agradeço o universo por esse presente.

Episódio
Cometas

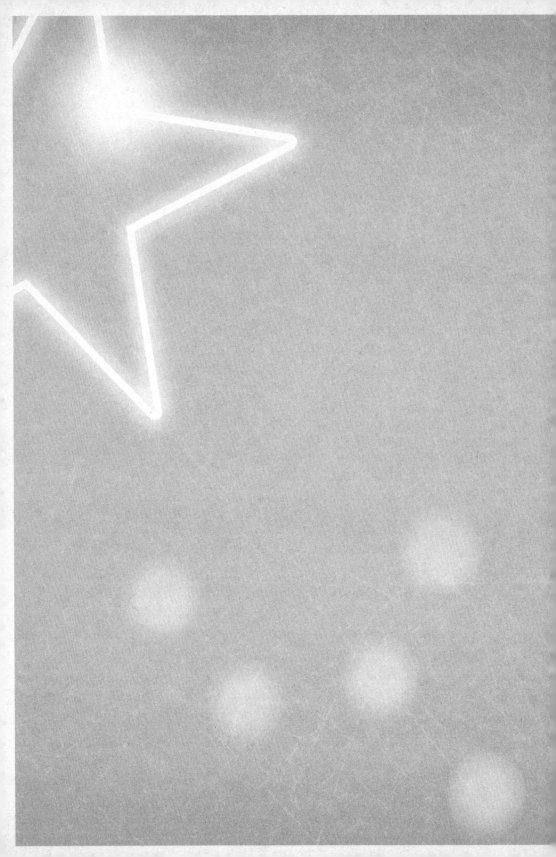

Capítulo 29

Ed gritou com Jamie, que dirigia o carro. Ambos discutiam, gritando um com o outro. Jamie, cujos olhos tinham um brilho perverso, parecia estar fora de controle. Jamie virou o volante nas duas direções, freneticamente, e o carro trançava entre as pistas que dividiam a rua. Ele riu alto, parecendo muito perturbado. Ed suava e estava assustado. Ele gritou novamente com Jamie e pegou o volante, tentando devolver a estabilidade do carro.

De repente, uma luz muito forte invadiu o interior do carro. Um caminhão pesado bateu no carro deles e tudo ficou escuro. – Ahhhhh – Ed gritou em agonia.

– Ed! Eeeed! – Daniel o sacudiu com a mão livre enquanto a outra continuava firme no volante.

Amy, que estava adormecida no banco de trás, pulou na mesma hora que Ed.

– Que foi? Você me deu o maior susto da minha vida – ela disse.

– Desculpe, tive um pesadelo terrível – disse Ed, com os olhos ainda embaçados. – Parecia tão real.

– Calma, Ed. Está tudo bem agora – Daniel estava com dificuldade em prestar atenção na estrada. Era noite, e ele já tinha dirigido por quatro horas, e ainda estavam a uma hora do Canal Inglês. Ele apertou a mão no volante e sacudiu a cabeça.

– Talvez tenha sido uma má ideia não ter passado a noite – disse Amy, olhando para Daniel pelo retrovisor. – Talvez devêssemos parar em algum lugar e descansar.

– É, Dan – Ed concordou, virando seu boné de baseball em 180 graus. – Ela está certa. Estamos todos muito cansados, e o tempo não está bom. Também preciso esvaziar meu tanque, é meio urgente.

Daniel dirigiu algumas milhas até encontrar uma saída que levava a uma estrada de terra estreita no meio da floresta. Ele virou o carro em um campo aberto e estacionou. Ed abriu a porta e correu para urinar.

– Como você se sente? – Daniel perguntou a Amy, que esticava as pernas.

– É... – ela sacudiu a cabeça tristemente: – Que tempos mais complicados e tristes!

Daniel deitou-se no capô do carro. Colocou os braços atrás da cabeça e fechou os olhos: – Nem me diga. Largado no altar, depois perder a oportunidade de finalmente vender a ideia para o projeto de TV que trabalhei por dois anos. Conheci um cara legal, gostei do cara, perdi o cara legal depois do ex-noivo que me deixou no altar voltar – suspirou. – Que tempos difíceis!

Ed voltou das matas, fumando um cigarro e tossindo: – Vocês dois. Não me digam que estão se lamentando da vida em um dia como este?

Amy e Daniel olharam para ele sem dizer uma palavra.

– Qual é, vocês dois. Se há algo positivo que um dia como hoje pode nos ensinar, é o clichê que todos conhecemos. Estamos vivos e então, quando menos esperamos, não estamos mais – Ed se apoiou no carro, inflando e soprando anéis de fumaça. – Temos que abraçar o aqui e o agora. Fiquei apavorado com aquele pesadelo que tive mais cedo no carro. Eu vi a morte. E te digo, não foi uma visão nada boa.

Amy e Daniel podiam sentir que o quer que Ed tivesse sonhado tinha realmente mexido com ele. Ele parecia profundo e vulnerável de uma forma nunca vista.

Ed inclinou-se para frente e abriu os braços: – Vamos, abraço em grupo!

Daniel levantou-se do capô e olhou para Amy em sinal de interrogação. Ela encolheu os ombros e sussurrou: – Não tenho a mínima ideia. Eles andaram lentamente até Ed e cada um o abraçou de um lado. Ed jogou seu cigarro no chão e o apagou girando seu pé sobre ele, e então fechou seus longos braços em volta deles e os abraçou com força.

– Você vai nos dizer do que se trata esse pesadelo? – perguntou Daniel, sentindo-se meio esmagado, mas protegido e cuidado ao mesmo tempo.

– Hã, não importa – ele beijou a testa de Amy e depois a de Daniel. – Ei, eu vi um espaço lá atrás quando fui fazer xixi onde podemos deitar um pouco e talvez fazer o que mais amamos: olhar as estrelas. O que vocês acham?

Daniel e Amy perceberam que não era uma pergunta, quando Ed saiu na frente, esperando que eles os seguissem. Amy olhou para Daniel: – Daniel Summerhayes, com o que diabos foi que ele sonhou? – ela sussurrou.

– Estou te ouvindo, tá! – Ed gritou sem olhar para eles.

Os três deitaram um ao lado do outro. Todos tinham o braço dobrado atrás da cabeça e olhavam para o céu.

– Você estava certo a respeito do tempo – disse Daniel. – Não tem nenhuma estrela.

– Talvez seja parte da vida – filosofou Ed, soando confuso. – Algumas vezes você apenas tem de aceitar que apesar de ter milhões de estrelas sobre você, você não consegue vê-las, talvez porque o céu esteja nublado, mas você não deve se preocupar em alcançá-las para provar que elas estão lá. Pois, sim, estão lá.

Amy sentou-se apoiando nos dois braços, com as palmas no chão. – Você pode, por favor, nos dizer com que diabos você sonhou? Você está muito estranho, Sr. Threadgold.

Ed respirou fundo: – Eu vi minha própria morte. Eu estava em um carro. Eu discutia com alguém que dirigia quando um caminhão bateu na gente. Eu pude sentir a dor da batida. Pude me ver morrendo – Ed estava emotivo. – Foi horrível.

Amy e Daniel trocaram olhares, e era como se, por um milésimo de segundo, eles tivessem sentido como seriam seus mundos sem Ed. Daniel aproximou-se de Ed, e quando Ed abriu seu braço, o convidando para entrar no abraço, Daniel descansou a cabeça no peito de Ed.

– Não seja bobo. Foi só um sonho idiota. Nunca repita isso! – disse Amy, olhando rabugenta para ele. – Nunca se atreva a nos deixar, ouviu?

Ed esticou o outro braço em direção a ela e ela cedeu, deitando próxima a ele e descansando sua cabeça no ombro dele.

* * *

– Então, o que está acontecendo na vida amorosa do Sr. Summerhayes agora que Ryan, "o idiota", voltou? – perguntou Ed.

Eles ainda estavam deitados no campo, debaixo de um cobertor velho que encontraram no carro de Esther.

– Não muita coisa, para ser sincero – Daniel respondeu. – Davy tem me evitado desde que Ryan voltou, e eu estou evitando Ryan.

– Mas vocês têm o projeto juntos, certo? – perguntou Amy, ajeitando a mochila que ela usava como um travesseiro improvisado e se virando para que pudesse ver Daniel.

– Hhmmm, hmmm – ele murmurou.

– Vocês dois terão de encontrar uma forma de colocar de lado o que aconteceu para poder focar na série de vocês.

– Ela está certa, amigo. Você trabalhou tão duro e por tanto tempo naquele roteiro para agora jogar tudo fora por causa dele.

Daniel estava cansado de pensar em Ryan e esperar pela ligação de Davy. Era tudo que ocupava sua mente nos últimos dias. Apesar de não estar apaixonado por Davy, ele sentia sua falta, e apesar de não querer mais estar apaixonado por Ryan, foi exatamente o que ele sentiu quando encontrou Ryan no restaurante.

– Não era Esther que ia interpretar o papel principal na sua série? – perguntou Ed.

– Uh-huh – assentiu Daniel.

– Eu me lembro de você nos dizendo que esse papel seria um marco na carreira dela – afirmou Ed. – E é por isso que você estava dando o seu melhor para criar um personagem incrível para ela finalmente conseguir fazer.

Daniel notou que ambos, Ed e Amy, olhavam para ele de forma esperançosa e encorajadora. – Vamos, cara! – incentivou Ed. – Você precisa focar nesse projeto de novo, mesmo que seu principal motivo para fazer isso seja Esther.

Daniel fechou os olhos, como se processasse a informação.

– Imagine como você poderia mudar a vida de Esther. Ela merece muito essa oportunidade – disse Amy, apelando em seu tom de voz.

Daniel quebrou o silêncio: – Vocês dois estão certos. Preciso colocar meus sentimentos de lado e voltar ao projeto. "Casting Stars" vai nascer!

– Você vai ter de conviver com Ryan por um tempo, mas, é por uma boa causa. Daniel revirou os olhos perante o comentário de Amy.

– Seus irmãos franceses são bem legais – Ed mudou de assunto, sorrindo enquanto lembrava o quanto adorável era o menor, Fabian.

– Mmm – Amy não queria dividir seus sentimentos com ninguém, mas ela concordou com Ed. Ela achou os três adoráveis, mas tinha algo especial no pequeno Fabian, que parecia ter se apegado muito a ela.

– Nick, Bryan e Tommy pareceram gostar deles também – comentou Ed.

– Devem mesmo, considerando que resolveram ficar por lá por mais alguns dias – Amy sorriu. – Eu não tinha percebido que meus irmãos estavam sofrendo tanto quanto eu. Vai ser bom para eles passarem algum tempo na França com nossos... – ela hesitou, mas pensando no pequeno Fabian, ela conseguiu dizer: – Passarem um tempo com nossos meio-irmãos.

Capítulo 30

Tinha sido uma longa jornada de volta a Londres. Ed chegou em casa na manhã do dia seguinte. Ele estava exausto, e tudo que queria fazer era tomar um banho quente e dormir. Mas quando viu o estado do seu apartamento, quase deu meia-volta e saiu de novo. Ele olhou ao redor perplexo, verificando se tinha entrado no apartamento certo. Seu aparelho de música, um Jukebox americano vintage, o assegurou de que de fato ele estava no apartamento certo, apesar de todos os homens e mulheres estranhos dormindo pelo apartamento, das tantas garrafas vazias de champanhe e do forte cheiro de suor dizerem algo diferente. Ele largou sua mala no chão e fechou a porta atrás dele. Ele não sabia o que pensar. Deu dois passos e ouviu o som de vidro se quebrando. Olhou para o chão e viu um champanhe quebrar em pedaços em seu tapete.

– Jamie? – ele chamou, sentindo-se absolutamente chocado com o que via. Se aproximou do seu sofá branco e sacudiu o ombro de um estranho: – Ei, você, vamos, a festa acabou.

O homem abriu parcialmente os olhos e voltou a dormir. Ele não conseguia se mover.

– Jamie? – Ed gritou.

– Eddo! – disse Jamie, vindo do quarto, usando apenas uma cueca estilo boxer. – Como foi a viagem? Você se divertiu?

– Como assim me diverti? Você sabe que foi o enterro da mãe da Amy! Que porcaria é essa que está acontecendo aqui no meu apartamento?

– Opa! Eu esqueci totalmente do detalhe do enterro – Jamie foi para a cozinha, abriu a geladeira e tirou uma garrafa de água. – Eu fui ao casino noite passada e acabei convidando alguns amigos para um champanhe – ele encheu um copo pela boca de água e bebeu, não parecendo nem um pouco incomodado.

Ed pegou um sutiã do balcão da sua cozinha e segurou em frente da cara de Jamie: – Você chama essa bagunça de convidar alguns amigos para um champanhe? Meu apartamento está parecendo um campo de guerra.

– Relaxa, Eddo. Não seja chato! Apenas dei uma festinha ontem, só isso.

Duas garotas, usando apenas seus tênis, saíram do quarto de Jamie.

– Bom dia, rapazes – uma delas soltou uma leve risada, flertando com ambos.

Ed balançou a cabeça e foi para seu quarto. Verificou se o cofre não tinha sido aberto e voltou à sala de estar. Ele olhou sério para Jamie: – Escute, eu quero que você se livre de todas essas pessoas do meu apartamento, agora. Estarei na cafeteria aqui embaixo por meia hora esperando. Esse é o tempo que você tem para deixar o meu apartamento exatamente do jeito que era.

Ed saiu do apartamento, batendo a porta.

***

– Ed! Você está com uma fisionomia horrível, cara.

– Obrigado por me avisar, JC, é assim mesmo que eu me sinto – Ed disse, do outro lado do balcão da cafeteira.

– Pode me fazer um expresso duplo, por favor?

– Ei, eu não quis ser grosseiro, desculpe.

JC percebeu que Ed não estava no seu normal. Ele pediu a Ed para se sentar enquanto preparava o café. Também preparou um dos lanches favoritos de Ed chamado Welsh Rarebit e caprichou colocando uma quantidade generosa de molho Worcestershire.

– Oi, preparei este seu lanche favorito. Pensei que talvez gostasse de comer algo – JC falou com forte sotaque britânico: – Posso me sentar?

Ed olhou para JC de forma confusa, estranhando o sotaque forçado e aceitou.

JC continuou com o sotaque: – Como foi no enterro? Eu ainda não vi Amy.

– Foi difícil – Ed respondeu, achando o comportamento de JC muito estranho. "O mundo inteiro virou de ponta-cabeça?", ele pensou. – Bem triste, mas ela está bem. Ela é muito forte, não é?

– Meninos! – a voz estridente de Krissi anunciou que ela se aproximava. – Tô morta! – seu braço direito estava cruzado em seu peito e sua mão pressionava o coração. – Eu acabei de saber as notícias sobre Amy – ela sentou na cadeira ao lado de JC, do outro lado de Ed. – Coitada da Amy, abandonada por sua mãe. E mentiu esse tempo todo, para todo mundo, dizendo que sua mãe estava morta e... – ela juntou as duas mãos no peito. – E, então, sua mãe retorna da morte – ela deu um tapa no peito de JC com as costas da mão. – Que história! Parece com uma de suas novelas latinas. Cheia de drama!

– Por favor – ela disse, gesticulando para JC – me faça um café, querido.

JC levantou-se, trocando olhares, revoltado com Ed, e voltou para trás do balcão.

– Como ela está, Ed? Deve estar devastada, coitadinha.

Ed olhou para o cabelo dela, que estava estilizado com um penteado bizarro e cheio de acessórios que pareciam com bananas e maças, e sentiu vontade rir, mas conseguiu cobrir a boca e segurar a risada: – Ela ficará bem. Ela tem amigos que a amam e que estarão ao lado dela, sempre.

Ele cruzou os braços, sentindo-se cansado e indisposto para bate-papo ou para alimentar a sede de fofoca dela. JC voltou para a mesa com o café de Krissi.

Ed olhou para seu relógio e se levantou: – Vocês me dão licença, mas vou para o meu apartamento. Viajamos a noite toda e preciso dormir um pouco.

– Claro, querido – Krissi deu um gole em seu café. – Só vou terminar o café e vou visitar Amy.

– Não – disse Ed rispidamente.

Krissi encostou na cadeira, pega de surpresa por seu tom.

– Quero dizer, ela precisa descansar e ficar um pouco sozinha – Ed explicou. – Por favor, talvez outra hora. Outro dia.

Krissi não conseguiu falar nada depois disso. Ela concordou, ergueu sua xícara e deu um gole.

– Tchau, Ed – JC riu.

Capítulo 31

– Entendi. Nós não vamos falar sobre nós. Apenas sobre *Casting Stars* – Ryan repetiu o que Daniel havia dito a ele. – Podemos começar agora? – ele perguntou com entusiasmo.

Daniel entregou a Ryan três pastas de cores diferentes. – Esta é a apresentação que fiz para os produtores.

Ryan pegou os arquivos e os folheou: – Então, qual o feedback que os produtores deram?

Daniel sentou-se ao piano e passou os dedos pelo teclado: – No geral, eles gostaram da ideia. Susie disse que os produtores gostaram, mas preferiam que nós apresentássemos as músicas originais prontas, e tudo o que tenho até agora é... Bem, somente as letras.

– Tudo bem, Dan. Eu sou a música, você é as palavras. Esse somos nós dois.

– Eu já disse a você, não há "nós", nessa conversa. É trabalho. Apenas trabalho.

– Claro – e sorrindo de modo tendencioso Ryan deu a Daniel um sinal para que se acomodasse de modo a ceder espaço a ele no piano. Ele colocou a pasta com as letras em cima do piano: – Vamos começar com esta.

Daniel começou a cantar, e Ryan acompanhou-o, tocando piano, na tentativa de unir a melodia à letra.

O tempo voou sem que eles percebessem. A partir do momento em que começaram a trabalhar a música, tocando os diferentes instrumentos, cantando por vezes seguidas, até encontrar a melodia correta, a conexão entre eles parecia ser mais forte do que nunca e eles conseguiram, então, terminar a música inteira, criando todos os elementos musicais e o arranjo. No final da tarde, Daniel e Ryan estavam rindo e pareciam estar imersos naquela alegria toda provocada pelo trabalho na música.

A campainha da porta da frente tocou. Daniel colocou o violão em uma cadeira e correu para atender ao interfone: – Olá?

– Oi, sou eu, Davy.

Daniel gelou.

– Sinto muito por ter vindo sem avisar – Davy foi logo se desculpando. – Talvez seja melhor voltar outra hora?

– Não! Não! Por favor, me dê apenas um segundo que já me libero aqui.

Ele disse a Ryan que já voltaria e desceu as escadas.

– Sinto muito por não enviar mensagens de texto ou ligar antes de vir – disse Davy, sorrindo.

– Não tem problema. Eu te convidaria para subir, mas estamos trabalhando em algumas músicas e é um pouco complicado – Daniel falou meio constrangido.

Davy fez menção de se retirar: – Talvez eu não devesse ter vindo. Vamos marcar outra hora.

– Não! – Daniel segurou seu ombro. – Está tudo bem. Mas, me diga, por que você desapareceu? Eu te liguei e te mandei uma mensagem, mas parecia que você claramente não queria falar comigo.

– Eu meio que vi você e seu ex...? – sua expressão indiciava um questionamento.

Daniel disse: – Sim, meu EX.

– Bem, eu vi vocês dois e pensei que seria melhor ficar fora do caminho para que vocês pudessem se entender. Eu não queria ser um empecilho na sua vida.

– Você está maluco? Um empecilho? Você é a melhor coisa que me aconteceu nos últimos tempos. Daniel disse isso de impulso, sem pensar, contudo era verdade. Entre todos os acontecimentos mais recentes: ser dispensado, o ataque de JC, a mãe de Amy morrendo. Davy definitivamente tinha sido um sopro de ar fresco.

Davy piscou rapidamente e corou. Ele estava tentando reunir coragem fazia dias para ver Daniel, mas estava inseguro, acreditando na possibilidade de Daniel e Ryan terem reatado. Ele sorriu e disse: – Você também está... – Contudo, parou e seu sorriso desapareceu instantaneamente, quando viu, atrás de Daniel, Ryan aparecer na porta.

– Oi – disse Ryan, com o peito estufado e demonstrando estar cheio de autoconfiança. – Davy, certo?

Davy assentiu, e Ryan olhou para Daniel.

– Amor – disse Ryan. – Eu acabei de preparar uma xícara de chá para você – ele acariciou o ombro de Daniel, virou-se e voltou para o andar de cima.

Daniel olhou para as costas de Ryan, desacreditando no que acabava de presenciar.

– Acho que vocês dois estão ocupados – disse Davy. – A gente conversa outra hora – ele se virou e começou a se afastar, entretanto, parou. – Quer saber, melhor deixarmos tudo para trás. Vamos esquecer que um dia nos conhecemos – então, ele se virou e saiu, sem olhar para trás.

– Davy, por favor, espere – gritou Daniel, correndo atrás dele enquanto ele acelerava o ritmo. Daniel conseguiu pegá-lo e tocar em seu ombro: – Espere.

– Parece tudo muito complicado entre vocês dois e eu não quero me meter – disse Davy, olhando por cima do ombro de Daniel.

– Não é complicado. Ele está de volta e ele tentou se desculpar pelo que fez. Eu não aceitei seu pedido de desculpas, mas temos um projeto juntos que devemos trabalhar e finalizar. É um projeto ao qual dediquei muitos meses de trabalho duro e minha alma, e não posso simplesmente jogar tudo fora. Mas tenho certeza de duas coisas: a) eu não quero voltar com ele e b) quero te conhecer mais... Bem mais.

Davy silenciou. Ele estava com medo, porque ainda estava magoado com tudo que vinha presenciando.

– Me dê uma chance, por favor – os grandes olhos azuis de Daniel pareciam ter se transformado nos olhos de um daqueles cachorrinhos pequenos e fofinhos que você segura e aperta forte sem querer largar. – Eu prometo, não será complicado.

– Tudo bem. Você até que está merecendo uma segunda chance.

Eles se abraçaram, bem ali na rua, e Daniel deu um selinho em Davy.

De volta ao seu apartamento, Daniel pisou com força no chão de madeira a caminho do mini palco onde Ryan tocava bateria: – Nunca mais faça o que você acabou de fazer lá embaixo. Me chamar de Amor, só para provocar o Davy. Que ridículo, Ryan.

– Nossa, Dan! Tudo isso por causa daquele cara com cara de tonto – Ryan tentou rir, mas foi impedido por Daniel.

– Você não tem o direito de voltar e atrapalhar a minha vida. Não tem o direito e eu não vou deixar que tente.

***

Após muito relutar em sair da cama, ela finalmente atendeu à campainha. Quem estava insistindo na porta não parecia querer desistir. "Se JC esqueceu suas chaves novamente, vai se acertar comigo", ela pensou enquanto arrastava suas pantufas pelo chão.

– Jamie! – sua cara fechada transformou-se em um grande sorriso, e ela ficou na ponta dos pés e deu-lhe um abraço forte.

– Como está a minha gata favorita? – ele a beijou no pescoço, pegou-a pela cintura e a levantou. Em seguida, adentrou o apartamento, e ainda com ela ao colo passou a girá-la no ar.

Amy estava visivelmente animada com o retorno de seu antigo amigo de faculdade e parceiro no crime: – Eu não acreditei quando Ed disse que você estava de volta!

Jamie era alto e loiro, de olhos verdes. Viciado em academia – esse era apenas um de seus muitos vícios na vida – ele sempre teve prazer em mostrar seus peitorais impressionantes e corpo bem construído. Na faculdade, ele era o parceiro de festa favorito de Amy. Enquanto Daniel não descolava de Ryan, e Ed era focado nos estudos e focava em tempo livre com as partidas de rugby, Jamie era o festeiro inveterado e o rei das confusões. Os dois sempre foram vistos pela cidade, de bar em bar, e causando várias confusões.

– Ed me contou sobre a sua mãe. Eu sinto muito – disfarçou sua falta de empatia, ele não tinha sido suficientemente sincero, e imediatamente mudou de assunto. – Então, de qualquer maneira, estou de volta à cidade e procurando uma parceira nas baladas. Estive por aí, vi muitas gatas – embora ninguém como você, então isso significa... Você conseguiu o cargo.

Ela balançou a cabeça, sorrindo.

– Você começa em... – ele olhou para o relógio. – Cinco minutos! – ele bateu em seu traseiro, empurrando-a em direção ao quarto. – Cinco minutos é tempo suficiente para você sacudir esse seu olhar triste, colocar uma maquiagem e tirar esse pijama horroroso.

– Jamie!

– Vamos. Eu vou te levar para um rolê. Vá e se transforme naquela gata maravilhosa de sempre. Ele colocou os braços em volta da cintura dela, levantou-a e a virou até que ela estivesse na horizontal. Então, a levou para o quarto dela.

***

– Não acredito que você pegou o carro favorito de Ed sem pedir a ele – Amy falou, sentada ao lado de Jamie no banco do passageiro do Corvette conversível.

– Relaxe... Está tudo bem. Eddo jamais diria não ao seu melhor amigo aqui.

Na condução do veículo, Jamie atingiu velocidade nunca vista por ela, o que surpreendeu Amy. Imediatamente, ela percebeu que havia algo diferente acontecendo com o amigo. Ele parecia maquiavélico – ainda mais do que era antes de deixar Londres e se mudar para Dubai.

– Dá uma segurada aí, Jamie – ela pediu, segurando o cinto de segurança, sentindo-se com medo da velocidade que ele atingia.

Em vez disso, ele acelerou mais. – A vida é curta, Amy. Como você provavelmente deve ter aprendido esta semana. Viva a vida ao máximo – e isso inclui velocidades máximas.

Enquanto acelerava pela estrada, com uma das mãos no volante e a outra segurando um cigarro, Jamie se calou.

A princípio, Amy achou o silêncio estranho, constrangedor, uma vez que ela estava acostumada com o comportamento extrovertido de Jamie. Ela tinha tantas perguntas a fazer. Como tinha sido sua aventura de negócios em Dubai? Teria retornado ao Reino Unido para sempre? Ao observar seu rosto bronzeado, coberto de sardas pelo sol do Oriente Médio, ela concluiu que Jamie parecia mais velho do que aparentava ser. Jamie a flagrou olhando para o braço musculoso dele.

Ele sorriu e voltou os olhos para a estrada. Eles dirigiram sem parar pelos campos verdes do Sudeste inglês e somente pararam quando chegaram à costa litorânea.

Jamie estacionou o carro, de frente para o mar. Ele abriu a porta e saiu, esticando as pernas.

– Sinta essa brisa! – disse ele, olhando para o mar azul. Ele andou até a frente do carro e sentou-se no capô.

– Ed mataria você se visse você agora sentado no capô do carro preferido dele – disse Amy, saindo do carro e fechando a porta atrás de si.

Ele a agarrou pela blusa e a puxou para si, fazendo-a perder o equilíbrio e cair em seus braços: – Agora, ele mataria nós dois, já que estamos ambos sentados em cima do carro dele.

Ele a colocou de pé e gentilmente colocou seu corpo ao lado do dele no capô. Ela riu quando ele a abraçou e rolou com ela no capô, então, eles se beijaram apaixonadamente.

Capítulo 32

Daniel e Isabella encontraram um lugar para se sentar e assistir ao jogo. De onde eles estavam sentados, eles podiam ver Ed fazendo seu alongamento e se aquecendo. Ed parou a flexão de pernas e olhou a multidão, procurando por Daniel e Isabella, e assim que os viu, deu uma olhada para Daniel que imediatamente entendeu. Daniel colocou a mão no bolso e pegou o inalador de Ed. Ele segurou o inalador e sacudiu no ar. Ed sorriu e retomou o aquecimento dos músculos.

– Eu lhe dou dez minutos para ele precisar disso – Daniel chacoalhou a bombinha de asma de Ed no ar, o que a fez rir. – Ele nunca termina uma partida.

– Ele é tão fofo! – falou Isabella, olhando maravilhada para Ed.

– Sim. Ele é. Daniel inspirou profundamente, sentindo muito carinho pelo amigo. Ele é como o irmão que eu nunca tive.

O jogo começou. Daniel e Isabella ainda estavam envolvidos na conversa.

– Você está ansiosa para ir a Amsterdã? – disse Daniel.

Isabella sacudiu a cabeça negativamente: – É só trabalho. Eu nunca tenho a oportunidade de aproveitar as cidades que visito. Passo a maior parte do dia trabalhando nos estúdios e, quando volto ao hotel, eu só quero cair na cama.

– Não parece nem um pouco divertido.

– E não é mesmo. Mas, mudando de assunto. Ed me disse que você tem uma teoria fascinante.

– Oh, não é minha teoria. É o trabalho de vida do meu avô. É como ele achava que todos nós nos conectamos no universo – ele suspirou fundo sentindo saudade do seu avô George. – Como eu gostaria de ter prestado mais atenção quando ele explicava para mim.

– O que você quer dizer?

– Toda vez que eu o visitava, ele conversava comigo a respeito, mas a maior parte do tempo eu me distraía. Eu era muito pequeno, então, embora seus ensinamentos fossem muito interessantes, eu queria era brincar e fazer coisas de crianças.

– Sim, eu entendo.

Naquele momento, Ed chocou-se com seu adversário em campo. Daniel e Isabella se encolheram, sentindo a dor, embora Ed rapidamente se levantasse e continuasse.

– Me conte mais sobre a teoria, Dan. Estou intrigada.

– Então, o básico, como você sabe, é que geralmente nos enquadramos em quatro tipos: estrelas, planetas, luas e cometas. No centro da teoria está o entendimento de que somos todos interdependentes.

– Continue – pediu Isabella com seu olhar totalmente focado em Daniel.

O telefone de Daniel tocou e os dois olharam para a tela e viram que era uma ligação de Amy. Daniel podia sentir o desconforto de Isabella ao lhe dizer para atender a ligação. Ele disse que retornaria para Amy mais tarde e deixou à ligação cair na caixa postal.

– Ela não é tão ruim quanto você pensa que é. No fundo, ela é uma boa garota.

– Eu gosto de Amy – afirmou Isabella. – De verdade. É só o jeito que ela faz Ed se sentir que me preocupa.

– Deixa eu tentar te explicar a razão de tudo isso utilizando da teoria do meu avô.

Isabella olhou para ele, intrigada.

– Amy é uma lua e Ed é um planeta. As luas têm uma influência muito forte sobre os planetas. As pessoas "lua" mudam o humor das pessoas "planetas" e podem criar sentimentos bons e ruins. Da mesma forma que a lua move os oceanos na Terra, as luas têm um grande efeito sobre os planetas.

Isabella parecia seguir o raciocínio de Daniel a respeito da teoria de seu avô.

– Isso quer dizer que ela tem esse poder sobre ele – concluiu Daniel. – É simples assim.

Isabella pareceu aliviada, como se um peso tivesse sido tirado de seus ombros. – Entendi. Eu pensei que ele estivesse apaixonado por ela, e foi isso o que me assustou.

Daniel, sabendo dos sentimentos de Ed por Amy, tentou ignorar o comentário. – Devo dizer o que você é?

– Sim – ela respondeu, animadamente. – Eu aposto que sou um planeta?

Daniel sacudiu a cabeça negativamente. – Você é uma estrela.

– Mesmo?

210 CASTING STARS

– As pessoas são atraídas por você – explicou ele. – Elas se alimentam de sua energia, sua gentileza, seu calor. Eles orbitam ao seu redor, e Ed, como um planeta, certamente foi atraído.

As palavras de Daniel trouxeram grande sorriso ao rosto de Isabella. Ao mesmo tempo, Ed olhou para Isabella e acenou, como se sentisse a felicidade dela no outro lado do campo.

Daniel cutucou Isabella: – Está vendo, o poder da estrela!

Eles bateram um na palma da mão do outro em sinal de cumplicidade e continuaram a assistir ao jogo.

Ela abraçou Daniel: – Você me fez sentir muito mais feliz. Mal posso esperar para você me contar sobre os cometas.

– Ah, mas isso vai ficar para outro dia – Daniel apontando para Ed que estava saindo do campo, com a mão no peito, demonstrando dificuldades para respirar, e depois para o relógio. – Eu te disse, ele aguenta só dez minutos.

Capítulo 33

Diariamente, pelas últimas semanas, Ryan e Daniel trabalharam em sua série. Daniel certificou-se durante todo o tempo de que a relação era estritamente profissional, o que o levou a recusar qualquer abertura que levasse a uma conversa pessoal com Ryan.

Bem próximos do término do projeto, pelo menos da parte principal, que envolvia a produção do script e das músicas para a série, e para os dois muito tempo juntos, não foi um período muito fácil. Daniel e Ryan pareciam, em certos momentos, estar "pisando em ovos", tal o cuidado que tinham com o que dizer, como dizer e quando dizer, porque uma palavra errada na hora errada, naquelas circunstâncias, poderia colocar tudo a perder.

Daniel:
Oi, gente. Ryan e eu estamos arranjando uma noite no The Rocket para apresentar algumas das músicas que estamos fazendo para a série. Sexta às 9 pm. Quem topa?

JC:
Sim! Mal posso esperar.

Ed:
Isabella estará voltando de Amsterdã na sexta à tarde. Farei meu melhor para ir. Abs.
OBS: Amy, não colocar fogo no vestido de outra garota dessa vez, por favor. Zueira, hahahaha.

Amy:
Engraçado #sqn. Estou dentro.
Saudades, Dan. Beijos

JC:
Posso chamar o Stuart?

Amy:
Você realmente saiu do armário? Vocês agora são oficialmente um casal? Haha.

> **JC:**
> Fica quieta, Amy. Não enche.

> **Daniel:**
> Claro, JC. Quanto mais gente melhor. OBS: Vocês fazem um belo casal. Hahahahaha

> **JC:**
> :(

Amy desligou o celular e olhou para Jamie, que estava deitado com ela na cama, brincando com seu celular.

– Daniel e Ryan vão tocar as novas músicas que estão compondo para a série nesta sexta no The Rocket. – Você viria comigo?

– Sim, vai ser legal – ele respondeu. Olhando em seus olhos, ele percebeu que ela estava preocupada. – Qual o problema?

– Hmmm.. Nada.

– Qual é, Amy. Eu sei que o seu "nada" sempre significa "sim, tem um problemão acontecendo dentro da minha cabeça" – ele rastejou por cima dela para que ficassem cara a cara. – Qual o problema?

– Concordamos em manter o nosso relacionamento em segredo de todos que nós... – ela parou e engoliu. – Você sabe... E eu não tenho certeza se deveríamos aparecer juntos. Talvez percebam que nós...

– Jamie riu: – Percebam que estamos nos comportando feito dois coelhinhos apaixonados, você quer dizer?

– Jamie! – ela o repreendeu.

Ele a beijou: – Qual é, Amy? Qual o problema? Você está preocupada se o Ed descobrir? Ele está namorando aquela modelo maravilhosa. Você realmente acha que ele se importa?

Amy silenciou, incapaz de fingir que não tinha se incomodado com a observação dele. Desde a sua volta, Jamie constantemente a levava para sair ou a encontros românticos. Jamie era divertido, e o tempo que passavam juntos a ajudava a fugir da realidade, apesar da personalidade dominadora de Jamie que, às vezes, atrapalhava o relacionamento. Consumida pelo trabalho na agência de relações públicas e publicidade e por Jamie, Amy não tivera tempo para se deprimir pela morte de sua mãe.

***

O The Rocket estava lotado. Os ingressos esgotaram-se rapidamente, assim que foram disponibilizados no site. Na condição de músicos, Ryan e Daniel tinham um grupo pequeno de fãs, mas leais, que não perdia a oportunidade de os ver tocar. As mesas mais próximas ao palco estavam reservadas para os amigos de Daniel e Ryan, e os demais lugares lotados de jornalistas, influenciadores digitais e fãs, animados para ouvir a pré-estreia do novo material.

JC e Stuart já estavam sentados quando Amy e Jamie chegaram. Stuart levantou-se e pediu licença para ir ao banheiro. Amy piscou para JC, gesticulando para Stuart.

– Sai fora, Amy – ele resmungou.

Krissi chegou alguns minutos depois. Ela usava uma roupa colorida e brilhante, a qual atraia atenção das pessoas.

– Tô morta – ela disse. – Que bafão! Ryan e Daniel cantando juntos! E esse novo namorado dele, David, Davy, qualquer que seja seu nome, ele vem?

Amy inclinou-se para JC e sussurrou: – Quem a convidou?

– Ela meio que se convidou – ele respondeu, e rapidamente fingiu um sorriso quando percebeu que ela o tinha escutado. – Vou pegar uma bebida para você. Gostaria do que?

– Oh, que gentil de sua parte, JC, querido. Vamos juntos, eu quero passear e dar uma olhada nos rapazes.

Amy achou a ideia de Krissi sair para flertar tão engraçada que cuspiu sua bebida longe: – Desculpe, engasguei – tentou segurar a risada.

Quando JC fez menção de se levantar da cadeira, Amy sussurrou: – Aproveite seu passeio com a árvore de natal ambulante.

Com ar de intolerância, JC dirigiu-se até o bar, acompanhado por Krissi.

Ed e Isabella chegaram. Apesar de ter viajado para dez países diferentes pela Europa nas últimas semanas, promovendo uma nova linha de roupa, Isabella não demonstrava sinal de cansaço. Na verdade, ela estava ainda mais bonita.

– Este é nosso amigo dos tempos de faculdade, Jamie – introduziu Amy. – Jamie, essa é a Isabella.

– Uau. Ed disse que você era bonita, mas você é maravilhosa!

Amy o cutucou na frente de todos – um gesto que foi percebido por Ed.

– Davy virá? – perguntou Ed, tentando desfazer o clima estranho.

– Ninguém sabe – respondeu Amy. – Acho que nem o Dan sabe ao certo.

Amy concluía a observação, quando Davy adentrou o recinto cumprimentando a todos. Todos o cumprimentaram meio constrangidos. Ele se sentou e sorriu estranhamente.

– Não se preocupe – disse Amy. – Ninguém aqui gosta do Ryan, "o idiota"!

Davy riu, o que o ajudou a relaxar um pouco.

As luzes no The Rocket apagaram-se com dez minutos de atraso, e as do palco foram acesas. A banda começou com grande entusiasmo, tocando a alegre música "Acros the Sky)", que deveria ser a música de abertura da série.

Esther entrou no palco, usando um vestido prata brilhante. Sua energia alegre e sorriso largo escondiam sua preocupação em relação à saúde de Mimi. Sua voz estava ainda mais ressonante. Daniel estava do lado dela, tocando sua guitarra, e Ryan atrás deles, na bateria. Duas vozes femininas, como backing vocal, do lado direito, deram a sua contribuição de modo que a apresentação fosse mais vibrante.

Across the Sky – Casting Stars Theme
(John Nolan / Martchelo / Valter DS)

All the troubles
(Todos os problemas)
All the strive
(Todos os obstáculos)
I've encountered in my life
(Que eu encontrei na minha vida)
I've been searching in the sky
(Eu venho procurando, olhando no céu)
Trying to find the reason why
(Tentando encontrar as razões e os porquês)
I've been looking afar
(Eu tenho olhado por lugares longe)
Searching for that star
(Procurando aquela estrela)

Os movimentos delicados de Esther, no palco, eram dignos de uma verdadeira diva. No momento em que alcançou o refrão, a plateia, completamente magnetizada, rendeu-se aos seus encantos, ficando na "palma de suas mãos".

(Refrão)
It's magical
(É mágica)
Fantastic
(Fantástica)
Celestial
(Celestial)
My miracle
(Meu milagre)

Ao final da música, Esther agradeceu a plateia e apresentou Daniel.

– Boa noite, pessoal – Daniel cumprimentou a plateia: – Ryan e eu estamos muito felizes em dividir essas músicas com vocês, que são parte de um projeto muito querido e amado por nós chamado "Casting Stars". Estamos trabalhando nessas músicas há muitos meses. Esperamos que vocês gostem assim como nós – Daniel ergueu sua mão, que era o sinal para Ryan começar a próxima música.

Ed não conseguia parar de olhar para Amy e Jamie e notar o quanto estavam próximos. Eles se provocavam e faziam piadas internas. Até se tocavam e se acariciavam um ao outro. Isabella percebeu os olhares de Ed em direção ao casal e entristeceu.

Após a apresentação, Daniel convidou seus amigos para irem à sua casa comemorar.

– Foi divino! – disse JC, sorrindo.

– Mágico, fantástico – disse Ed.

Amy agarrou o braço de Daniel: – Meu prodígio!

Daniel sorriu: – Fico muito feliz que tenham gostado.

Ryan juntou-se à roda: – Estamos felizes que vocês gostaram. Este é o nosso maior projeto e o mais arrojado até agora.

Daniel, ao perceber que Davy olhava para baixo, sentindo-se, evidentemente, inseguro, segurou sua mão. Então, inclinou-se para Davy e beijou sua bochecha. Amy, Ed e JC olharam com reprovação para Ryan, mas ele, em vez de se intimidar, convidou todos para o seguirem até o mini palco da sala de Daniel.

– Eu venho trabalhando secretamente em um pequeno presente especial para o Dan – ele disse a todos. – Eu, finalmente, terminei este presente especial e agora eu gostaria de apresentar a ele e a todos vocês.

Em seguida, ele subiu ao palco, pegou seu violão e sentou no banquinho, olhando para todos. Começou a tocar enquanto esperava todos se acomodarem.

Daniel estava extremamente desconfortável, não sabendo o que poderia acontecer.

Uma vez que todos estavam sentados e em silêncio, Ryan se dirigiu a todos: – Eu sempre expressei meus sentimentos melhor através da música. Todos cometemos erros na vida, alguns mais, outros menos. E eu, particularmente, consigo cometer erros gigantes, diria até que monstruosos. Todos aprendemos, e eu estou aqui para dizer isso ao Dan. Esta música eu compus para lhe dizer o quanto eu me arrependo da grande burrada que eu fiz. Esta música chama-se Love of my life, ou, #LOML – em seguida ele começou a cantar a música.

#LOML
(Valter DS / Martchelo)

And my heart sank
(O meu coração se afogou)
The day I left
(No dia em que eu o deixei)
And my heart cries, each time I remember you
(E agora meu coração chora, todos as vezes que eu penso em você)
And my heart sank
(Meu coração se afogou)
The day I left
(O dia em que eu o deixei)
My heart cries each time
(E agora meu coração chora, todas as vezes)
I see time passing by without you
(Que eu vejo o tempo passar sem você)

I don't wanna cry
(Eu não quero chorar)
But I don't wanna lie
(Mas eu não posso mentir)
I miss you
(Eu sinto a sua falta)

Tell me what do I do
(Me diga o que eu faço)
If love is loving without you
(Se amar é amar sem você)
Tell me what to do
(Me diga o que eu faço)
because I still miss you
(porque eu ainda sinto a sua falta)

love of my life
(amor da minha vida)

What's gonna be
(O que vai ser)
You and me?
(De nós dois)
How would life be?
(Como a vida será)
Love of my life
(Amor da minha vida)

Ao alcançar o segundo verso da música, Ryan tinha a atenção de todos, de todos menos a de Davy. Seu charme atingiu a "potência máxima" – seus olhos azuis, contrastando com seu cabelo escuro cativaram todos na sala, como se ele fosse capaz de hipnotizá-los e os convencer de sua dor e arrependimento.

– Ele parece um Elvis jovem – Isabella sussurrou ao ouvido de Ed.

Amy inclinou-se para Ed e disse: – Temos que admitir "o idiota" está mandando bem.

Ryan prosseguiu com a apresentação.

And my heart sank
(E o meu coração se afogou)
The day I left
(O dia em que eu o deixei)
And my heart cries, each time
(Meu coração chora, todas as vezes)
I see time passing by without you
(Que eu vejo o tempo passar sem você)

Todos levantaram e aplaudiram. Daniel enxugou os olhos marejados antes que alguém pudesse ver, e ele teria conseguido se Davy não estivesse observando sua reação.

– É tão comovente, Ryan – disse Isabella, o que fez Davy se sentir ainda pior. – Eu estou com os olhos cheios de lágrimas.

– Obrigado, gente – agradeceu Ryan, quando desceu do palco. – Achei que fossem gostar. Eu precisava me esforçar no meu pedido de desculpa – ele se virou para Daniel. – Você gostou?

Daniel não conseguia impedir que seus olhos marejassem. Davy afastou-se e foi até a cozinha. Sentindo o clima estranho, Ed e Isabella o seguiram e tentaram animá-lo com conversas triviais. Todos os outros também se afastaram, deixando Daniel e Ryan sozinhos.

Daniel olhou para Ryan com expressão inabalável. Finalmente, ele disse: – Eu não acredito que você fez isso.

– Então, você gostou?

Daniel enxugou os olhos: – Não! Definitivamente não! Foi totalmente inapropriado.

Ryan viu quando Daniel aproximou-se de Davy e o casal conversou. Ryan riu, sabendo muito bem que Daniel, intimamente, tinha gostado de sua surpresa. Ele gostou ainda mais, porque percebeu que Davy não estava nem um pouco feliz.

Ele se aproximou de ambos e interrompeu: – Tenho que ir. Está tarde e temos aquela reunião importante com os produtores amanhã de manhã. Dan, é melhor você descansar para estar bem – ele acenou para todos e saiu.

A sala permaneceu quieta. A tensão que pairava no ar deixou o ambiente pesado. O silêncio foi quebrado por Amy, que gritou quando Jamie a pegou no ar e a jogou no sofá, antes de pular em cima dela.

– Devo perguntar o que eles estão fazendo? – perguntou Daniel sentindo-se confuso.

Ed olhou aflito.

– Isso porque ela me pediu para manter em segredo – disse JC. – Mas parece que não é mais segredo. Os dois estão nisso já faz algumas semanas.

– O quê? – Daniel perguntou surpreso.

– Como dois coelhos, não saem um de cima do outro – adicionou JC.

– Melhor irmos – Ed disse a Isabella, cortando JC, visivelmente desconfortável. Em seguida, eles ouviram Amy gritar com Jamie novamente, de forma brincalhona. Ed coçou a nuca e deu um tapinha no ombro de Daniel: – Boa sorte com sua reunião amanhã. Tenho certeza que você e "o idiota" vão se sair bem.

Ele pegou seu casaco e dirigiu-se à porta de saída. Isabella forçou um sorriso e seguiu Ed após se despedir de todos.

– Tenho de ir também, Dan – falou Esther, já se dirigindo à porta. – Preciso ver como está minha mãe.

JC e Stuart anunciaram que também partiriam.

– Ei, me avise se precisar de alguma ajuda – disse Daniel, beijando Esther na bochecha. – Me avise caso tenha qualquer coisa que eu possa fazer por você e sua mãe, ok?

– Obrigada, querido – ela disse antes de sair.

**

Isabella parou na rua: – Podemos ir ao parque e sentarmos um pouco?

Havia um pequeno parque, chamado Mint Street Park, localizado a duas quadras do apartamento de Daniel.

– A essa hora da noite? – perguntou Ed. – Aquele parque é meio suspeito à noite, você não sabe? É meio escuro.

Ela encolheu os ombros e entrou no parque, esperando ser seguida por ele. Eles caminharam lentamente. Ela estava meio metro à frente dele. Ambos, porém, atrasavam o momento da conversa que se aproximava.

Isabella respirou fundo, olhou para o céu e ignorou totalmente a beleza da lua cheia que brilhava acima deles. Recobrou a força para se virar e encarar Ed, olhando-o diretamente nos olhos. Silenciosamente, rezando para não chorar na frente dele, ela sorriu com os lábios cerrados.

– Desculpe, Ed, mas a hora chegou.

Ed derramou uma lágrima, pensando em Amy.

– Eu voltei da minha viagem pela Europa, ansiosa para te ver – sua voz soava mais doce do que nunca, o que fez com que Ed sentisse vontade de abraçá-la e beijá-la, mas não o fez.

– Mas, então, percebi que seu coração pertence a ela.

Ed não podia negar e não queria. Ele tinha a imagem de Amy e Jamie juntos na cabeça, e seu coração estava aturdido. Ele deixou as lágrimas caírem, esperando que Isabella as considerasse que seriam por causa dela, não por Amy. Mas Isabella entendeu.

– Quando você deixou tudo e todos para trás para apoiá-la e ir até o Norte da Inglaterra quando a mãe dela estava doente no hospital, e depois ir até a França... Quero dizer, é tudo muito bonito. Você é totalmente dedicado a ela. Eu gostaria de encontrar alguém que me amasse tanto quanto você a ama – ela parou quando se deu conta do que tinha acabado de dizer. – Acho que é isso, Ed. Eu realmente espero encontrar alguém que me ame do jeito que você ama a Amy.

Ele secou as lágrimas.

Isabella gentilmente tocou sua bochecha: – Você é um cara maravilhoso. Eu gosto muito de você. Na verdade, eu estou totalmente apaixonada por você. Mas eu sei que você a ama – ela respirou fundo. – Eu te desejo tudo de bom, Ed – ela segurou suas lágrimas para não chorar na frente dele. – É melhor eu ir.

Ele segurou o braço dela: – Deixa eu te levar em casa.

– Não se preocupe. O apartamento de JC está a apenas dois quarteirões daqui, acho que preciso de um tempo sozinha – ela disse adeus rapidamente e se virou antes de derramar a primeira lágrima.

Enquanto a olhava se afastar, sem saber que estava chorando, Ed sacudiu a cabeça, pensando em Amy. Ergueu os dois braços e colocou atrás da cabeça. Em seguida, fechou a mão e esmurrou uma árvore próxima, não parando nem mesmo quando o sangue começou a jorrar de seus dedos.

Episódio Lennon

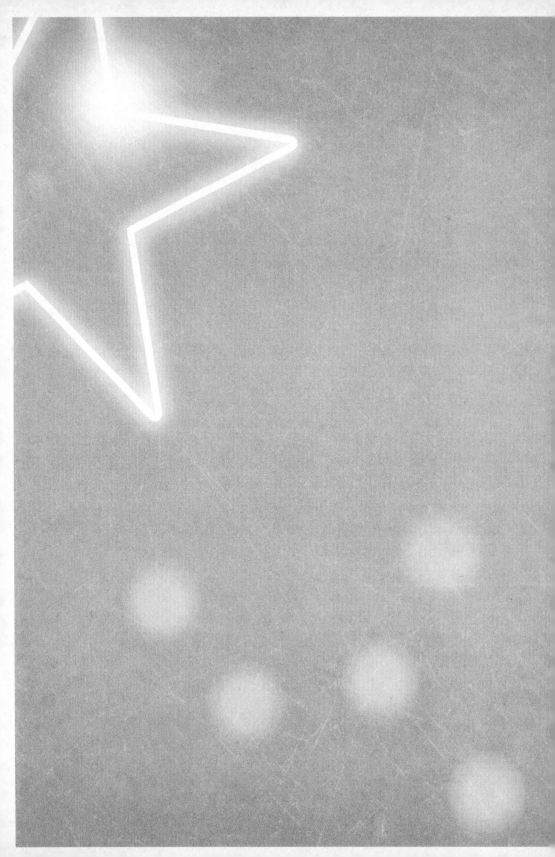

Capítulo 34

Daniel e Ryan estavam no táxi. A noite já havia se desenhado no céu, mesmo sendo apenas quatro e meia da tarde. Estava na metade do mês de novembro e os dias são mais curtos nesta época do ano. A temperatura estava bastante fria e Londres parecia especialmente mágica, com toda a decoração de Natal e as folhas de Outono douradas espalhadas pelo chão.

A tensão dentro do táxi aumentava a cada minuto. Daniel e Ryan estavam ansiosos, olhando para seus celulares a cada segundo, esperando por uma mensagem dos produtores de TV.

O taxista tentou iniciar uma conversa, mas desistiu quando notou que não conseguiria mais do que respostas monossilábicas dos dois.

Um motociclista pulou em frente ao táxi, e o taxista teve de fazer uma curva acentuada para evitar a colisão. O desvio do carro fez com que Daniel e Ryan colidissem um no outro. Suas mãos entraram em contato. Ryan sorriu quando Daniel afastou seu braço. Ryan olhou pela janela.

– Veja! O Winter Wonderland[3] já abriu no Hyde Park! – ele disse, soando tão empolgado quanto uma criança de cinco anos. – Vamos.

– Ryan, por favor. Nós não vamos ao parque juntos. Estou com o Davy. Supere!

– Então, pense enquanto cenário – Ryan tinha um grande sorriso no rosto e ainda parecia uma criança.

– Cenário? – perguntou Daniel, parecendo nada impressionado.

– Para a nossa série. Ainda não temos o local da cena onde Esther cantará aquela música de Natal.

Daniel olhou para Ryan, sem levá-lo a sério: – Qual é, Ryan. Ainda nem sabemos se os produtores vão dizer sim para a série. Não

---

3 Parque de diversões temático de Natal montado todos os anos no Hyde Park.

ouvimos nem um "piu" dos produtores desde que apresentamos o material hoje cedo.

– Não seja pessimista! Temos de pensar positivo, a lei da atração, se lembra? Temos de visualizar nossa série sendo gravada em breve, e precisamos encontrar o local certo para aquela cena maravilhosa que escrevemos – Ryan inclinou-se para frente. – Licença, motorista, você poderia por gentileza parar em qualquer lugar aqui?

– Achei que vocês estavam indo para Bankside? – perguntou o motorista.

– Estamos – disse Daniel.

Não mais – Ryan estava super empolgado. – Nós vamos ao Winter Wonderland. Qualquer lugar aqui está bom.

***

– Você deveria experimentar este algodão doce, Dan – Ryan lambeu os dedos, tentando remover o grude rosa. – É como voltar a ser criança.

– Eu concordei em dar um passeio breve pelo parque e talvez encontrar um cenário, mas é só isso. Algodão doce, brincar na montanha russa e o carrossel não estão no pacote. Isso para mim parece mais um encontro romântico, e encontros não estão no roteiro. Entendeu? – Daniel sentiu seu celular vibrar em seu bolso. – Meu Deus. Está vibrando. Meu celular está vibrando – ele bateu as mãos, empolgado.

– O meu também – disse Ryan, quase gritando de alegria.

Eles colocaram a mão nos respectivos bolsos e pegaram os celulares ao mesmo tempo e constataram que tinham recebido uma mensagem no grupo de produtores do canal de TV.

– Ai, meu Deus! – Ryan gritou antes, acabando em risada.

– Conseguimos! – Daniel pulou diversas vezes. – Eles aprovaram nosso programa! Eles aprovaram nosso show! – ele estava muito alegre, até histérico. Abriu seus braços e correu em direção a Ryan, o abraçando e levantando-o no ar. – Nosso Bebê. "Casting Stars" está chegando!

Ele girou Ryan no ar e em seguida o segurou firme, o jogando para cima e para baixo, repetitivamente.

Ryan colocou o braço em volta do ombro de Daniel para se estabilizar. Daniel moveu sua cabeça em direção ao algodão doce que Ryan estava segurando e deu uma mordida.

– Eu sabia. Sabia que eles iam amar – disse Ryan quando pousou no chão novamente. – Eu pude ver isso pela expressão do rosto deles. – Ele mostrou seu celular para Daniel. – E veja o que Susie escreveu: – Eles gostaram tanto que disseram que não querem mudar nada e querem começar as gravações o mais rápido possível.

Os acordes de abertura do primeiro grande sucesso musical deles tocou pelos alto-falantes no parque, seguido pela voz de Esther cantando o primeiro verso. Eles olharam um para o outro, perplexos.

– Isso está ficando assustador! – disse Daniel. – Nossa música... – ele parou. – Quero dizer, nossa primeira música está tocando aqui, no meio do Winter Wonderland, É... É...

Ryan pegou sua linha de pensamento: – É um sinal! – ele pegou a mão de Daniel e correu, arrastando Daniel com ele. Eles ergueram seus braços livres para o ar e dançaram a música enquanto corriam pelo parque.

Lennon
(Valter DS)

I believe it's time
(Eu acredito que já é tempo)
To throw the past away and
(De jogar o passado para trás)
Start over
(Começar de novo)
Making nice
(Fazer melhor)
Making it real
(De verdade)
Because ...
(Porque)

We know, we know, we know
(Nós sabemos, nós sabemos, nós sabemos)
And Lennon told us before,
(E o Lennon já nos disse)
That all we need is love,
(Amor é tudo o que precisamos)
All we need is love
(Amor é tudo o que precisamos)

Come on and grab my hand
(Vem cá e segura a minha mão)
Let me take you back to that place
(Deixe-me te levar para aquele lugar)
We used to visit and fly
(Que nós costumávamos visitar e voar)
Together among all the stars
(Juntos pelas estrelas)

Eles dançaram e pularam entre as pessoas até chegarem ao palco principal, construído sob uma enorme tenda no meio do parque. Ryan parou, de boca aberta, seus olhos correndo pelo espaço. Havia uma banda tocando. Ele não tinha certeza que tipo de música era, mas parecia ser um folk.

– É isso! – comemorou Ryan, ainda segurando o algodão doce. – Este é o local perfeito para o grande momento, onde Esther vai cantar a música de Natal.

Daniel não parecia muito impressionado: – O lugar cheirava à cerveja e havia muita gente alcoolizada por todos os lados. – Você realmente acha que é isso o que procuramos?

– Qual é, Dan. Use sua imaginação.

Um casal que estava alcoolizado invadiu o espaço de Ryan. A garota tropeçou no seu pé e teria caído se Ryan não tivesse segurado seu braço. O casal riu e foi embora.

– O que você está querendo dizer? – perguntou Daniel. – Olhe ao redor. Este lugar é horrível.

– Eu sei que parece meio deselegante, meio sujo, mas imagine o ambiente com toda a produção da TV, luzes, atores ao invés de gente embriagada. Algumas luzes pisca-pisca...

– Luzes pisca-pisca? Esse lugar precisa mais do que luzes pisca-pisca. Quero dizer, o parque parece ótimo, e bem Natalino, mas...

– Mas...?

Daniel parou, olhando em volta, pensando melhor na ideia. Finalmente, revirou os olhos: – Ok. Te entendo. Parque Winter Wonderland, tema natalino, atores ao invés de pessoas embriagadas. Luzes pisca-pisca. Uma certa produção...

Ryan o abraçou: – Vai ficar maravilhoso, você vai ver! Confie em mim.

– Confiar em você? – Daniel chacoalhou a cabeça.

Capítulo 35

Esther acordou no meio da noite ao som de um barulho assustador. Imediatamente, ela saltou da cama e correu para o quarto de sua mãe, para verificar se estava tudo bem.

– Mãe – ela gritou assim que abriu a porta do quarto e viu Mimi caída no chão.

A lâmpada do abajur que ficava sobre o criado-mudo estava quebrada no chão, ao lado de Mimi, que permanecia inconsciente sem responder às tentativas de Esther em reanimá-la.

As mãos de Esther tremiam enquanto ela tentava desesperadamente chamar uma ambulância.

– Como ela está? – perguntou Daniel assim que chegou ao hospital. Seu coração se comoveu quando viu o olhar de preocupação e tristeza no rosto de Esther. Ela estava sentada em uma cadeira de plástico na recepção do hospital.

– Ainda aguardando por notícias. Esta espera está me matando.

Daniel sentou-se ao lado dela e a abraçou: – Vamos confiar e pensar que vai ficar tudo bem.

– Foi um aneurisma cerebral, Dan. Estou com tanto medo que ela não consiga. A possibilidade de algo acontecer com sua mãe era tão grande para ela que Esther não conseguiu terminar a frase.

Daniel aconchegou-se a ela de modo que ela pudesse descansar a cabeça em seu ombro.

– Ela é meu tudo, Dan – disse Esther, e começou a chorar novamente.

Daniel beijou-lhe a testa e acariciou o seu braço: – Eu sei que ela é. Vamos rezar por ela.

Após algumas horas de espera, Esther recebeu um parecer médico acerca do estado de saúde de Mimi.

Acompanhada por Amy, Ed e Daniel, Esther fitou o médico apreensivamente, esperando más notícias. Suando frio, ela apertou a mão de Daniel.

– Agora ela está estável – disse o médico de maneira prática.

Esther relaxou e apertou a mão contra o peito: – Graças a Deus!

O médico limpou a garganta: – Ela teve uma hemorragia cerebral e não sabemos, ainda, como será o prognóstico. Receio que devamos esperar e ver como ela se recupera do aneurisma.

Quando o médico retirou-se, Esther, Amy, Ed e Daniel reuniram-se em um abraço conjunto.

– Nossa Mimi é uma mulher forte! – disse Amy.

Ed segurou o ombro de Esther em sinal de apoio: – Ela vai lutar e vai ficar bem!

Esther enxugou uma lágrima e sorriu: – Obrigado, pessoal, vocês são minhas estrelas.

– Eu não tenho certeza se este é o momento certo para falar, mas tenho novidades da nossa reunião com os produtores – anunciou Daniel. – E é uma ótima notícia. Eles amaram seu material e a sua audição, e é um sim – ele sorriu para Esther. – Agora é oficial: você conseguiu o papel principal em nossa série de TV.

Esther respirou profundamente. A oportunidade que ela esperou por uma vida – o papel principal em uma série de TV musical de repercussão internacional, com trilha sonora de Daniel e Ryan – o sonho de qualquer ator ou cantor.

Desde a concepção de "Casting Stars", Daniel e Ryan tinham em mente Esther para protagonizar – atuando e cantando. Na verdade, a maioria das músicas de seu personagem foi escrita tendo por base a voz e o estilo de Esther.

Em outro momento, ao receber uma notícia desse porte, Esther estaria celebrando efusivamente, contudo, a imagem de sua mãe inconsciente, no chão do quarto, ainda estava viva em sua mente, impedindo-a de comemorar.

– Eu sinto muito, Dan. Estou feliz, estou mesmo, mas...

– Você não precisa se desculpar – Daniel a abraçou. – Eu sei que você está feliz, mas a Mimi é sua prioridade agora. Tudo bem. Eu só pensei em compartilhar a notícia como uma forma de te animar – ele lhe deu um abraço. – Ela vai ficar bem e vai precisar de você forte e equilibrada. Vamos vibrar positivamente por sua rápida recuperação.

– Obrigado, Dan. Você está certo.

***

– Isabella voltou para Nova York esta manhã – disse Amy a Ed.

Eles estavam do lado de fora do hospital, de frente para o arranha-céu, o prédio chamado The Shard. Ed tirou um maço de cigarros do bolso de dentro do casaco.

– Ela parecia muito triste – comentou Amy, sondando para ver a reação de Ed.

Ed mudou de assunto: – Então, você e o Jamie – é sério, mesmo? Ele deu uma tragada no cigarro, tentando esconder seus sentimentos.

Amy ficou surpresa com a pergunta direta de Ed: – Ah, você conhece Jamie. Ele é um rebelde sem causa. Ele estava me consolando depois do que aconteceu com minha mãe.

– Consolando?

– Sim, Ed, consolando. Para ser bem sincera, minha vida estava toda bagunçada, gastando dinheiro em futilidades. Tenho dívidas gigantes no meu cartão de crédito e, como você sabe, eu mal estava conseguindo pagar meu aluguel. Estava bebendo demais, também, me afastando das pessoas – ela parou e olhou para Ed. – Você tem que parar de fumar, você sabe. Não é bom para você – embora fosse uma reprimenda, ela o fez em tom doce de voz que expressou uma preocupação genuína. – Você estava todo preocupado com o pesadelo do acidente de carro, mas o que vai acabar matando você é esse seu maldito hábito de fumar.

– Foi o último, eu prometo – ele fez careta feito uma criança quando é advertida, e jogou o cigarro no chão e o pisou. – Pronto.

– É isso mesmo. Depois do que aconteceu com minha mãe, percebi que era hora de parar de sentir pena de mim mesma e tomar um rumo na vida. Estou tentando me tornar uma pessoa melhor. Talvez ser menos "lua", como Daniel me chamou na outra semana.

– Eu sinceramente não sei se Jamie é a pessoa certa para te ajudar neste momento.

Ela deu um meio sorriso, com os lábios fechados, e olhou por cima do ombro dele: – Passei tantos anos procurando alguém que realmente me amasse e isso nunca aconteceu. E talvez o cara de quem eu realmente goste não gos... – ela parou ao ver Jamie se aproximando.

– Não o quê? – perguntou Ed, sem perceber que Jamie havia chegado e estava de pé atrás dele.

– Eddo! – Jamie bagunçou o cabelo de Ed antes de se aproximar de Amy e dar-lhe um beijo nos lábios.

– Como está a Mimi? – perguntou Jamie.

– Mimi está se recuperando – respondeu Amy. – Agora, ela está fora de perigo, mas ainda não sabemos qual parte do corpo foi afetada. Saberemos somente quando ela acordar do coma induzido.

Jamie levantou uma sacola: – Eu trouxe comida. Acho que vocês devem estar morrendo de fome.

– Mas, com toda a certeza – Amy olhou para a bolsa. – Vamos entrar e levar um pouco de comida para Esther e Daniel.

Ed disse que iria para casa descansar um pouco. Ao se afastar, deixou Amy com uma sensação estranha.

Jamie deixou Amy no hospital e correu em direção a Ed que, em ritmo acelerado, estava bem próximo da Estação de metro London Bridge.

– Eddo – ele gritou para Ed: – Ei, amigo.

Ed virou-se e, conhecendo muito bem Jamie, podia ler em seu o olhar as suas intenções.

– Eu queria saber se você vai poder me emprestar aquele dinheiro que eu te pedi.

"Bingo" – pensou Ed.

– Ainda estou esperando para fechar aquele negócio grande com o comprador árabe, que eu estava falando – Jamie justificou seu pedido.

Ed poderia muito bem dizer que Jamie estava mentindo. Em vez disso, ignorou o que ele dizia.

Jamie terminou seu discurso com o seu habitual: "Eu te pago o mais rápido possível".

– Claro – respondeu Ed, laconicamente.

Em todos os anos de convivência, era a primeira vez que Jamie presenciava um comportamento tão singular de Ed.

Eles se despediram e tomaram direções opostas, cada um o seu caminho.

Capítulo 36

Mais tarde naquela noite, Daniel estava sentado em uma espreguiçadeira no terraço do prédio, envolto em um velho cobertor, quando Ed chegou segurando duas garrafas de cerveja gelada. Era uma noite fria de Novembro e o céu estava nublado, sem uma única estrela à vista. Ed entregou uma das garrafas para Daniel e se sentou ao lado dele. Ambos estavam quietos, pensativos. Seus olhos mostravam que eles estavam carregando o peso do mundo em seus ombros. Daniel praticamente engoliu a cerveja de uma vez. Ele fora o primeiro a chegar ao hospital e a encontrar Esther, de madrugada, e assim passou o dia todo e a maior parte da noite ao lado de Esther. Ele só saiu quando os médicos finalmente disseram que Mimi estava fora de perigo e que, embora seu lado esquerdo tivesse sido afetado, ela ficaria bem. O silêncio entre ambos somente foi quebrado pelo farfalhar de um maço de cigarros sendo aberto.

Daniel virou em direção a Ed, e o repreendeu: – Ed!

– É o último, eu prometo.

Daniel sorriu. Era o ritual do grupo – alertar Ed sobre os riscos do tabagismo e receber de Ed sempre a mesma resposta.

– Sentindo a falta dela? – Daniel perguntou.

– De quem?

Daniel franziu a testa, surpreso: – Da Garota Ipanema. De quem mais poderia ser?

– Sim... – ele alternou entre o cigarro e a cerveja. – Mas, para ser sincero, menos do que eu pensei que sentiria.

Daniel recostou-se na espreguiçadeira e com voz muito baixa, característica de quem está com muito sono, ele perguntou: – O que aconteceu, afinal? Por que ela foi embora?

Ed mordeu o lábio inferior.

Daniel bocejou: – Tudo bem se você não quiser falar sobre isso.

– Ok. De verdade, essa relação nunca daria certo. Ela é uma modelo famosa e mora em Nova York, e ela não é...

Daniel levantou uma sobrancelha, lutando contra o cansaço ele indagou Ed já sabendo a resposta para sua pergunta: – Ela não é..?

Ed olhou para Daniel, sem saber se deveria ou não compartilhar com ele seus sentimentos em relação à Amy. Ele pensou duas vezes antes de responder. – Ela não é a pessoa que eu amo.

– Quando você percebeu que amava Amy? – Daniel perguntou, sorrindo para ele, com ternura na voz.

– O quê? Como... – Ed foi totalmente pego de surpresa. – Como você sabe?

Daniel riu: – Oh, Ed. Você deve estar totalmente cego que ainda não percebeu quem é a sua musa.

Ed sorriu com os lábios fechados e concordou. Naquele momento, eles trocaram olhares que dispensaram palavras. A amizade entre ambos, pautada pelo amor sincero, era capaz de interpretar, silenciosamente, os sentimentos e os pensamentos um do outro.

Ed virou-se e olhou para o céu e se lembrou do olhar de Amy quando o viu pela primeira vez, deitado no campo, seminu, nos tempos de universidade. Ele se lembrou de suas brincadeiras, no hospital, quando ela mostrou os primeiros sinais de sua personalidade forte, e, ainda se lembrou de como ela ficava brava toda vez que a chamava de tomboy.

Quando ele se virou para dizer a Daniel que ele sempre a amara, Daniel estava adormecido. Ed esfregou os braços, tentando se aquecer, e se virou para olhar o céu novamente.

* * *

Em um cassino na região leste da cidade de Londres, Jamie mordia os dedos, cercado por muitas pessoas que, iguais a ele, estavam fixadas na roleta.

Ao lado dele, ao seu lado direito, um velho chinês apertou um pedaço de papel e gritou em mandarim. Todo mundo tinha um olhar desonesto, perfeitamente adequado ao ambiente escuro.

Antes de o crupiê anunciar o fim das apostas para aquela rodada, Jamie transferiu todas as suas fichas, compradas com o dinheiro que Ed lhe emprestara, para o vermelho. O crupiê passou o braço por cima da mesa, anunciando o fim das apostas.

A bola de metal moveu-se de um número para outro. Jamie fechou os olhos e torceu para que a bola de metal parasse no vermelho. Com o barulho da bola anunciando que ela estava prestes a parar de rodar, Jamie cerrou os punhos, pressionou-os contra os lábios. O barulho cessou, e com forte sotaque, o homem chinês gritou: – Vermelho!

Jamie abriu os olhos. A bola havia parado no número trinta e dois, que era um número vermelho.

– Simmm! – ele gritou, socando o ar.

Depois de calcular o valor do prêmio, o crupiê fez pequenas pilhas de fichas e as arrastou pela mesa até Jamie. Jamie tocou as fichas por breve momentos até fazer nova aposta, no vermelho. Ele estava com sorte naquela noite.

***

Esther estava fervendo água para fazer chá, e havia docinhos na mesa de café no centro da sua sala de estar: – Obrigada por vocês virem. É muito bom ter amigos queridos por perto em momentos como esse.

– Eu não conhecia Peckham. É bem legal – disse JC, enquanto pegava um pedaço de bolo.

Esther jogou-se em uma poltrona, parecendo estar totalmente esgotada. Duas semanas haviam se passado desde a queda de Mimi e sua internação hospitalar, e desde então Esther passava seus dias em casa, cuidando da mãe, que sofria devido às sequelas causadas pelo AVC. De todos os seus amigos, Daniel estava sendo o amigo mais próximo naquele momento. Ele a visitava regularmente, ajudando em algumas incumbências.

Pelo fato de Esther não sair de casa, a produção teve de atrasar a gravação da série, uma vez que Esther faria um dos papéis principais e sua presença era requisitada na maioria das cenas. Daniel conseguiu driblar os outros produtores e gravar outras cenas nesse intervalo, mas mesmo assim ele começava a se sentir pressionado pelos produtores em relação à situação de Esther.

– Esther, querida – Mimi a chamou de seu quarto.

– Ela acordou – disse Esther, levantando-se da cadeira.

JC, Ryan e Daniel levantaram-se e perguntaram se podiam dizer um olá para ela. Esther respondeu que iria verificar primeiro com sua mãe.

– Por favor, querida. Arrume meu cabelo antes. Não quero que os meninos me vejam desse jeito, toda desarrumada – Mimi apontou para sua peruca, que estava na penteadeira.

– Claro, mãe – Esther sorriu e arrumou a peruca na cabeça de Mimi. Em seguida, beijou sua mãe gentilmente no rosto.

– Você precisa enfrentar a situação e perguntar a ela, Dan – disse Ryan em voz baixa após Esther ter ido ao quarto de Mimi.

– Não é o momento certo, Ryan. Não seja insensível.

– Não estou sendo insensível. É que não podemos esperar muito mais para gravar as cenas dela. Os produtores podem escolher outra atriz se continuarmos atrasando o processo desse jeito.

Daniel estava prestes a responder quando percebeu que Esther estava na metade da escada.

– Ela está pronta para ver vocês, meninos – ela disse. – Subam, por favor.

A velha porta de madeira se abriu, fazendo um barulho estridente, e lá estava ela, deitada na cama. Apesar de parecer frágil, ela sorriu da mesma forma que sempre sorria.

– Quando você vai sair dessa cama, Sr.ª Taylor? – perguntou Ryan. – Mal posso esperar para fazermos nossos passos de dança enquanto cantamos algumas músicas do Frank – ele se curvou e lhe deu um selinho.

– Por onde você andou, seu encrenqueiro? – Mimi perguntou a Ryan.

A atmosfera no quarto mudou. JC, Daniel e Esther ficaram quietos, mas Ryan não. Ele riu: – Eu fiquei com muito medo e fugi para a cidade do nosso Frank e acabei cometendo o maior erro da minha vida.

– Bem, vivendo e aprendendo, meu querido. Tudo nesta vida é sobre viver e aprender – Mimi voltou-se para Daniel e JC e perguntou como estavam.

– Estou bem, Srª. Taylor, obrigado – respondeu JC. – Melhor agora que a vejo toda desperta e bonita.

Apesar da aparente disposição, certo ar de tristeza tomou conta de Mimi: – Nem sinal de qualquer movimento no meu braço e perna ainda.

Esther forçou um sorriso: – Calma, mãe. O médico disse que vai demorar um pouco. É tudo trabalho da fisioterapia, ele disse.

– Verdade, Sr.ª Taylor – disse Ryan, mantendo seu tom otimista. – Vamos encarar esse momento como um descanso para suas pernas, após tantos anos se apresentando pelo mundo. Encare isso como uma pausa na sua turnê! Você estará de volta logo, logo.

– Eu sei a verdade – disse Mimi. – Eu sei que não voltarei ser como era. Daqui para frente, querido Ryan, é só ladeira abaixo para mim.

Daniel e Ryan tentaram tranquilizá-la, dizendo que ela precisava pensar positivo.

– Eu ouvi o médico conversar com minha filha – Mimi começou a chorar. – Eu não quero mais ser um fardo para minha filha. Talvez seja melhor que tudo se acabe para mim e a deixe descansar.

– Não diga isso, mãe. Você é tudo para mim. Você nunca será um fardo na minha vida – Esther segurou a mão da mãe. – Você está me escutando?

– Talvez agora que vocês estão aqui, vocês podem me ajudar a convencer minha filha de que é hora de eu ir para uma casa de repouso.

Esther a interrompeu imediatamente, pedindo que parasse de falar em tal possibilidade.

– Não, querida – Mimi insistiu. – Está na hora, sim, de eu ir para uma casa onde pessoas vão cuidar de mim e assim você poderá seguir com sua vida. Não é justo com você – ela olhou para

Daniel e Ryan. – Meninos, me ajudem, por favor. Eu quero que ela viva a vida dela sem ter de se preocupar comigo o tempo todo. Não é justo com ela.

Por um instante, o silêncio se fez presente no quarto, instalando-se certo clima desagradável. Esther estava em lágrimas. Ela não conseguia considerar a ideia de colocar a mãe em uma casa de repouso. Ela prometeu ao seu pai um dia antes dele morrer que ela sempre cuidaria de Mimi. E jamais se arrependeu de ele ter recusado oportunidades profissionais, mesmo sabendo que representariam oportunidades de ascensão significativa, porque ela amava profundamente sua mãe, e cuidar de Mimi a fazia feliz.

Ryan quebrou o silêncio: – E se fosse só por um tempo?

Todos olharam para ele, perplexos.

– Ryan!!! – Daniel lançou-lhe um olhar sério.

– Escute – ele continuou. – Talvez seja apenas por um período curto. As gravações da série vão durar apenas alguns meses, e talvez seja benéfico para a Sr.ª Taylor se...

Esther estava zangada e o cortou imediatamente: – Ryan, eu não consigo enxergar que estar longe de mim possa trazer algum benefício para ela.

– Será benéfico se for uma casa com profissionais que possam dar total atenção às suas necessidades médicas – ponderou Ryan. – Fisioterapeutas, médicos, enfermeiras, que poderão ajudá-la vinte e quatro horas – ele olhou para Esther, desejando que ela entendesse. – Pense nisso. Talvez seja de seu interesse por enquanto.

Daniel e JC não disseram nada, uma vez que sabiam que se tratava de um assunto difícil para Esther. Ela enxugou as lágrimas que caiam em seu rosto e respirou fundo. A ideia de sua mãe ir para uma casa de repouso a cortava, feito uma faca.

Capítulo 37

1) Fazer pelo menos uma aula na academia (talvez Crossfit). A aula de Twerk/Zumba (ou o que quer que seja) parece legal também.
2) Não sair de rolê durante o mês de janeiro.
3) Renegociar meus cartões de crédito e todos meus débitos.
4) Não gastar o que ainda não tenho (muito importante).
5) Fazer uma pós-graduação. Talvez psicologia.
6) Visitar meus meio-irmãos na França. Pedir para Daniel e Ed me acompanharem.
7) Ser menos direta (ou como eles dizem menos grossa).

Amy escrevia uma lista de promessas do Ano Novo em sua agenda.

8) Encontrar um apartamento legal.

"Seja realista! Pague suas contas primeiro, boba", ela pensou e riu para si mesma. Ela olhou para fora da janela da cafeteria em frente ao mercadão de Borough Market e viu que começava a nevar. Ela amava a neve. Quando criança, passava horas olhando pela janela de seu quarto, observando a neve cair do céu. Ela achava que os flocos de neve vinham das fadas do inverno, que as produziam com poderes mágicos, e qualquer um que tivesse sido regado pela neve teria direito a um pedido. Ela sorriu, lembrando da sua teoria de criança. "Que boba eu era", ela pensou, enquanto observava a neve cair. "Ah, porque não". Ela fechou sua agenda e jogou dentro de sua bolsa da grife Prada. Deu um último gole em seu café, depois se enrolou em seu casaco bege e fez o que costumava fazer quando era criança. Saiu na rua e deixou que a neve caísse sobre ela.

Fechando seus olhos, Amy respirou fundo, sentindo-se contente consigo mesma. "Amor! Eu desejo amor! Este será o item número oito! pensava alegre".

Seu celular vibrou. Ela o tirou do bolso, deslizou o dedo pela tela e leu a mensagem de Jamie.

> **Jamie:**
> Oi. Encontro hoje? Te pego às 8pm. Fechado? Beijos.

> **Amy:**
> Fechado. xoxo.

Ela olhou para cima, e uma gota de água pesada caiu em sua testa. A neve rapidamente se transformou em chuva. Chuva típica inglesa no final de Novembro. – Ótimo! – disse para si mesma e correu pelas ruas, procurando abrigo, conforme a chuva ficava mais forte. – Eu entendi a mensagem, Universo. Eu entendi a mensagem! Vou riscar o item oito novamente. Nada de amor.

Ela acelerou o passo descendo a Rua Southwark Street, indo em direção ao seu apartamento. Enrolou seu lenço de seda no cabelo para protegê-lo da chuva.

– Amy!

JC estava do outro lado da rua.

Ela atravessou e pegou o guarda-chuva dele: – Vamos JC, depressa – ela segurou em seu braço e eles se espremeram para ambos caberem no guarda-chuva.

– Indo para casa? – ele perguntou.

Ela assentiu.

– Eu estava pensando… – pausou sentindo-se inseguro.

– Pensando em...

– Promete que não vai rir de mim? – ele parecia vulnerável, feito um menininho.

– Não vou. Mas desembucha logo JC.

– Eu estava pensando em pedir para o Daniel um papel na série dele. O que você acha? A ideia é besta?

Amy parou por um instante, de modo que ele também parasse.

– Besta, né? – ele perguntou, enquanto ela olhava para ele.

– Não, eu acho que é uma boa ideia – ela finalmente respondeu, e então eles continuaram a caminhar.

– Ele é um dos criadores e com certeza tem influência sobre o elenco. Ele criou um papel para Esther. A personagem principal.

– Exato. Então, fale com ele.

JC sorriu, com brilho nos olhos. Ele se sentia extremamente feliz com a possibilidade de ter um papel na televisão. Começou a se imaginar diante das câmeras e dizendo suas falas em frente à equipe.

– Eu serei famoso! – ele comemorou balançando o guarda-chuva.

– Claro que vai – sorriu Amy sentindo-se feliz por ele.

Mais uma vez, a resposta dela o pegou de surpresa. Ele estava esperando que ela fosse fazer alguma piada de mau gosto, porém não o fez.

JC inclinou-se para trás e olhou para ela.

– Eu gosto dessa nova Amy – ele disse sorrindo.

***

Jamie estava quarenta minutos atrasado, como sempre. Mas estava tudo bem para Amy, uma vez que ela constantemente se atrasava também. Ela colocava seus brincos novos quando ele ligou para dizer que estava na rua à sua espera.

– Depressa. Tenho uma surpresa para você – ele disse antes de desligar.

– O que está rolando entre vocês dois, Amy? – perguntou JC.

– Ah, nada. Estamos apenas saindo e nos divertindo. Apenas. – Amy se perfumou e se despediu de JC.

– De quem é esse carro? – ela perguntou, quando entrou no novo Maserati, observando o interior impecável.

– É a primeira coisa que você diz quando me vê? De quem é este carro? Cadê meu beijo? – ele perguntou de forma brincalhona.

Ela deu um selinho nele.

– Só um selinho?

Amy encostou no banco de couro do carro. Não se sentia confortável com aquela situação: – Sério, de quem é esse carro? É maravilhoso! Mas é muito caro, quem lhe emprestou?

Jamie respirou fundo e inflou o peito: – Eu aluguei por uma semana.

Amy não entendeu por que ele gastaria tanto dinheiro alugando um carro por uma semana. Ela o interrogou, mas ele se recusou a responder.

– Estou te levando a um passeio de luxo – ele ligou o carro. – Vou te levar para jantar no restaurante Cecconi's – ele colocou o pé no acelerador e mudou a estação de rádio.

* * *

Daniel olhou dentro dos olhos de Davy e segurou sua mão, do outro lado da mesa. Daniel sentia-se mal por não ter tido tempo para Davy nas últimas semanas, e essa era sua forma de se desculpar. Houve muita mensagem e ligações via FaceTime, mas Daniel, que tinha passado quase todo o tempo trabalhando com os produtores em "Casting Stars", quando conseguiu um tempo livre, dedicou-se a ajudar Esther.

Davy apertou sua mão: – Eu entendo, Dan. Porém, devo confessar, eu gosto quando você me olha com esses olhos de cachorrinho pidão. Você fica tão fofo.

As bochechas de Daniel coraram naquele mesmo instante.

O garçom chegou, trazendo uma garrafa de vinho; Daniel leu o rótulo e assentiu para confirmar a escolha.

– Você pensou a respeito da minha proposta? – perguntou Davy, enquanto o garçom abria a garrafa e servia o vinho. Ele apontou para Daniel e, então, o garçom virou-se para Daniel aguardando que ele experimentasse o vinho.

– Hhmm. Deixe-me pensar. Caribe, resort cinco estrelas – Daniel levantou a taça, incorporou a bebida, sentindo o seu aroma e deu um gole. Ele olhou para o garçom, aprovando e, em seguida, o garçom serviu o vinho a Davy.

– Sete dias de calor e praia bem no meio do Inverno. Parece uma ideia absolutamente terrível – brincou e, em seguida, levantou suas mãos ao alto e quase gritou: – Sim, claro. Eu adoraria ir.

– E as filmagens da sua série? Tem certeza que vai conseguir ter uma folga?

– Está tudo certo. Os produtores já confirmaram que a equipe vai tirar uma folga de duas semanas para o Natal e Ano Novo.

Davy sorriu: – Ótimo! Vou organizar tudo essa semana. Deixa comigo que eu cuido de tudo – ele levantou a taça, e eles brindaram. – Às nossas férias no sol!

– Não acredito que temos menos de seis semanas até o Natal – Daniel mordeu seu lábio inferior antes de dar outro gole no vinho. – Onde foi parar o tempo? Este ano voou.

– Daniel!

Eles então ouviram a voz, alta e embriagada, era de Amy.

– Que legal encontrar vocês aqui – ela disse.

Ela e Jamie aproximaram-se à mesa, e os quatro trocaram cumprimentos.

– Não acredito que reservamos o mesmo restaurante que vocês – disse Jamie, ignorando o garçom atrás dele.

– Sim, muita coincidência – Amy notou.

– Esse lugar é um dos favoritos de Davy – disse Daniel. – Então, pensei em mimá-lo esta noite.

O garçom, ao lado, estava meio impaciente, desejando acomodar Amy e Jamie a uma mesa.

– Ei, eu tenho uma ideia – exclamou Amy, toda risonha. – Por que não saímos para dançar depois de jantar?

Davy e Daniel trocaram olhares e encolheram os ombros.

– Parece ser uma boa ideia – disse Davy, e Daniel concordou: – Vamos!

O garçom, impaciente, estendeu seu braço direito, apontando para uma mesa vaga e indicando o caminho com a cabeça.

– Perfeito – disse Jamie. – Então, nos vemos daqui a pouco.

Amy acenou para eles, virou-se para Jamie e sussurrou: – Adivinha que garçom não receberá gorjeta hoje?!

***

Mais tarde naquela noite, eles foram até o que parecia ser um restaurante duvidoso no bairro de Chinatown que mais parecia uma grande espelunca. Eles seguiram Jamie até a parte do fundo do lugar. Amy, Daniel e Davy, com certo receio, trocaram olhares, incertos de onde estavam sendo levados. Eles escutaram Jamie falar algo em Mandarim ou Cantonês com um senhor chinês que estava no fundo do bar, enxugando um copo com um pano sujo. O homem colocou o copo e o pano no bar e cruzou seus braços. Ele, então, parou e olhou sério para os quatro. Após um momento de silêncio, ele descruzou os braços e abriu uma porta de madeira atrás dele. A porta se abriu lentamente, revelando uma escadaria escura. O homem continuava em silêncio.

– Jamie – chamou Daniel, quase inaudível. – Que diabos é tudo isso? Vamos embora deste lugar.

– Calma. Apenas me sigam – e os conduziu pela escadaria. – Cuidado com os degraus, e se preparem para a melhor noite de suas vidas.

Quando eles alcançaram o final da escada, podiam ouvir música eletrônica, que se tornava cada vez mais alta. Eles também podiam ver luzes, diversas luzes de diferentes cores.

O queixo de Davy caiu quando inspecionou ao redor: – Uau! Eu definitivamente não esperava encontrar um lugar como esse, após nossa experiência lá em cima.

O lugar era um daqueles bares da moda, secretos, que era conhecido apenas por um grupo seleto de pessoas e podia ser acessado apenas por quem conhecia e quem tinha a senha secreta para entrar.

Jamie conduzia os amigos pelo ambiente, andando de cabeça levantada e com um sorriso largo estampado no rosto. Ele andava de forma confiante, como se o lugar fosse dele. Foi cumprimentado por uma menina que vestia pouca roupa e era bonita o suficiente para ser modelo. Ela ficou na ponta dos pés e o beijou na bochecha antes de os escoltar para uma mesa privada.

– Ela parece bem íntima sua – Amy falou, toda enciumada, quando a garçonete deixou a mesa...

– Eu sou muito sociável, como sabe – ele colocou seu braço em volta de Amy e lhe deu um beijo na bochecha.

A garçonete saliente retornou, seguida por um grupo de homens e mulheres que também trabalhavam no bar e tinham o mesmo perfil de modelo. Todos usavam biquínis ou sungas. Um dos rapazes então colocou um balde de gelo com champanhe na mesa, enquanto os outros celebravam como se fossem melhores amigos, tendo ali o momento de suas vidas: a comemoração era parte do pacote para clientes que gastavam um valor absurdamente caro em uma garrafa de champanhe.

Assim que se acomodaram no sofá da área privada, Davy perguntou a Jamie como os três tinham se conhecido.

– Dan tinha uma queda por ele – respondeu Amy, rindo alto.

– Eu não tinha, não! – Daniel parecia levemente envergonhado, mas depois caiu na risada com Amy. – Sim, eu confesso. Tinha mesmo.

– Foi Ed quem nos apresentou – Jamie disse a Davy. – Nos tempos da faculdade, eu era do mesmo time de rugby de Ed. Jogávamos juntos, bem, eu jogava. Ed ficava no banco na maioria das vezes.

Amy saltou em defesa de Ed: – Ah, não fala assim, vai. Ele é bom jogador. A questão são seus problemas respiratórios. Por causa da asma, ele passava algum tempo no banco.

– Algum tempo? Ele não conseguia jogar mais do que dez minutos e, ele ficava completamente sem ar. Enfim, como eu ia dizendo, Ed e eu estávamos no time de rugby e Amy e Daniel começaram a frequentar as mesmas festas que nós.

– Basicamente, porque Daniel te viu jogando uma vez e decidiu na cabeça dele que você era gay e vocês iriam ficar juntos.

– Pobre Dan. Você deve ter sido confundido pelos meus bons modos de bom lord inglês.

– Você era tão assanhado! – Daniel riu.

– Eu já disse: eu sou um cara muito sociável, e um lord – brincou Jamie, e todos riram.

– Continue, Amy – pediu Davy. – Estou louco para saber sobre o passado do Dan.

– Bem... Ele me fez o acompanhar em todos os jogos em que Jamie jogava – narrou Amy.

– Como um bom "stalker"! – brincou Davy, e houve mais risada pela mesa.

– E, então, fomos a todos os bares que eles frequentavam – Amy continuou.

Davy esperou, parecendo desapontado: – É isso? Nada constrangedor? Achei que fosse ter algum "bafão" nesta história.

– Ah, então você quer saber... Nós nos beijamos! – Jamie disse divertidamente.

– O quê? – disseram Davy e Amy simultaneamente.

– Sim, de fato! – Jamie confirmou. – Eu estava totalmente bêbado e...

Daniel levantou seu champanhe no ar e disse: – Eu estava bêbado também!

Jamie apontou para ele, rindo: – Você veio até mim e disse que tinha certeza que eu era gay, e eu disse que tinha certeza que eu não era, aí você se jogou em cima de mim.

Daniel sacudiu a cabeça: – Não foi bem assim. Você disse que estava a fim de beijar um cara. Foi por isso que nos beijamos.

Amy colocou as mãos na boca em descrença.

– Você é bissexual? – perguntou Davy.

– Ah, de forma alguma – disse Jamie, rindo da pergunta. – Sem ofensas, colega – ele disse, endereçando para Daniel – mas eu odiei aquele beijo. – Ele colocou a mão no ombro de Davy. – Eu realmente espero que ele tenha melhorado no quesito beijo. Confesso que foi o pior beijo que eu já dei em toda minha vida.

Todos riram, e Daniel riu tanto que quase engasgou.

Já era bem tarde quando eles decidiram deixar o local. Sentindo a brisa gelada do lado de fora do restaurante chinês, Jamie enrolou sua jaqueta em volta de Amy e a apertou. Estavam todos muito alegres depois de uma noite cheia de conversa, risadas e muita dança. Jamie pegou a chave do carro, mas foi impedido por Daniel.

– Não, senhor. Você bebeu e não vai dirigir – ele pegou a chave da mão de Jamie. – Vamos pegar um táxi.

Jamie protestou, mas sem apoio. Daniel foi até a Avenida Shaftesbury Avenue e acenou para um táxi. Ele entrou, seguido por Davy, e sacudiu as chaves do carro de Jamie: – Você pode dividir o táxi com a gente ou ir a pé para casa. Você escolhe. – Amy entrou no táxi e Jamie a seguiu, batendo a porta atrás dele.

– "All the troubles, all the strive..." – Jamie começou a cantar a música de Daniel. – I've encountered in my life – ele cantava alto e bem desafinado. Amy e Davy se juntaram a ele.

– I've been searching in the sky, trying to find the reason why... – cantaram juntos.

– Vocês estão matando minha música! – Daniel fechou os olhos e cobriu as orelhas com suas mãos, ao que ria alto.

Davy batia palmas, enquanto Amy pegava o braço de Daniel, forçando-o a descobrir as orelhas.

Jamie cantou a ponte: – I'ts magical, fantastical! – em um tom bem estridente e, então, juntos cantaram – Celestial.

***

– Foi divertido passar um tempo com esses dois esta noite – disse Davy, deitado na cama ao lado de Daniel. – Eu nunca a tinha visto assim antes. Ela estava leve e divertida.

– Amy é uma garota muito divertida. Ela também tem um coração de ouro, mas... Daniel olhou para o teto.

– Mas?

– Ela teve alguns problemas em sua vida que a fizeram do jeito que ela é.

Davy virou o corpo para Daniel: – Estou intrigado para descobrir como você a classificaria de acordo com a teoria de seu avô.

– Você realmente gosta da teoria do meu avô, não é? Bem, eu pensei em Amy muitas vezes – ele olhou para o teto pensativo. – Eu acredito que ela seja uma lua.

– Uma lua? Não é um planeta? – confuso. – Por quê?

– Porque uma lua tem fases diferentes. Uma lua exerce muita influência nos planetas. Da mesma forma que a fase da lua pode interferir nas marés, elas também podem influenciar os planetas dependendo de seu estado emocional ou o quanto próximos estão fisicamente ou emocionalmente.

Davy estendeu a mão e acariciou o cabelo de Daniel: – E estas não seriam as características de uma estrela?

– Não! Estrelas brilham e trazem luz para os que estão ao seu redor. As estrelas têm a sua própria luz e influem sempre de forma positiva. Mas, a lua não tem luz própria, entretanto, tem grande poder sobre aqueles do entorno, positivamente ou negativamente.

– Você acredita que uma lua sempre será uma lua para o resto de suas vidas?

– Eu acredito que as pessoas podem mudar... Até Amy.

Ambos riram.

Capítulo 38

– Boa manhã, meu senhor – disse JC quando Daniel entrou na cafeteria. – Como estás tu?

Daniel usava um boné de baseball e óculos de sol, apesar do céu nublado: – Ainda trabalhando nas suas aulas de pronúncia, eu presumo.

– Sim. Você gostaria de alguma porção? – ele forçava um sotaque britânico.

JC trouxe o cappuccino de Daniel, tirou seu avental e se sentou do outro lado da mesa: – Ressaca?

Daniel concordou e disse que nunca mais beberia nada alcoólico na vida e seguiu contando a JC sobre a noite anterior. Ele não mencionou que Amy, bêbada, deixou escapar que JC tencionava pedir a ele uma participação no show. Apesar de sua ressaca, ele já tinha conversado com Ryan, levantando a hipótese de oferecer um papel para JC, porém teve de concordar com a avaliação de Ryan, que não havia nada que se adequasse às características de JC em "Casting Stars".

JC bateu os dedos na mesa, tentando encontrar a coragem para abordar o assunto. Ele olhou ao redor da cafeteria, evitando os olhos de Daniel – Eu estava esperando uma oportunidade para te perguntar se... Seus olhos deram outra volta pela sala e finalmente encontraram os de Daniel – ...Se eu poderia fazer um teste para algum papel em seu seriado?

Por um momento, Daniel ficou sem ação. Ele coçou a nuca, tentando pensar no que dizer. Embora tivesse tentado convencer Ryan, a realidade é que mesmo ele não acreditava que JC tivesse o perfil adequado para estar no show. Ryan era mais prático em situações assim. Ele acharia fácil dizer a JC que eles precisavam dos melhores atores para a série de TV e não acreditavam que JC se encaixasse no programa. Daniel era diferente. Era muito mais sensível que Ryan. Ele se sentiu mal por JC, e não querendo deixá-lo triste, respirou fundo e disse:

– Deixe-me ver o que posso fazer. Vou falar com os produtores e com Ryan e te aviso.

– Ah! Sério? – JC levantou-se da cadeira e deu um abraço em Daniel. Ele começou a bater palmas e a pular em meio à cafeteria, não se importando com a presença de sua chefe Teresa, atrás dele, batendo o dedo indicador em seu relógio, avisando-o de que tinha que retornar ao trabalho.

– Mal posso esperar para contar para minha mãe na Espanha! – ele disse.

Teresa pegou a gola de sua camiseta e o arrastou para os fundos: – Hora de voltar ao trabalho, Juan Carlos. Hora de trabalhar!

– Até logo! – JC gritou, fazendo grandes gestos com a mão. – Te vejo em seu jantar de Ação de Graças!

"Ai, meu Deus", pensou Daniel, enquanto acenava adeus com os dedos. "Vou deixar isso para Ryan resolver".

***

No apartamento de Daniel, Elvis tocava na vitrola antiga que havia sido de seu avô. Daniel estava recheando um peru e Davy o fitava espantado.

– Como você conseguiu achar um peru deste tamanho nessa época do ano? – perguntou Davy.

Sofrendo com o peso do peru, com muito esforço, Daniel carregou a assadeira com o peru até o forno, porém se esqueceu de abrir a porta do forno. Davy correu para o ajudar.

– Eu encomendei em um mercado americano lá em Chelsea – Daniel explicou. – Mas não tinha ideia que seria grande desse jeito.

– Grande? É gigante. Você pode alimentar pelo menos 30 pessoas com esse peru – Davy olhou para dentro do forno. – Explique de novo. Por que você vai fazer um jantar de Ação de Graças se não é americano?

– Eu sei, eu sei. Você sabe que eu sempre dou qualquer desculpa para reunir os amigos e fazer uma festa, então, pensei que seria uma ocasião brilhante para fazer um jantar e agradecer aos meus amigos mais chegados por tudo que fizeram por mim desde... Você sabe. O dia...

Davy moveu sua cabeça para trás: – Ah, o casam...

Daniel colocou um dedo em sua boca, indicando que ele não queria ouvir aquela palavra.

– É uma ideia bem encantadora – disse Davy, e deu um selinho em Daniel.

Daniel foi agarrar o rosto de Davy para retribuir o beijo, mas Davy recuou, e Daniel percebeu que suas mãos estavam engorduradas. Eles riram e começaram a fazer bagunça pela cozinha.

– Você sabe o que isso significa, certo? – Davy pegou um pacote de farinha. – Guerra!

Ele encheu a mão de farinha, mas antes que pudesse jogar em Daniel, Daniel roubou o pacote de sua mão e jogou um pouco de farinha em sua cabeça. A farinha o atingiu, mudando a cor do seu cabelo para branco. Davy perseguiu Daniel em volta da bancada com a mão cheia de farinha. Eles correram em volta da mesa por duas vezes antes de Daniel escorregar e cair de costas. Ele teria caído duro no chão se não fosse por Davy, que o pegou e o segurou em seus braços. Com o LP de Elvis tocando ao fundo, Davy segurou no balcão com uma mão e lentamente foi até o chão, embalando Daniel.

– Bem, acho que temos algumas horas antes dos convidados chegarem – falou Daniel, entre beijos.

Capítulo 39

Jamie entrou no quarto de Ed e o encontrou se arrumando: – Você não acha que seu topete já está alto suficiente, Eddo? – ele disse, piscando para Ed. Ele se sentou na beirada da cama de Ed. – Qual é a grande ocasião, que requer um topete desse tamanho?

– O jantar de Daniel hoje à noite. Você também foi convidado. Por que não está pronto ainda? Vamos!

– Ah, é – ele correu seus olhos pelo quarto de Ed, o qual tinha uma vista maravilhosa da Catedral de Saint Paul e da galeria de arte moderna Tate Modern. – Eu esqueci do jantar.

Ed vinha de uma família muito rica. Ele tinha muito dinheiro guardado que foi deixado pelos seus avós que deixaram para ele como herança. Ed era o único neto e além de muito dinheiro, seus avós também deixaram a ele muitas propriedades. Jamie observou Ed ir até o guarda-roupa. "Todo esse dinheiro e ele nunca aproveita nada disso", ele pensou. "Eu viveria em resorts luxuosos e casas de campo toda semana".

– Você está bem? – perguntou Ed, enquanto deslizava a porta do guarda-roupas. – Você está com um olhar estranho.

– Eu estava só pensando. Não entendo por que você continua trabalhando depois que seus avós te deixaram todo esta fortuna? Quero dizer, você é tão sortudo...

Ed o atingiu com um olhar raivoso: – Sortudo? Não diga isso! Nenhum dinheiro no mundo vai substituir meus avós. Eu sinto muito a falta deles. Eles sempre serão tudo para mim.

– Qual é, Eddo, foi uma brincadeira. Eu não quis dizer dessa forma. Você trabalha tanto naquele escritório, é só isso, e eu não entendo o porquê. Você é milionário. Não precisa trabalhar nunca mais na sua vida, no entanto gasta seu tempo trabalhando e não aproveitando o seu dinheiro.

– Porque eu amo meu trabalho. E preciso trabalhar pesado se eu quiser fazer meu nome como um renomado arquiteto. Além do que, o que eu faria se não trabalhasse?

– Você deveria estar curtindo a vida, Eddo! – Mulheres, viagens. Eu beberia Champagne Cristal todos os dias! Na verdade, tomaria banho de Champagne!

– Tenho certeza que sim. Talvez seja por isso que o universo não te deu tamanha "sorte" – disse Ed, sinalizando aspas com seus dedos.

Em seguida, ele se virou e empurrou algumas camisas para um lado para ter acesso a um cofre que estava dentro do guarda-roupas. Ele digitou o código 1632 ENTRA e abriu o cofre. Jamie não pôde evitar e olhou dentro do cofre. Havia dinheiro em diferentes moedas e várias caixas de relógios caríssimos e raros. Ed tirou uma caixa e fechou a porta do cofre com uma pancada. Ele balbuciava para Jamie enquanto tirava um relógio da caixa e colocava no punho.

– Ei, Jamie, estou falando com você – Ed estalou os dedos.

– Hmm, desculpe. Eu estava longe pensando em algo e acabei tendo uma uma ideia.

Ele se levantou rapidamente e disse que precisava sair. Ed não teve nem tempo de perguntar o porquê da saída repentina. Na visão de Ed, Jamie havia voltado de Dubai mais perturbado do que quando deixou Londres. Algo não estava certo com ele, mas Ed não queria se intrometer. Jamie era cabeça dura e orgulhoso e não deixava que ninguém lhe aconselhasse. Pegando uma sacolinha de presente que estava em cima de sua cômoda, Ed saiu do quarto apressado para o jantar de dia de Ação de Graças do Daniel.

***

Davy e Daniel admiravam, do canto da sala, seu trabalho. Eles se empenharam muito em decorar o apartamento de Daniel para o jantar de Ação de Graças. Havia abóboras e castiçais de vidro pelo chão de madeira. No peitoril da janela havia garrafas douradas, verdes e transparentes, contendo galhos de cerejas, e algumas abóboras entre as garrafas. A longa mesa de jantar estava decorada com uma exibição de vasos cilíndricos cheios de alpiste, dando uma base robusta para os galhos, de onde pequenas abóboras pendiam em pedaços de barbantes. Entre os vasos, abóboras ocas continham velas assim como frutas da estação. Também havia frutas, pinhas, abóboras, galhos secos e musgos. Eles levantaram os braços e bateram as mãos.

– Conseguimos! – comemorou Daniel. – Uma decoração típica de Ação de Graças.

– Ah não, espera! – Davy correu ao outro lado da sala e ligou um interruptor de luz, ascendendo luzes em formato de pequenas estrelas alinhadas uma ao lado da outra percorrendo toda a sala e cozinha, eliminando a sala.

– Uau – exclamou Daniel. – Está divino!

– Eu sei o quanto você ama estrelas, então, pensei em te fazer uma surpresa.

– Quando você fez isso?

– Eu fiz quando você foi ao supermercado, procurar carvela...

– Canela – Daniel o corrigiu.

– Isso, canela, para sua torta de abóbora.

O interfone tocou. Daniel estava orgulhoso do trabalho conjunto: – Está tão bonito que estou pensando em dizer para eles que vamos comer no terraço, para mantermos a decoração desse jeito e não ter o perigo de nada estragar.

Davy riu e lhe deu um beijo na bochecha: – Que fofo, você! – O interfone tocou novamente. – Vamos lá, meu fofo estrelar. Está na hora de mostrar para seus amigos seus dotes culinários.

Os primeiros a chegarem foram Amy, JC e Krissi. Daniel olhou para Amy e JC, como se perguntasse quem havia convidado Krissi, a que ambos responderam fazendo movimentos com a boca: – Nem pergunte. (Mais tarde Amy disse que Krissi tinha se autoconvidado quando ela mencionou o jantar no salão, enquanto Krissi "estiliza-va", Amy fez aspas com os dedos – o seu cabelo.)

Krissi apertou as bochechas de Daniel e parecia que não largaria nunca mais: – Seu apartamento está L I N D O, menino Daniel – ela disse, com sua mania de pôr espaços entre as letras de um adjetivo.

– O cabelo dela combina com a sua decoração – sussurrou Amy. – Ela poderia ser o peru da ceia.

Daniel deu um meio sorriso e, então, acionou seu modo anfitrião. Com um largo sorriso, ele disse a Krissi que disporia de outro lugar na mesa para ela. Davy carregava uma travessa e servia "eggnog"[4]

---

4 Eggnog: é uma tradicional bebida norte-americana, servida na ceia de Natal e muito semelhante à gemada, mas pode conter álcool. Tradicionalmente, o eggnog é uma combinação de leite, ovo e açúcar, servida com uma pitada de noz moscada. Fonte: Wikipedia.

aos convidados. Ed chegou logo depois, segurando uma embalagem de presente em uma mão e uma garrafa na outra.

– Jamie não virá? – perguntou Daniel, enquanto Ed lhe entregava o presente e o vinho.

– Para ser sincero, eu não sei. Ele saiu sem me dizer aonde ia.

Amy complementou a resposta de Ed: – Estou tentando falar com ele, mas seu celular está indo direto para caixa postal.

– Bem, eu planejei esse jantar para meus amigos mais queridos e mais próximos – disse Daniel.

Amy o interrompeu, pigarreando e apontando com a cabeça para Krissi, que estava ao lado da mesa, observando cada objeto de decoração.

Daniel sorriu e continuou: – A ideia era reunir meus amigos mais queridos e chegados esta noite para dizer o meu muito obrigado para todos vocês. Jamie não esteve tão próximo nos últimos anos, então, meio que deu certo, de qualquer forma.

O interfone tocou de novo, e dessa vez era Esther acompanhada de sua mãe. Quando Mimi entrou, de cadeira de rodas, todos se emocionaram. Ela sentia dificuldade em falar. – Daniel pegou sua mão direita e a beijou com carinho.

Davy deu um pouco de "eggnog" para Esther; Mimi recusou e pediu água. Uma vez que todos estavam com seus copos, Daniel ergueu as duas mãos e alegremente agradeceu a presença de todos.

– Eu escolhi esta noite para comemorar e agradecer a todos vocês pelo apoio e amor que me deram desde aquele dia, em que meu coração foi partido de uma forma que eu pensei que nunca seria...

A porta da frente abriu com uma pancada. Ryan apareceu com um grande sorriso no rosto: – Boa noite, todo mundo!

Todos ficaram hipnotizados, incapazes de entender o que Ryan fazia ali.

Alguém deixou o portão de entrada aberto lá embaixo – ele disse, ignorando todos os olhares.

– Então – Krissi pigarreou, limpando a garganta: – Você estava dizendo em agradecer a todos que o apoiaram e lhe deram amor naquele dia em que seu coração foi partido...

Davy ficou pálido. Assim como todos naquela sala, ele também não conseguia esconder a surpresa pela presença de Ryan. Enquanto Ryan tirava seu casaco e pendurava no suporte perto da porta, Daniel dizia a Davy que Ryan não tinha sido convidado, e não sabia a razão de ele estar ali.

– Por minha causa – disse JC.

– Quê? – Daniel estava tanto irritado quanto confuso.

– Ryan foi à cafeteria hoje. Conversamos um pouco, e eu acabei falando sobre o jantar. Eu achei que ele tinha sido convidado, então...

Ryan tocou Daniel no ombro: – Bonita decoração. Você sempre quis dar um jantar de Ação de Graças. Qual é a ocasião?

Daniel suspirou nervoso: – Não força, Ryan.

Com o intuito de não estragar a noite, Davy decidiu deixar seu sentimento de desconforto de lado. Ele ofereceu a taça de eggnog que era de Mimi para Ryan. Aprovando a atitude de Davy, Daniel tentou ser otimista. Ele levantou sua taça para fazer outro brinde.

– Vamos comemorar, pessoal – ele disse. – À vida e às lições que aprendemos, e... – ele parou, esperando todos levantarem suas taças e prestarem atenção – e a novos começos.

– Boa – disse Amy, olhando para Ed, e os dois riram.

Havia muitos abraços e sorrisos, e todos pareciam estar de alto astral.

***

– O jantar estava delicioso – disse Ed, quando ele e Amy subiram para o terraço, algumas horas depois.

– É, estava mesmo – concordou Amy. – O Daniel realmente mandou bem.

– Como sempre.

Amy sorriu: – Como sempre.

Ed colocou a mão no bolso e tirou um pacote de cigarros.

– É o último, prometo – ele adiantou a bronca.

Ela suspirou e deixou claro pela expressão facial que desaprovava tal atitude.

– Por onde você se escondeu, afinal de contas? – ela perguntou. – Eu não te vejo faz um tempo.

– Quem diria. Então, você sentiu minha falta?

Amy olhou para ele: – Sim, senti.

– Achei que você estivesse muito ocupada brincando de namoradinha com o Lord Jamie para sentir minha falta.

Ela mordeu o lábio e olhou nos olhos de Ed: – Ele é apenas uma distração. Ele estava lá quando minha mãe morreu e tem me feito companhia. Ele me ajudou a esquecer de toda a porcaria que aconteceu esse ano. Mas não estou apaixonada por Jamie Lotte.

Ele tragou seu cigarro: – Bem, apenas me restaria te desejar boa sorte se você estivesse apaixonada. Porque você precisaria de muita. Ele é problema.

Amy olhou para o céu por um momento, perdida em seus pensamentos: – Você conhece a teoria de Daniel e a forma que ele brinca, dizendo que sou uma lua, porque tenho muitas fases e todas aquelas coisas – Ed assentiu. – Eu venho tentando mudar de verdade – ela continuou. Havia muita vulnerabilidade em sua voz. – Eu não quero mais ser uma lua. Não quero ser aquela que espalha tristeza e amargura àqueles que amam.

Ed olhou para ela com olhos gentis: – Notei.

– O quê?

– Notei que você está tentando mudar.

– Notou?

– Sim, mas você não deveria se preocupar tanto.

Ela olhou para ele de forma confusa, e os dois fixaram seus olhares fundo olhando um nos olhos do outro.

EPISÓDIO LENNON **263**

– Você é minha estrela – ele disse.

Amy sorriu, sentindo-se muito feliz, e apoiou sua cabeça no ombro dele. "E você é minha constelação", ela pensou, mas, mais uma vez não teve coragem de dizer a ele.

– Vem, gente – JC gritou da porta. – Daniel está servindo a sobremesa.

Daniel e Davy serviram as sobremesas.

– Do começo da mesa para o final temos: torta de abóbora, bolo de abóbora e cheesecake de abóbora – disse Daniel, muito orgulhoso do seu feito.

– É muita abóbora, Dan – Amy forçou um sorriso, passando os olhos pela mesa.

Ed a cutucou por baixo da mesa: – É muita abóbora e nós AMAMOS abóbora – com forçada positividade para alegrá-lo.

Daniel sentou-se em seu lugar, todo feliz: – Fico feliz que gostem.

– A noite está muito boa – Davy pousou sua mão gentilmente sobre a mão de Daniel.

– Sim, está. Obrigado a todos pela alegria, pelas risadas – Daniel voltou-se para Ryan. – E também por não ter nenhum drama, nenhuma discussão.

– Ah, Dan, você teve tempo de falar com Ryan? – perguntou JC.

– Falar o quê? – perguntou Ryan.

Daniel calou-se.

– Oh – JC parecia desapontado. – Então, você não quis comentar com ele?

– Comentar o quê? – Ryan parecia desconfiado. – Do que ele está falando, Dan?

Daniel respirou fundo: – JC me perguntou se podíamos considerá-lo para um personagem em "Casting Stars".

Os demais se encostaram nas respectivas cadeiras, sentindo o climão.

– Nós já conversamos sobre isso – Ryan estava sério. – Não conversamos?

Daniel arqueou as sobrancelhas: – Prometi a JC que falaria com você de novo e talvez...

Ryan expressou desaprovação: – Não entendi o talvez. Foi você que me disse que não achava que JC se encaixaria em nenhum de nossos personagens, por isso nunca o convidamos.

– Oh! – JC levantou-se. – Estou tão envergonhado.

– Não, por favor, JC – disse Daniel, que também se levantou. – Sente-se. Deixa eu te explicar tudo.

– Não, não, já entendi. Todos vocês pensam que eu sou um lixo de ator que não consegue nem falar inglês devidamente. Já entendi – ele correu para o cabideiro para pegar o seu casaco.

– Espere – implorou Daniel. – Não vá embora assim.

JC o ignorou. Vestiu seu casaco e foi embora, batendo a porta.

– Você tinha que falar assim na frente dele? – gritou Daniel.

– Você me colocou em uma situação difícil – disse Ryan, no mesmo tom de raiva de Daniel. – E, além disso, estou cansado de ser visto como o vilão da história. Foi você quem não quis que ele fizesse o papel e eu apenas concordei com a SUA decisão e, agora você vem querer que eu saia como culpado! – Ele se dirigiu até Daniel, se posicionando a poucos centímetros de seu rosto e falou: – Talvez você devesse ter alguma responsabilidade pelas suas próprias decisões e fazer o papel de mau também – ele pegou seu casaco e o vestiu. – Te vejo amanhã para nossa reunião com os produtores. Não se atrase – ele saiu, também batendo a porta.

– E como você dizia, obrigado a todos pela alegria e pelas risadas. Por nenhum drama ou discussões – Krissi falou ironicamente, enquanto virava seu copo de champanhe.

***

Os produtores inclinaram-se para frente em suas cadeiras, de um lado da longa mesa da sala de reuniões.

– Nós queremos você, Esther, mas a verdade é que não podemos mais esperar. As gravações precisam seguir nosso planejamento.

– Mas é daqui a duas semanas – ela balbuciou, desanimada. Ela sentiu sua mão ser espremida pela mão de Daniel por baixo da mesa. – Não sei se vou conseguir encontrar um lar para idosos para minha mãe em um período tão curto.

O homem de terno levantou suas mãos, indicando que não era problema dele. – Escute, você precisa nos dizer agora se está dentro ou fora, porque se não puder fazer o personagem, temos de chamar uma atriz para substitui-la.

Dizer "sim" significava internar sua mãe em uma casa para idosos, uma iniciativa que ela tinha jurado a si mesma e ao seu pai que nunca teria. Um "não" significava jogar fora sua maior e talvez a única oportunidade de ter sucesso em sua profissão como cantora e atriz. De um lado, sua mãe, do outro lado, Daniel, que sempre acreditou nela e que havia criado o personagem pensando nela. Ela sabia, porém, que independentemente da decisão que tomasse, seu coração seria partido.

– Eu sei o que eu quero fazer – sua voz quase inaudível.

Episódio Elvis

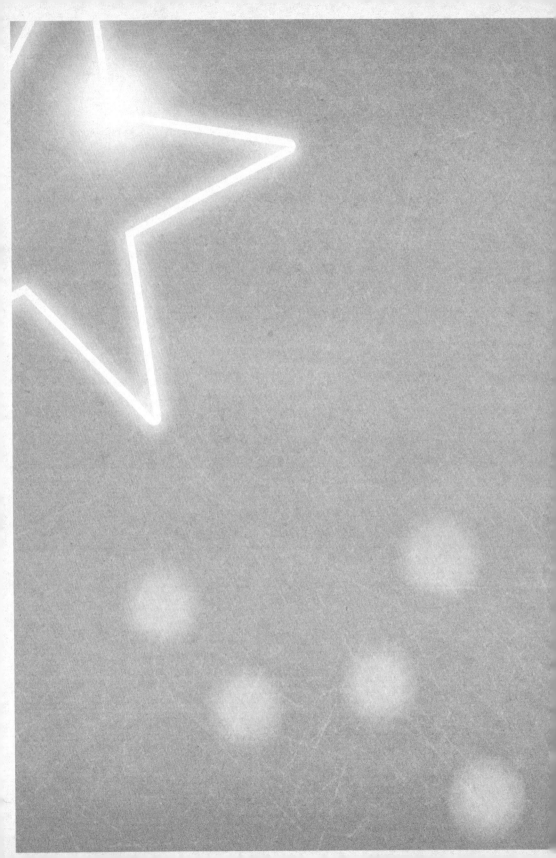

Capítulo 40

Uma semana depois, Ed descia a rua King's Road em Chelsea, carregado de sacolas de compras. Considerando que estava passando pela área, aproveitou a oportunidade para fazer algumas compras de Natal e depois encontrar Daniel. Eram 4 horas da tarde e, como acontece na época de Inverno na Inglaterra, já estava escuro, fazendo a tarde parecer noite. As luzes e decorações de Natal traziam magia ao escuro dia de Inverno. O bairro de Chelsea apresentava um tema diferente de Natal aquele ano, "Ouro brilhante", e todas as ruas em volta da rua King's Road estavam decoradas de acordo com o tema, com grandes laços de cor dourada metálica, luzes douradas cobrindo todas as árvores e uma grande estátua de Papai Noel todo revestido de dourado. Quando se aproximou da praça Duke of York Square, pôde ver todas as caminhonetes da produtora de TV estacionadas do lado de fora, e várias pessoas da equipe de TV em volta, arrumando a luz, os cabos e todos os equipamentos para a gravação que aconteceria naquele dia.

Ed:
Ei amigo, estou aqui.

Daniel:
Estou no trailer pequeno e branco, no final do quarteirão, em frente à loja Peter Jones. Beijos.

Ed:
Legal. Te vejo em um segundo. Bjo

– Uau, Dan! Você tem seu próprio trailer.

Daniel estava no topo da escada do trailer, esperando por Ed. Eles se abraçaram, apesar das sacolas de compras que Ed carregava deixarem o abraço um pouco atrapalhado.

– Bem, não é exatamente meu – brincou Daniel.

Eles entraram no trailer, e Ed viu Ryan sentado em uma mesa pequena, escrevendo no seu caderno. Ryan o cumprimentou e voltou para seu trabalho.

No trailer tocava Elvis. Daniel explicou que a história começava no natal e algumas canções de Elvis seriam interpretadas no primeiro episódio.

– É por isso que Esther cantou tantas vezes Elvis na festa de Ação de Graças? – perguntou Ed.

Daniel confirmou: – Ela filmará sua primeira cena na segunda-feira e será uma grande cena. Sua personagem vai interpretar uma música linda do Elvis no palco do Parque de Natal Winter Wonderland.

– É uma música muito poderosa. Todos aqueles instrumentos e aquele vozerão dela, será maravilhosa a música para a sua série – Ed comentou.

– É o clímax do primeiro episódio – comentou Daniel. – Ei, mudando de assunto, você falou com o JC depois do jantar de Ação de Graças? Ele está ignorando minhas ligações.

– Eu o vi na cafeteria. Ele está muito chateado com... Você sabe, não ser convidado para fazer parte do show. Eu não sei o que dizer. Eu o ouvi, o deixei desabafar e depois eu disse a ele que a melhor coisa para vocês dois fazerem seria sentar e conversar.

Daniel olhou para baixo e coçou a nuca.

– Tem certeza que não tem nada que vocês possam fazer por ele? – perguntou Ed. – Você sabe o quanto ele vem trabalhando para conseguir uma oportunidade. Amigos são família, Dan, e temos de fazer tudo que pudermos por nossa família. Sempre.

Uma jovem usando fone de ouvido bateu na parede do trailer: – Meninos, Stephen pediu para chamar vocês. Ele precisa de vocês no set. Ele não tem certeza se a árvore de Natal que encontramos é alta o suficiente e ele quer a opinião de vocês.

– Claro, Becca – disse Daniel, procurando pela sua jaqueta preta estampada com o logo da série. – Já estamos indo.

– Me desculpe por te pressionar assim a respeito do JC. Afinal, esse é o seu maior projeto. Você tem que fazer o que for melhor para a série, isso eu entendo completamente. Eu só precisava dizer o que penso.

– Não se preocupe, Ed. Eu entendi. Não é fácil para mim dizer não para ele. Eu só sei que ele não está pronto para um projeto desse porte e dessa importância – ele suspirou fundo. – Preciso ir e verificar esta tal árvore. Você espera aqui? Talvez possamos tomar um café rápido depois?

Ed pegou suas sacolas de compras: – Deixa quieto, é seu primeiro dia de filmagens, e dá para notar que está muito ocupado. Eu só queria mesmo dar uma passada e te desejar toda a sorte do mundo para a série e ver se precisava de alguma ajuda.

– Você é o melhor, Ed! – Estamos bem, obrigado por perguntar, mas saiba que você é mais do que bem-vindo para ficar e assistir à filmagem.

– Obrigado, mas vou deixar para próxima. Quero terminar minhas compras de Natal. Aprendi com meus pais a nunca deixar as compras de Natal para o último minuto. Tradição dos Threadgold! Mas, dependendo de quando vocês forem gravar a apresentação da Esther na segunda, eu gostaria de assistir, se puder.

– Claro. Vou checar de novo os horários e te aviso. Talvez você possa ser um dos nossos ajudantes.

Quando deixavam o trailer, Ryan perguntou se Ed poderia dispor de cinco minutos para uma conversa. Daniel e Ed trocaram olhares, mas Ed concordou e ficou.

Ryan esperou Daniel atravessar a rua e estar fora de alcance antes de dizer: – É o aniversário do Dan na próxima sexta. Pensei em fazer uma festa surpresa, mas tomando em consideração tudo que aconteceu esse ano, não é muito apropriado que eu organize. Eu estava pensando se você poderia...?

– Claro. Faço tudo pelo Dan. Vou criar um grupo no whatsapp e mandar mensagem para todo mundo.

– Perfeito! Eu estava pensando em fazer no The Rocket, e todos nós poderíamos cantar para ele – Ryan começou a balbuciar, explicando o que tinha em mente. – Talvez todos pudéssemos preparar uma música e cantar para ele? Seria legal. Ele adoraria te ver cantar. Posso falar com o gerente do bar e podemos decorar o The Rocket com planetas, luas e estrelas do jeitinho que ele gosta.

– Ei – Ed o parou. – Não era eu quem ia organizar essa festa?

Ryan riu: – Desculpe, viajei aqui nas minhas ideias. Acho que é o costume de sempre organizar os aniversários de Dan aliado com o lado produtor dentro de mim esperando para organizar e controlar tudo.

– Deixe tudo comigo. Vou montar um grupo no Whatsapp, convidar todo mundo e cuidar de tudo. A propósito, gostei da ideia da decoração. Me ligue, caso tenha outras ideias.

Ryan foi pego de surpresa pelo jeito gentil de Ed. Naquele momento, mais uma vez. Dentro de seu íntimo ele se arrependeu de ter deixado Daniel esperando no altar. Ele forçou um sorriso: – Ok, ligarei.

– Te vejo mais tarde, parceiro – Ed disse, antes de deixar o trailer.

**

Mimi estava passando sua última noite na casa onde tinha vivido por mais de quarenta anos. Ela conseguiu convencer Esther de que no lar de idosos ela teria ajuda profissional e apoio vinte e quatro horas por dia. Ela sabia que, se dependesse de Esther, ela ficaria em casa e Esther perderia sua grande chance profissional.

Mimi não queria que isso acontecesse outra vez. Não a impediria de interpretar um dos personagens principais na série de TV de Daniel. A culpa por ter feito Esther perder oportunidades no passado assolava sua alma, e naquele momento estava determinada a não atrapalhar a filha. Embora Mimi tivesse certeza de sua decisão, intimamente sofria muito.

Mimi passou a maior parte daquela semana rememorando os belos momentos vividos naquela casa. Lembrou-se do dia em que ela e o marido Anthony decoraram a casa pela primeira vez, as risadas deles juntos, o primeiro carro, o nascimento de Esther. Foram muitas as lágrimas ao recordar os dias felizes que não retornariam mais.

Quanto à Esther, estava emocionalmente esgotada devido aos embates das últimas semanas. Mas, a decisão de encaminhar sua mãe para uma casa de repouso significava a mais difícil de todas as tarefas de sua vida. A perda de oportunidades de trabalho perdidas no passado não incomodavam Esther, pois para ela era uma imensa alegria cuidar da mãe. Contudo, naquelas circunstâncias, não sabia se estava fazendo a escolha certa. Qual o preço de se tornar uma celebridade se para isso precisasse renunciar a compartilhar seus dias com sua mãe? Essa série valeria tamanho sacrifício? Essas perguntas a assombravam.

Ela olhou para sua mãe de outro ângulo em sua cadeira de couro; o fisioterapeuta dissera que Mimi precisaria ser estimulada com frequência, uma vez que o AVC tinha imobilizado parcialmente seus membros. – Como você se sente, mãe?

– Eu me sinto bem, querida. Eu me sinto muito bem – Mimi sorriu para ela, também escondendo sua profunda tristeza.

Era tarde da noite, bem longe da hora habitual de dormir. Elas demoraram a ir para a cama, sabendo que domingo de manhã não seria mais um domingo típico na igreja.

A canção "I saw mommy kissing Santa Claus" começou a tocar no especial de Natal na TV.

– Papai costumava cantar essa canção para mim – relembrou Esther. Ela se emocionou ao olhar para a árvore de Natal no canto da sala de estar.

– Sim, é verdade. Ele costumava cantar esta canção, minha querida. Ele amava o Natal – Mimi fechou os olhos para conter as lágrimas.

Esther começou a chorar. Ela cobriu o rosto com as duas mãos enquanto soluçava. A música continuava na televisão, e Mimi mantinha os olhos fechados, lembrando-se dos seus Natais em casa e dos muitos parentes que as visitavam após o almoço de Natal. A casa ficava lotada de irmãs, irmãos e das crianças, que corriam e brincavam pela casa, trazendo muita alegria e felicidade.

Com o passar dos anos, as tradições se esgotaram. "Os adolescentes não gostam de passar tempo com suas famílias", ela costumava ouvir de seus irmãos e irmãs. Mais tarde, as crianças tornaram-se adultas e pais e formaram suas próprias famílias. E depois, seu marido Anthony faleceu e, então, ficaram apenas ela e Esther passando o Natal juntas. Ela tinha entendido: a vida muda, as pessoas crescem e suas prioridades passam a ser outras. Mas, "diacho"! Ela sentia falta daqueles dias. Embora, quando jovem, ela tivesse viajado pelo mundo, tocando e gravando canções, ela viveu para a família. Ela sempre ensinou Esther que família é ouro; família é tudo.

– Não chore, minha querida, ela disse à filha. – Nós escolhemos transformar lembranças em tristezas insuportáveis ou torná-las especiais e sorrir sempre que pensamos nelas.

Esther correu para a cadeira de couro onde Mimi estava sentada e a abraçou, sem mais medo de expor as lágrimas.

***

Ed criou o grupo: Aniversário do nosso Daniel

Ed:
Oi gente, criei esse grupo para organizarmos uma festa surpresa para Dan.

Amy:
Ótimo! Vamos fazer uma ótima festa para ele.

Ed:
PS: Alguém pode me passar o número do Davy para eu o adicionar no grupo?

Esther:
Desculpe gente, não sei se vou conseguir. As coisas estão meio difíceis no momento. Vou me esforçar. Beijos

Amy:
Como está a Mimi?

Ed:
É, como está a Sr.ª Taylor, Esther?

Esther:
Ela está bem, mas vai para a casa de repouso amanhã. Me sinto péssima. Não consigo parar de chorar.

Amy:
Sinto muito em ouvir isso.

Ed:
Eu também. Me avisa se tiver algo que eu possa fazer. Qualquer coisa.

Amy:
Conta comigo também, Esther. Qualquer coisa que precisar.

Esther:
Vocês são uns amores. Infelizmente, não tem nada a se fazer. É um momento que temos que passar juntas, como mãe e filha. Obrigada, de qualquer forma. Significa muito para mim.

Amy:
:,(

Davy foi adicionado ao grupo.

Jamie foi adicionado ao grupo.

Stuart foi adicionado ao grupo.

Ryan foi adicionado ao grupo.

Ed:
Escute todo mundo. É aniversário do Dan sexta que vem e acho que devemos fazer uma festa surpresa. Ele passou por muitas coisas tristes esse ano.

Amy:
Obrigada por isso, Ryan!

Ryan:
Vou fingir que não entendi a ironia, Amy.

Amy:
Não foi ironia, não.
Foi um comentário direto.

Ed:
Gente, estamos aqui pelo Dan. Ryan teve uma ótima ideia hoje mais cedo. Poderíamos fazer uma festa com o tema "planetas, luas e estrelas" no The Rocket. Ryan sugeriu que todos cantássemos uma música para Dan e decorássemos o The Rocket com esse tema. Minha voz é péssima, como todos vocês sabem, mas eu topo a vergonha.

Amy:
Eu não vou fazer um show no palco do nosso bar preferido. Mas amei a ideia do tema.

Davy:
Eu topo cantar algo para ele. Também gostei da ideia de decorar o bar.

Ed:
Stuart, eu sei que você mal conhece o Dan, mas achei que você poderia nos ajudar com a decoração.

Stuart:
Claro. Eu posso pegar emprestado do arquivo do departamento de artes da faculdade.

Ed:
JC?

JC DEIXOU O GRUPO.

Amy:
Nossa!!!!

Ed:
Ok, todo mundo. Temos um plano, então. The Rocket, próxima sexta às 21h. Ryan vai entrar em contato com o gerente do bar e organizar as decorações, vou te passar o contato do Stuart. Amy, não canta. Davy canta. Stuart cuida da decoração. JC na lista de ausentes.

Ryan:
Eu vou cantar =D

Davy:
Vou levar o Daniel para o jantar no Sky Garden. Eu calculo que consigo levá-lo ao The Rocket por volta das 22h. Vou arrumar uma desculpa para levá-lo sem estragar a surpresa. Deixe comigo.

Amy:
Que chique, Davy! Eu já fui lá com o pessoal do trabalho. É uma ótima escolha para um jantar romântico. Ele vai amar.

Davy:
Tomara, Amy. XD

Ed:
Ótimo! 22h para você e para o Dan (não conte a ele). O resto, estejam lá até as 21h15, para podermos organizar tudo.

Capítulo 41

No momento em que Esther e Mimi chegaram à casa de repouso foram recebidas por uma das enfermeiras. Tratava-se de uma mulher forte, de estatura baixa e cabelos avermelhados que falava em demasia e tinha o hábito de rir das próprias piadas. Pegou as malas, enquanto Esther empurrava a cadeira de rodas de Mimi, e apresentou rapidamente o local antes de levar Mimi até seu quarto – o quarto que Mimi chamaria de casa daquele momento em diante.

Mimi forçou um sorriso, evitando demonstrar a Esther seus reais sentimentos. Enquanto a enfermeira mostrava as dependências da casa de repouso, ela usava a palavra "alegre" em todas as frases: a alegre área comum, a alegre sala, a alegre sala de TV, o alegre restaurante. Esther e Mimi permanceram em silêncio, irritadas com toda a alegria da enfermeira, o caminho inteiro. Quando adentraram o quarto, o som da mala tocando o chão cortou o coração delas.

Mimi expirou: – Estamos aqui. – Ela olhou ao redor do quarto apertado e não conseguiu evitar a comparação com sua casa de dois andares no bairro de Peckham.

A enfermeira começou a conversar novamente, ainda mais animada que antes: – Você viu a vista do seu quarto para o jardim? Parece cinza nessa época do ano, meio sem vida, eu sei, porém eu juro que o jardim fica lindo na primavera. As rosas! Ah, as rosas! Sei que vai amá-las. Elas deixam o ambiente ainda mais alegre!

Ela continuou a mostrar os acessórios no banheiro, assim também o toalete, que era planejado exatamente para as necessidades de Mimi. Apesar de não usar a palavra "alegre" dessa vez, ela mantinha seu tom entusiasmado, como se fosse uma corretora de imóveis luxuosos, apresentando um imóvel para compradores em potencial.

Mimi e Esther deram um meio sorriso. Elas não estavam dispostas a conversas triviais, e nem tinham muita energia para toda aquela alegria.

– Ah!... Enfermeira? – Esther a interrompeu. – Me desculpe, esqueci completamente seu nome.

– Teni. Teni Saunders.

– Enfermeira Teni, minha mãe e eu poderíamos ter um momento a sós?

– Ah, sim. Claro. Há um botão vermelho ao lado da cama, sinta-se à vontade para acioná-lo a qualquer momento que queira falar comigo. Antes de você ir, Srt.ª Taylor, você poderia, por favor, me chamar? Preciso que assine alguns papéis.

– Claro – respondeu Esther.

***

Nas primeiras horas da manhã de segunda-feira, a entrada superior do Hyde Park estava ocupada por toda a parafernália da equipe de TV. Estava escuro e fazia muito frio naquela manhã de inverno. Ed e Amy perambulavam pela multidão, Ed lendo as instruções que Daniel tinha mandado para ele por mensagem. Enquanto caminhavam entre os caminhões, cabos de energia, gruas de filmagem, Ed perguntou a Amy se ela tinha tentado falar com o JC novamente sobre assistir à Esther gravar sua primeira cena.

Ela admitiu: – Ele é muito teimoso. Não quer nem quer falar a respeito.

Eles apresentaram seus passes para um dos seguranças na entrada do parque e seguiram as direções de Daniel até alcançarem uma tenda enorme, onde o palco principal estava localizado.

– Uau – Ed correu os olhos pela tenda, que estava toda preparada para a filmagem.

O local, inicialmente degradado e frequentado por pessoas embriagadas, agora abria espaço para um cenário maravilhoso, muito diferente ao que Daniel e Ryan tinham visto na primeira visita ao parque. Uma árvore enorme de Natal e outras decorações faziam daquele lugar um cenário muito especial.

A equipe tinha organizado fileiras de cadeiras na frente do palco onde Esther se apresentaria mais tarde, e os atores figurantes, já em seus figurinos, tomavam seus lugares.

– Vocês vieram! – Daniel correu em direção a Ed e Amy, comemorando, e os três se abraçaram.

– Acordar as três da manhã não é para mim, mas, você sabe que há um círculo muito pequeno de pessoas muito privilegiadas em minha vida, pelas quais eu acordaria às três da manhã, Dan – Amy bocejou. – E você está nele.

– Eu agradeço por ter vindo a essa hora, gente. Temos um cronograma bem apertado e esta cena está programada para ser gravada às cinco horas. Não podíamos fazê-la à noite, uma vez que o parque fica aberto até tarde. E, depois, a equipe teve de limpar e arrumar tudo para a gravação. Além do que precisamos filmar enquanto ainda estiver escuro, para fingir que é noite.

– Não se preocupe, Dan – Ed bateu em seu ombro. – Estamos felizes em estar aqui. Cadê a grande estrela do dia?

– Ela está em seu trailer fazendo a maquiagem. Venham comigo, levo vocês lá.

– Equipe, se prepare para gravar em trinta minutos – gritou o diretor pelo megafone.

– E Jamie, ele não disse que viria? – perguntou Daniel do lado de fora do trailer de Esther.

Ele e Ed olharam para Amy.

– Não olhem para mim – ela disse. – Jamie anda muito estranho. Mais do que de costume. Não sei onde ele está.

A porta do trailer se abriu e uma jovem mulher, usando um avental utilitário de maquiagem, desceu os degraus. Ela informou que Esther estava pronta. Antes mesmo que Amy, Ed e Daniel adentrassem o recinto, Esther apareceu na porta. Ela estava radiante e maravilhosa em um vestido vermelho.

– Ai, meu Deus, você está linda – disse Daniel.

Amy aplaudiu: – Você está maravilhosa!

Ed estendeu a mão para ajudar Esther descer as escadas, e quando ela o fazia, agradeceu a todos pelos elogios.

E esse corpo, mulher, olha essa cintura! – Amy observou.

– Graças a três meses sem carboidratos e muito estresse – disse Esther quando pisou no chão.

Uma produtora aproximou-se deles: – Esther, precisamos de você no palco em cinco minutos. O diretor quer um último ensaio antes de gravar.

Quando Daniel, Amy e Ed já estavam acomodados na primeira fileira, junto aos atores, Jamie chegou, exibindo olheiras profundas e aparência desalinhada.

– Onde você esteve? – sussurrou Amy.

Ele sorriu e lhe deu um selinho: – Negócios. Meus escritórios em Dubai estão em outro fuso horário, não se esqueça – dessa vez ele não convenceu nem a si mesmo.

***

– E, ação! – gritou o diretor.

A banda começou a tocar "An American Trilogy", de Elvis, de uma forma muito fiel à versão original. Esther foi lentamente revelada pela luz, que a centralizou inicialmente no palco, focando seu vestido vermelho cintilante, percorrendo pouco a pouco seu corpo, até finalmente iluminar seu rosto, enquanto ela cantava o primeiro verso da canção:

Oh I wish I was in the land of cotton
(Oh, eu queria estar na terra do algodão)
Old things they are not forgotten
(Oh, não esqueço os velhos tempos)
Look away, look away, look away Dixieland
(Tão longe, tão longe, tão longe Dixieland)
Oh I wish I was in Dixie, away, away
(Oh, eu queria estar em Dixieland, longe, longe)
In Dixieland I take my stand to live and die in Dixie
(Em Dixieland eu tomo meu lugar para viver e morrer)

Daniel, Amy, Ed, Ryan e Jamie a assistiam da primeira fileira, perplexos. Sua voz soava ainda mais forte e poderosa do que o habitual.

Enquanto cantava, Esther mantinha os olhos fechados, um gesto a que ela tinha sido instruída a não fazer; e naquele instante, lembrou-se do dia anterior.

Após esvaziar as malas de sua mãe, ela ajudou Mimi a se deitar na cama da casa de idosos. Contudo, no momento da despedida viu sua mãe desmoronar. Mimi fechou os olhos e soluçou. Esther, que estava segurando o choro quase o dia todo, cedeu às suas emoções. Mãe e filha se abraçaram e choraram juntas.

Conforme a cena se repetia em sua mente, lágrimas corriam pelo seu rosto enquanto cantava. Todos que a assistiam, com exceção de Daniel, Ryan, Ed e Amy, pensaram se tratar de parte da interpretação. As câmeras neste momento estavam focadas em sua face.

Sua voz começou a falhar quando chegou no refrão:

Glory, glory hallelujah
(Glória, glória Aleluia)
Glory, glory hallelujah
(Glória, glória Aleluia)
Glory, glory hallelujah
(Glória, glória Aleluia)
His truth is marching on
(Sua verdade continua marchando)

– Ficarei bem, querida – Mimi disse, entre lágrimas. – Te prometo. Vou me cuidar.

– Ah, mãe, venho te visitar, toda semana. Não passará uma semana sem que eu esteja ao seu lado.

– Você deve ir e fazer seus sonhos acontecerem. Vá mostrar ao mundo o quanto você é maravilhosa e talentosa, minha querida.

– Eu sou maravilhosa, mãe, porque sou sua filha.

Mais lágrimas caíam pelo seu rosto enquanto cantava. Daniel, Ed e Amy choravam enquanto assistiam à sua amiga soluçar no palco. Quando cantou: "Don't you cry/ You know your daddy's bound to die" ela visualizou Mimi e derrubou o microfone.

Daniel levantou-se imediatamente, seguido por Ryan. Esther desceu os degraus do palco e correu entre a equipe e os atores, que olhavam para ela sem entender o que estava acontecendo.

Daniel foi atrás dela e conseguiu agarrar seu braço: – Me desculpe, Dan. Mas não posso fazer isso – ela se desvencilhou e correu para fora da tenda.

Amy, Ed e Jamie juntaram-se a Daniel no centro da tenda. Eles perguntaram o que havia acontecido, mas Daniel olhou para baixo e sacudiu a cabeça.

– Eu não sei, gente. Eu não sei.

Ryan aproximou-se deles: – Dan você precisa falar com ela. O diretor e os outros produtores executivos não gostaram nada daquilo. Por favor, vá até o trailer e encontre um jeito de trazê-la de volta.

Daniel foi em direção ao trailer dela, mas quando chegou lá viu Esther, distante, correndo. Ela segurava seus sapatos na mão e estava perto da entrada do parque. Ele sabia que não conseguiria alcançá-la.

***

Esther ainda podia ouvir a música de Elvis tocando em sua cabeça. Sentada no banco de trás do táxi, com a cabeça apoiada na janela, "An American Trilogy" se repetia, do mesmo modo que a cena de despedida de Mimi na casa de repouso vinha à sua mente repetitivamente.

– Eu tentei diversas vezes, mas ela não está atendendo ao celular, Ryan – disse Daniel, irritado.

– Continue tentando – pediu Ryan, em pânico. – Ela não vai apenas estragar sua única chance na vida, ela vai estragar nosso projeto inteiro. Estamos ainda no começo. Os executivos podem facilmente decidir desistir da série.

– Eu sei, Ryan. Eu sei – Daniel tentou ligar de novo. – Agora está indo direto para a caixa postal.

– Dan, você tem o endereço da casa de repouso onde está a mãe de Esther? – perguntou Ed. – Está bem claro que ela deve ter ido para lá.

Daniel balançou a cabeça negativamente.

– Você pelo menos sabe o nome? – perguntou Ed. – Se descobrir o nome, vou até lá e falo com ela, e enquanto isso você e Ryan tentam lidar com os produtores.

– Ryan estralou os dedos: – Ótima ideia, Ed!

Daniel passou os dedos por suas conversas no Whatsapp até encontrar uma mensagem de Esther, em que ela mencionava o nome do lugar. Enquanto Ed corria para a saída do parque, Ryan e Daniel voltavam apressados para a tenda a fim de encarar os produtores e o diretor e tentar explicar o que tinha acabado de acontecer.

Jamie e Amy ficaram onde estavam, olhando um para a cara do outro, sem saber o que fazer.

– E não são nem seis da manhã ainda e já teve todo este drama – disse Amy. – Se eu correr para casa, ainda dá tempo para um cochilo antes do trabalho.

– Ou podemos voltar para casa e nos mantermos ocupados até dar a hora do trabalho – Jamie piscou para ela e se aproximou para dar um abraço, mas Amy se afastou.

– Desculpe, Jamie. Sinto que preciso ir para casa tirar um cochilo.

– Ok, então, podemos ir e tirar um cochilo.

Ele se aproximou dela, mas Amy se afastou e levantou as mãos.

– Na verdade, eu quero ficar sozinha – ela fez menção de tocar o braço dele, mas desistiu. – Preciso ir. Te mando mensagem mais tarde.

Ela se virou e foi embora, sem esperar a resposta.

***

Mimi estava sentada em sua cadeira de rodas, olhando para fora da janela. Enquanto assistia aos primeiros flocos de neve do ano caírem no jardim, ela concluiu que odiava a vista. Não havia nada de alegre no jardim ou na casa de repouso. Ela mal tinha dormido na noite anterior e tinha rejeitado todas as tentativas das enfermeiras de levá-la para as áreas comuns. É como se toda a tristeza guardada nas últimas semanas tivesse sido derramada de uma só vez.

– Mãe! – gritou Esther emocionada.

Mimi virou-se, surpresa – Esther?

Ela correu até Mimi. – Vim te buscar, mamãe. Você vai voltar para casa. Nossa casa.

– Mas... – Mimi atrapalhou-se com as palavras. A noite passada na casa de repouso tinha sido tão perturbadora, que ela não conseguia esconder o alívio ao ver Esther. Ela derramou uma lágrima de alegria.

– Mas, e a sua série? A sua carreira?

Esther inclinou-se para ficar no mesmo nível que Mimi: – Eu não sei, mãe. Eu não sei. Tudo que sei é que você precisa voltar para casa. Para a casa a que você pertence. Somos uma família. Nada importa para mim se eu não tiver você comigo.

Mimi deixou as lágrimas rolarem pelo rosto.

Ed chegou em seguida, no momento em que Esther e Mimi deixavam a casa de repouso. Era uma cena emocionante – mãe de filha, uma ao lado da outra, felizes e reunidas.

– Olá, meu lindo. O que você faz aqui? – perguntou Mimi quando viu Ed parado em frente ao seu Mercedes-Benz SL Cabrio.

Ele se curvou e beijou a mão de Mimi: – Eu ouvi falar que duas belas senhoras precisavam de uma carona para casa, então, estou aqui como o motorista que irá levá-las.

Capítulo 42

Grupo: Aniversário do nosso Daniel

> **Ryan:**
> Oi, gente. Falei com o gerente do bar e está tudo certo para sexta à noite. Também consegui que alguns amigos músicos tocassem, então, terá uma banda para acompanhar todo mundo.

> **Ed:**
> Que ótima notícia.

> **Amy:**
> Eu não vou cantar!

> **Ed:**
> Tá, tá, tá!

A sexta-feira chegou e a semana realmente voou para Daniel e Ryan, que estiveram ocupados com as gravações de "Casting Stars". Eles falaram com Esther e, após quebrarem a cabeça, conseguiram reestruturar o calendário para que ela conseguisse cumprir as gravações de suas cenas. Somado a esse remanejamento, Esther logrou ajuda de alguns primos no cuidado de Mimi nos dias em que ela se ausentava em razão das gravações.

– É estranho, é como se todos os meus amigos tivessem se esquecido do meu aniversário – Daniel disse a Davy durante o jantar no restaurante Fenchurch, no topo do prédio Sky Garden, um arranha-céu em formato de walkie-talkie.

Daniel olhou para a cidade lá fora, com seus olhos marejados prestes a chorar. Davy achou difícil ver Daniel tão chateado sem poder contar a ele a verdade sobre a festa surpresa.

– Eles nunca esqueceram meu aniversário antes. Eu entendo que JC não esteja falando comigo no momento. Mas e o Ed e a Amy?

– Talvez estejam ocupados. Estamos a apenas duas semanas do Natal, e você sabe como as pessoas normalmente ficam estressadas nessa época. Olhe para você, por exemplo. Você tem trabalhado tanto.

– Talvez você esteja certo.

– Vamos falar sobre nossas férias em Aruba – disse Davy, sorrindo e tentando mudar de assunto. – Estou tão ansioso. Li algumas avaliações do resort e todos mencionaram o restaurante maravilhoso. Aparentemente, a comida é para comer rezando.

Daniel sorriu: – Para ser sincero, mal posso esperar para entrar naquele avião. Achei que fosse divertido fazer a série e é, mas também é exaustivo. Vai ser legal sentar na beira da piscina, beber drinks e curtir o sol.

– E o mar – disse Davy, e eles fecharam os olhos e expiraram profundamente.

– Eu volto de Bristol no dia vinte e sete, e, então vamos!

– Para o Caribe! – comemorou Davy, quase cantarolando.

***

– É muito cedo para ir para casa – Davy protestou. – É seu aniversário!

– Eu sei – disse Daniel. – Mas tenho dormido menos de seis horas por noite. Estou exausto, e para ser sincero, o melhor presente de aniversário que posso pedir é uma luxuosa noite de sono de oito horas.

"Dez horas e ninguém se incomodou em me mandar uma mensagem de feliz aniversário" Daniel pensou, olhando pela janela do táxi. Ele verificou as notificações do facebook, e não havia nada de

Amy, Ed ou até mesmo de JC lá. O táxi passava pela rua Southwark Street, e se aproximando de The Rocket. Davy, que não estava tendo nenhum progresso em convencer Daniel a ir lá, tentou mais uma vez:

– Por favor, – implorou Davy. – Vamos tomar um drink e, então, vamos para sua casa. Finalmente Daniel se rendeu à carinha de cachorro pidão de Davy.

Dentro do The Rocket, Ryan e Ed corriam pelo palco para se certificarem que tudo estava pronto para quando Daniel chegasse. Eles anunciaram pelo microfone que estavam fazendo uma festa surpresa para um amigo, e pediram que todos ali presentes ajudassem a cantar parabéns. Ryan, Ed e Amy convidaram vários amigos, colegas de trabalho e conhecidos de Daniel. O lugar estava lotado. Quando recebeu a mensagem no whatsapp de Davy avisando que estavam prestes a adentrar o The Rocket, Ed tomou seu lugar na primeira mesa mais próxima do palco, onde Mimi estava sentada do lado de Esther e Amy. O lugar de Jamie estava vazio.

– É agora! – anunciou Ryan do palco, e todos começaram a cantar parabéns para Daniel, que tinha acabado de entrar com Davy.

Surpreso, ele deu um tapa no ombro de Davy: – Você estava nessa com eles, não estava?

Conforme iam passando pelas mesas, Daniel era cumprimentado e abraçado pelas pessoas que lhe desejavam um feliz aniversário. Ele percebeu que o lugar todo estava decorado com luas, planetas e estrelas. A decoração, que tinha sido feita por Stuart, Ed e Ryan, estava incrível, entre as demais decorações de Natal do The Rocket. Quando chegou à primeira mesa, Ed e Amy o abraçaram ao mesmo tempo. Esther estava atrás deles e os seguiu, abraçando-o também.

– Eu não esperava por isso, gente – ele corou.

Ele se inclinou e beijou Mimi no rosto.

– Meu menino Danny – ela disse. – Feliz aniversário, meu querido.

Ele tocou seu rosto gentilmente: – É tão bom te ver, Mimi. Você estar aqui é o melhor presente de aniversário!

– Boa noite, gente – Davy falou ao microfone, cumprimentando a plateia – nitidamente encabulado – e o queixo de Daniel caiu com a visão de Davy no palco. – Temos uma surpresa especial para nosso aniversariante aqui. Me permitam chamar ao palco nosso jogador de rugby galã, Ed Threadgold.

Ed, da sua cadeira, colocou a mão em volta do pescoço, sinalizando que não poderia cantar. Stuart saiu de trás do palco avisando a Davy que Ed estava com a garganta inflamada e havia perdido a voz.

– Infelizmente – Davy pigarreou limpando a garganta, se esforçando para vencer a timidez – aconteceu que nossa primeira surpresa me surpreendeu, e ele não cantará mais. Isso nos leva à surpresa número dois, que sou eu. Eu vou cantar uma música para o meu namorado mas, devo avisá-los de que tenho uma voz horrível, então, por favor, me ajudem e cantem comigo, por favor.

O baterista bateu as baquetas, e a banda começou a tocar a música escolhida por Davy "Can't Help Falling in Love" de Elvis.

> Wise men say only fools rush in
> (*Os sábios dizem que apenas os tolos se apaixonam*)
> But I can't help falling in love with you
> (*Mas eu, não consigo parar de me apaixonar por você*)
> Shall I stay
> (*Devo continuar?*)
> Would it be a sin
> (*Seria um pecado?*)
> If I can't help falling in love with you?
> (*Caso eu continuasse me apaixonando por você?*)

Ele não exagerou quando afirmou que sua voz cantando era horrível. No início da apresentação da música, todos no The Rocket se encolheram. Davy realmente era muito ruim e desajeitado, mas logo perceberam o quanto ele estava se esforçando e o quão gracioso ele era e, então, começaram a ajudá-lo. Daniel olhou para Mimi, Esther e Amy como uma criança feliz.

Davy continuou a cantar, acompanhado por todos ali presentes, balançando as mãos de um lado para o outro e cantando com ele.

Some things are meant to be
(Algumas coisas são destinadas a acontecer)
Take my hand, take my whole life too
(Pegue a minha mão, pegue a minha vida também)
For I can't help falling in love with you
(Porque eu não consigo evitar de me apaixonar por você)

Ao final da música, Daniel levantou-se, muito orgulhoso de Davy, enquanto todos o aplaudiam. Quando Davy desceu do palco e se juntou a Daniel na mesa, ele recebeu um abraço e um beijo estalado no rosto: – Estou tão orgulhoso de você – Daniel deu um novo beijo em sua bochecha. – Eu sei o quanto você é tímido e o quanto foi difícil subir lá e cantar.

Daniel sentiu alguém tocar seu ombro.

– Feliz aniversário, Dan.

– JC! Você! – disse Daniel, e foi logo abraçá-lo.

Eles se abraçaram, e Ed e Amy olharam e sorriram felizes com a surpresa.

– Estou tão feliz que você veio – Daniel abriu um grande sorriso.

– Sinto muito pelo meu comportamento nas últimas semanas.

Daniel agarrou seus ombros: – Não seja bobo. Eu entendo. Eu que tenho que me desculpar com você.

Eles foram interrompidos quando Ryan chamou atenção da plateia para o palco. JC sentou-se na cadeira reservada para Jamie, que ainda não tinha chegado.

Ryan usava uma jaqueta preta apertada, botas de camurça e uma camiseta branca por baixo da jaqueta: – Todos sabemos que nosso

Daniel é um grande fã de Elvis, mas nem todos sabem qual sua música preferida, e que além de ser sua música preferida, é também a música que expressa tudo o que sinto por ele. A música se chama "The Wonder of You" – por favor, cantem comigo, – ele olhou para Davy provocando-o – ao som da música favorita do meu, e do seu, Daniel.

When no one else can understand me
(Quando ninguém pode me entender)
When everything I do is wrong
(Quando tudo o que eu faço é errado)
You give me hope and consolation
(Você me encoraja e me incentiva)
You give me strength to carry on
(Você me dá forças para continuar)

Daniel parecia hipnotizado. Seus olhos estavam bem abertos e totalmente focados no palco e mais precisamente em Ryan.

Amy inclinou-se em direção a Daniel e sussurrou: – "O idiota" está maravilhoso.

Daniel ignorou o comentário dela, apesar de pensar o mesmo. Ele estava com medo de que Davy percebesse que ele estava mexido por Ryan.

And you're always there to lend a hand
(E você está sempre lá, me dando uma mão)
In everything I do
(Em tudo o que eu faço)
That's the wonder
(E esta é a maravilha)
The wonder of you
(A maravilha que é você)

Daniel não conseguiu evitar lembrar da última vez em que Ryan tinha cantado essa música para ele. Tinha sido fazia alguns anos. Eles estavam em Memphins, no Estado do Tennessee, fazendo aquela viagem dos sonhos pelos Estados Unidos, realizando um dos maiores sonhos de Daniel: ir para Graceland e conhecer a mansão onde Elvis havia morado. Ryan estava estranho naquele dia, e Daniel não conseguia entender o porquê. Ele achava que era por conta do entusiasmo em visitar a mansão onde Elvis havia vivido, mas a feição de Ryan demonstrava mais preocupação do que entusiasmo. Eles estavam juntos a um grupo de turistas quando de repente, enquanto olhavam em volta do jardim da propriedade, os demais visitantes pararam e olharam para Ryan (que já os tinha alertado do que faria naquela tarde). Daniel não entendeu o que estava acontecendo até Ryan se ajoelhar ali na frente de todos e o presentear com uma caixinha. Cantando "The Wonder of You", Ryan o pediu em casamento nos jardins da mansão do ídolo deles.

Amy olhou para Daniel de esguelha e viu uma lágrima escorrer pelo seu rosto. Ela desviou seu olhar rapidamente de volta para o palco para não chamar atenção de mais alguém para o rosto de Daniel. Contudo, ela não foi a única a notar as lágrimas.

And when you smile, the world is brighter
(E quando você sorri, o mundo se ilumina)
You touch my hand and I'm a king
(Você toca minha mão e eu me sinto um rei)
Your kiss to me is worth a fortune
(O seu beijo vale uma fortuna)
Your love for me is everything
(O seu amor por mim é tudo)

Ryan ficava ainda mais charmoso quando cantava aquela parte. Daniel enxugou a lágrima e tentou desviar o olhar de Ryan. Ele olhou ao redor, fingindo estar prestando atenção à decoração, porém não por muito tempo. Seus olhos pareciam não respeitar suas vontades e voltaram rapidamente em direção a Ryan.

I'll guess I'll never know the reason why
(*Eu penso que eu nunca saberei, a razão*)
You love me like you do
(*Qual você me ama do jeito que me ama*)
That's the wonder
(*E esta é a maravilha*)
The wonder of you
(*A maravilha que é você*)

Ao final, Ryan tinha ganhado a atenção de todos. Com exceção de Davy, todo mundo, incluindo os funcionários do The Rocket, foram cativados por sua voz, seu charme e seus olhos azuis. Ryan se curvou, agradeceu pelos aplausos e convidou todos os casais a dançarem a próxima música. Acompanhado pela banda, ele começou a cantar "I Want You, I Need You, I Love You", também de Elvis.

Hold me close, hold me tight
(*Abrace-me perto, abraça-me apertado*)
Make me thrill with delight
(*Faça-me estremecer de prazer*)
Let me know where I stand from the start
(*Me avise como é que eu fico desde o começo*)
I want you, I need you, I love you
(*Eu quero você, eu preciso de você, eu te amo*)
With all my heart
(*Com todo meu coração*)
Every time that you're near
(*Toda vez que você está perto de mim*)
All my cares disappear
(*Todos meus problemas desaparecem*)

A plateia seguiu sua sugestão e dançou. Casais abraçados, amigos de mãos dadas balançando de um lado para o outro no ar, todos estavam completamente envolvidos pela melodia romântica da música.

Darling, you're all that I'm living for
(Querido, você é a razão do meu viver)
I want you, I need you, I love you
(Eu quero você, eu preciso de você, eu te amo)
More and more
(Cada vez mais)

De tempos em tempos, Ryan olhava diretamente nos olhos de Daniel, sem tentar esconder o fato de que ele sentia cada palavra da música e estava cantando aquelas palavras para ele.

– Vou buscar uns Rockies – disse Davy, levantando-se, a fim de tentar escapar daquela situação. – Já volto.

Daniel deu um meio sorriso para Davy, todavia, Ryan no palco era simplesmente muito poderoso para ser ignorado por Daniel. Ryan desceu do palco enquanto cantava o último verso e, para o desespero de Daniel, andou lentamente em sua direção.

'Cause I die every time we're apart
(Porque eu sinto morrer todas as vezes que a gente está
separado)
I want you, I need you, I love you
(Eu quero você, eu preciso de você, eu te amo)
With all my heart
(Com todo meu coração)

Todos aplaudiram no momento em que o facho de luz concentrou-se em Ryan e Daniel. Daniel, por sua vez, lançou a Ryan um olhar de confusão e medo. Com seu coração batendo acelerado, ele olhou rapidamente ao redor, e o silêncio que antecedeu os segundos antes de Ryan dizer alguma coisa pareciam durar uma vida inteira.

– Gostaria de convidar nosso aniversariante para se juntar a mim no palco e cantar a próxima música comigo – Ryan radiava charme para todos os lados.

Daniel franziu a testa e forçou um sorriso: – Talvez seja melhor não, Ryan.

Ryan ignorou o comentário e estendeu a mão para ele, e Daniel, sentindo a pressão com seus amigos olhando, cedeu e pegou a mão dele.

No momento em que Davy retornava à mesa com dois Rockies, Daniel estava sendo conduzido por Ryan pelos degraus até o palco. Davy bateu com força os drinks na mesa e sentou-se, não escondendo sua irritação.

Ryan sinalizou para a banda, e eles começaram a próxima música.

Blue moon you saw me standing alone
(Lua azul, você me viu aqui sozinho)
Without a dream in my heart
(Sem sonhos no meu coração)
Without a love of my own
(Sem alguém para amar)

Eles alternavam os versos enquanto cantavam e mostravam tanta sintonia, que aqueles que não sabiam da história acreditavam tratar-se de um casal realmente apaixonado.

Davy não estava gostando nada do que via. Nervoso, ele mexeu seus braços pela mesa e derrubou um copo no chão. Quando o copo estraçalhou no chão, ele se levantou e foi embora pisando fundo, sem olhar para trás.

Amy cutucou Ed: – É melhor você ir atrás dele.

Por que eu?

Porque você é homem, e é sensível o suficiente para saber o que dizer neste momento. Vamos!

Ed bufou ao que se levantou e foi atrás de Davy.

You heard me saying a prayer for
(Você me ouviu fazer uma oração)
Someone I really could care for
(Pedindo alguém para eu amar)

And then there suddenly appeared before me
(E de repente este amor me apareceu)
The only one my arms will ever hold
(A única pessoa que meus abraços irão abraçar)

Ryan fitou Daniel e cantou o verso final diretamente para ele, e Daniel olhou de volta para Ryan, sem piscar.

Now I'm no longer alone
(Agora eu não estou mais sozinho)

Daniel foi despertado de seu transe pelos assobios e aplausos da plateia. Ryan sorriu e parecia ter conseguido o seu objetivo. Mas, ao perceber que Davy não estava à mesa, Daniel abandonou o palco. Por sua vez, o sorriso de Ryan virou uma carranca.

– Ficou óbvio que ele ainda é apaixonado por Ryan – disse Davy, encostando-se na parede da academia de ginástica no prédio Blue Finn Buildining, onde Ed frequentava, que ficava ao lado do The Rocket.

– Não, ele não é – disse Ed sem muita certeza do que estava falando. – Ryan deixou o Daniel no altar. Foi horrível. Não tem como voltar atrás.

Davy olhou para Ed, como se esperasse por mais palavras de consolo.

– Você é um cara legal e Daniel sabe disso. Apenas ignore o idiota do Ryan. Ele está te provocando – a verdade é que em seu íntimo, Ed também acreditava que Dan ainda amava Ryan.

Davy começou a chorar e olhou para Ed, como se pedisse um abraço. Ed sentiu-se obrigado a abraçá-lo. Alguns rapazes passaram por perto e riram, imaginando que os dois fossem um casal que estava discutindo. Ed olhou para eles e fechou a cara, enquanto Davy o apertava ainda mais, quase o deixando sem ar.

EPISÓDIO ELVIS **299**

– Obrigado, Ed. Mas preciso ir para casa. Preciso de um tempo sozinho. Foi horrível assisti-los no palco parecendo um casal.

De volta ao The Rocket, Ed explicou a conversa que acabara de ter com Davy, e Daniel sentiu-se mal. Davy era só carinho e dedicação. Ele teve uma ideia. Ele agradeceu Mimi e Esther por terem ido e pediu a JC para ajudá-las a voltar para casa. Em seguida, pediu a Amy e a Ed para ajudá-lo em uma coisa.

* * *

Amy e Ed ficaram de pé ao lado de Daniel, cada um segurando um pandeiro. Daniel contou até três e começou a cantar a música "Suspicious minds" de Elvis:

We're caught in a trap
(Nós estamos numa cilada)
I can't walk out
(Eu não consigo escapar)
Because I love you too much baby
(Porque eu te amo muito, baby)

Ed e Amy tocavam seus pandeiros grosseiramente enquanto Daniel cantava do lado de fora do prédio em que Davy morava. Daniel olhava descrente para Ed e Amy não conseguindo acreditar que seus amigos fossem tão ruins de ritmo e sem ouvido musical algum.

Um vizinho de Davy apareceu na janela do primeiro andar: – O que você está fazendo? – ela gritou. – É uma da manhã, seus maloqueiros.

Daniel a ignorou e continuou a cantar, sinalizando para Amy e Ed que continuassem a tocar.

Why can't you see
(Porque você não enxerga)
What you're doing to me
(O que você está causando em mim)

When you don't believe a word I say?
(Quando você não acredita em uma palavra que eu digo?)

– Ei! Seus vagabundos, eu trabalho amanhã. Vão fazer barulho em outro lugar ou eu chamarei a polícia – gritou outro vizinho que apareceu na janela do terceiro andar.

Daniel continuou a cantar e a olhar para a janela de Davy no quinto andar.

– Oi! – gritou a vizinha do primeiro andar.

– Shiu! Estamos fazendo uma serenata, mulher. Não está vendo? – gritou Amy já querendo briga. – Não pare, Dan. Não pare. Continue cantando – olhou para a mulher a desafiando. – Canta mais alto, Dan!

We can't go on together
(Nós não podemos prosseguir)
With suspicious minds
(Com suspeitas)
And we can't build our dreams
(E não conseguiremos construir nossos sonhos)
On suspicious minds
(Com suspeitas)

Davy virou a esquina e desceu a rua em direção a eles. Ele segurava uma garrafa de leite. Sua visão estava embaçada e por isso teve de chegar perto antes de enxergar exatamente o que estava acontecendo. Assim que se aproximou, bem perto dos três, testemunhou seu vizinho do terceiro andar jogar um balde de água no trio. Daniel não se molhou por uma questão de centímetros, porém Ed e Amy não tiveram a mesma sorte e ficaram encharcados. O vizinho retornou à janela agora com o balde cheio novamente, pronto para jogar água abaixo. Davy correu até eles e pegou Daniel pelo braço, o afastando. Amy e Ed os seguiram pelo quarteirão, mas não antes de Amy xingar o vizinho de todos os nomes que ela conseguiu lembrar.

– Nossa, seus vizinhos. Vou te contar – ela disse. – Eles não têm amor no coração! Mal-amados – ela gritou olhando em direção ao prédio de Davy.

– Desculpe pelos meus vizinhos – Davy olhou envergonhado para Amy e Ed.

– Todos ficaram em silêncio, e Daniel e Davy ficaram se olhando.

– Melhor irmos – disse Ed, gesticulando com a cabeça para Amy. – Vamos acabar pegando uma gripe.

– Sim. Te vejo de manhã no Breakfast Club? – ao que Daniel respondeu que sim.

Amy e Ed caminharam juntos e em questão de alguns segundos Daniel e Davy puderam ouvir Amy gritar com o vizinho do terceiro andar quando ela e Ed passaram em frente ao prédio. Davy riu.

– Desculpe – Daniel olhava para o chão, sentindo-se mal. – É a Amy, você sabe.

– O que você fez foi adorável. É seu aniversário e eu é quem deveria fazer uma serenata.

– Bem, você fez uma serenata, lá no The Rocket. Você cantou lindamente. Eu me surpreendi com a sua coragem de subir lá no palco na frente de todas aquelas pessoas.

Davy calou-se.

– Sinto muito pelo Ryan – Daniel continuou. – Ele cantou algumas músicas muito pessoais e comecei a sentir um tipo estranho de nostalgia, mas isso foi tudo. Nada além do que lembranças de um passado bonito, mas que não quero revisitar, eu juro.

Davy expirou: – Não se preocupe. Eu entendi. Foi difícil ver vocês juntos no palco, mas eu entendo. Além do que, sua serenata na minha porta foi a coisa mais romântica que alguém já fez para mim. Eu amei muito.

Eles sorriram e se beijaram.

Capítulo 43

– Então, você vai para França? – perguntou Daniel, enquanto colocava fatias de panquecas na boca. – Quando isso aconteceu?

– Meus irmãos conseguiram me convencer a passar o Natal e o Ano Novo com nossos... – Amy hesitou antes de dizer – nossos irmãos.

– Sim, os irmãos franceses – observou Daniel. – E o Jamie? Ele vai com você?

– Não. Ele ficará em Londres. Sabe como é, um rebelde. E para ser sincera, ele anda muito estranho ultimamente – ela olhou pela janela do restaurante Breakfast Club e olhou para a longa fila que tinha se formado lá fora. Todas as pessoas aglomeradas no frio para entrar no restaurante famoso por seu cardápio de café da manhã estilo americano e o design retro relembrando a década dos anos oitenta. – Nossa, olhe para todas essas pessoas lá fora!

Daniel olhou para ela, com a boca cheia. Ao final da mastigação ele disse: – Como assim, ele anda muito estranho?

– Ele não explicou até agora o que aconteceu em Dubai e por que voltou para Londres. Ele reclama de não ter dinheiro, e do nada aparece com um Maserati.

– Ah, sim, naquela noite que saímos juntos. Ele estava com um Maserati. Eu não entendi aquilo também – Daniel comentou de boca cheia.

– Oi, gente – Ed chegou e foi logo ocupando seu lugar no sofá de couro amarelo-claro. – Do que vocês estão falando?

– Jamie – responderam Daniel e Amy ao mesmo tempo.

– Ah! – Ed revirou os olhos.

– Ah, o que, Ed? – perguntou Daniel. – Você parece saber de algo que nós não sabemos.

– Na verdade, não sei de muita coisa. Tudo que sei é que estou preocupado. Ele desaparece e depois volta para casa parecendo que não dorme há dias. Olhos fundos, a pele pálida. Ele me pede dinheiro emprestado e depois de alguns dias me devolve, mas nunca explica como consegue o dinheiro.

– Talvez sejam os negócios em Dubai que estão deixando Jamie ocupado e estressado – disse Daniel.

– Pode ser, mas tudo isso me parece muito estranho – Ed fixou os olhos no cardápio.

O garçom chegou e Ed pediu o mesmo que Daniel: panquecas com muita calda de melado e bacon.

– O que você vai fazer no Natal, Ed?

– Vou visitar meus pais em Surrey. Mas só vou no dia do Natal mesmo.

Amy deu um gole em seu café: – Agora que eu me liguei, nós estaremos em diferentes lugares no Natal.

– E no Ano Novo também. Eu estarei voando para Aruba no dia vinte e sete com Davy.

– Que delícia! Me leva com você, por favooooor! – disse Amy, pressionando suas mãos contra seu peito.

– Parece que serei o único em Londres esse ano – disse Ed.

Amy o lembrou que Jamie estaria na cidade no Ano Novo também.

– Não tenho certeza. Jamie não tem sido muito confiável ultimamente. Só Deus sabe o que ele fará. Vou confessar a você que eu estou tão feliz que vocês não estejam mais juntos. Ele não era uma boa influência para você.

– Perdão? – perguntou Amy confusa.

– Nada. – A comida de Ed chegou e ele foi salvo. Ele rapidamente mudou de assunto. – Então, quando vocês vão? Temos de nos encontrar para trocar presentes antes de todos nós partirmos.

– Eu viajo na véspera de Natal – respondeu Daniel.

– E eu vou no dia vinte e três – respondeu Amy.

– Ótimo. Então, vamos nos reunir na minha casa para trocar presentes – disse Daniel. – Dia vinte e dois está bom para vocês?

– Tudo bem para mim – afirmou Amy.

– Combinado – disse Ed, com a boca cheia.

***

O Natal finalmente chegou no apartamento de Daniel, no bairro de Bankside. Ed, Amy, Davy, JC, Esther e Mimi estavam reunidos em volta da árvore de Natal que reinava na sala de estar. O cd de Natal de Mariah Carey tocava ao fundo. O clima era de muita alegria entre eles. Ed foi o primeiro a se levantar e entregar os presentes. Ele usava um chapéu de Natal e um sweater de lã verde com a figura de uma rena, cujo nariz tinha uma luz que piscava. Cada uma de suas caixas de presentes, embrulhadas com papel vermelho brilhante, tinha duas fitas diferentes, uma dourada e a outra verde, e um grande laço.

– Que caixas de presente mais lindas, Ed. Você realmente gastou um bom tempo nessas embalagens, hein?! – disse Esther, admirando seu empenho. – Eu estou achando que essas caixas vão até cantar, de tão chiques.

– Na minha família, levamos o Natal muito a sério. Quando eu era criança, tive treinamento militar em como fazer a embalagem perfeita. Sei que estou soando como um "loser" aqui, mas é verdade.

– Mal posso esperar para abrir o meu presente – disse Mimi sentindo-se como uma criança de tão ansiosa e feliz.

– Sem quebrar regras, Sr.ª Taylor. Até as pessoas mais graciosas e bonitas não devem abrir os presentes antes da manhã de Natal.

Amy estava sentada no chão ao lado de Daniel. Ela estava de braço dado com ele e sua cabeça apoiada em seu ombro. Ela estava elegante, como sempre, com seu cabelo no "estilo praia", assim como ela chamava, todo jogado para um lado. Usava um vestido vermelho da Stella McCartney e seu sapato preto favorito da Louboutin. Segurando o presente de Ed em suas mãos, ela reparou que tinha ganhado a menor caixa. Ela balançou a caixa, tentando adivinhar o que poderia ser.

– Ed, o meu é muito pequeno! – Amy riu, sentindo-se intrigada.

– Eu não posso dizer o mesmo – Ed fez uma cara engraçada ao dizer aquele trocadilho, fazendo com que todos na sala, inclusive Amy, rissem alto. – Calma! Não é o tamanho que importa, lembre-se – brincou novamente, e todos riram novamente.

– Ah, meu querido. Se eu fosse jovem, eu investiria em você – Mimi riu. – Você é um galã!

– Mãe! – Esther riu, não acostumada a ouvir sua mãe fazer um comentário como aquele.

– Ah, Esther. A única coisa boa de chegar na minha idade é que você pode dizer o que sente sem se preocupar com o que as pessoas vão pensar. Mas, ele é sim, um galã. Alto, forte e além de tudo um "gentleman".

– Verdade, Sr.ª Taylor – gritou Daniel do outro lado da sala. – Disse tudo. O Ed é o nosso galã.

– Um metro e noventa de altura, lindo, inteligente e solteiro – Mimi continuou. – Deus amado! Quem dera eu ser uma moça nova.

– Esther a repreendeu novamente: – Mãe!

Ed aproximou-se dela, ajoelhou-se e pegou sua mão: – Eu amaria ter tido você como minha namorada. Mas chega de elogios, por favor. Eu já estou aqui todo sem graça – ele sorriu sem jeito e já vermelho de vergonha.

Eles continuaram a trocar presentes. Daniel foi o último a entregar os dele.

– Por favor, gente, não ligue para minhas embalagens pobres. Não tive muito tempo nos últimos dias, como todos sabem.

– Não se preocupe – disse Amy. – Depois das embalagens lindas que o Ed fez, todos nós já fomos humilhados! Os meus estão terrivelmente embrulhados.

JC foi a última pessoa a receber o presente de Daniel.

– Você é uma exceção, JC – Daniel estava ansioso, queria muito ver a reação de JC. – Você pode abrir o seu agora.

Todos olharam surpresos, sem entender o que estava acontecendo. JC segurou a caixa, sem saber o que fazer.

– Vamos, abra – Daniel estava excitado para ver a reação do amigo.

JC desatou o laço e abriu a caixa.

– Quê?! – surpreso, quando tirou o presente de dentro da caixa.

Era uma credencial de entrada para as gravações da série com seu nome nele, e abaixo disso, a palavra "Ator".

Ryan e eu criamos um personagem especial que vai entrar na série no episódio número cinco – explicou Daniel. – E gostaríamos que você o interpretasse. As gravações para o episódio em que esse personagem entra na série vão iniciar já no comecinho do ano que vem.

Enquanto JC segurava a credencial, suas mãos começaram a tremer. Ele olhou para Daniel com lágrimas de alegria. Ele abraçou Daniel com muita força e chorou, com sua cabeça contra o peito do amigo.

– Não chore. Você merece. Sinto muito por não termos feito isso antes. Você realmente merece um lugar na série, JC.

A cena foi comovente a ponto de todos ficarem emocionados e com os olhos marejados: – "All I Want for Christmas" de Mariah Carey começou a tocar, e Ed convidou Esther e Amy para se juntarem a ele e aos outros em um abraço em grupo. Eles cercaram JC e Daniel e os abraçaram. Ed começou a cantar junto com a música, e logo foi seguido por todos. Eles pularam e dançaram, e a reunião de Natal continuou em clima de alegria e muitas risadas.

***

– Olhe, onde paramos – Ed apontou para o visco que estava preso no pilar de madeira em cima de suas cabeças. – Não podemos contrariar a tradição. – Ele agarrou Amy pela cintura e eles se beijaram.

– Minha estrela, nunca se esqueça disso. Minha estrela!

Ela se emocionou quando ouviu essas palavras e se sentiu segura nos braços dele.

– E você é minha constelação – ela disse em voz muito baixa.

Segurando e apoiando seu queixo na cabeça dela, Ed a apertou forte contra seu torso e fechou os olhos.

Amy acordou do sonho quando o alarme disparou. Ela tinha combinado de encontrar seus irmãos na estação Saint Pancas às sete da manhã para tomarem café antes de pegarem o Eurostar para Paris. Seus meio-irmãos iam buscá-los na estação e levá-los à casa de campo deles, que ficava a apenas uma hora de distância da capital francesa.

Antes de sair, ela bateu na porta de JC e entrou: – Eu sei que é muito cedo, mas quero te desejar feliz Natal antes de partir.

Ele pulou da cama assustado, despertando de seu sono bruscamente. Com seus olhos semi-abertos ele a abraçou: – Feliz Natal, Amy.

– Aproveite bastante a Espanha, hein!

Ele assentiu, esfregando os olhos: – E você aproveite seus irmãos na França, todos os seis.

Ela sorriu: – Nossa! Seis irmãos. Eu nunca parei para contar. Será que minha mãe estava tentando fazer um time de futebol?

Eles deram um último abraço e ela foi embora. Enquanto esperava pelo táxi, ela disse para si mesma: – O presente de Ed!

Ela voltou correndo e pegou a pequena caixa, lindamente embrulhada, que ela tinha deixado em cima de sua penteadeira.

Algumas ruas dali, Ed acordou naquela manhã com o som da sua porta de entrada abrindo e fechando com um estrondo. Ele olhou para o relógio em seu criado-mudo e viu que eram seis da manhã. Jamie estava chegando em casa todo dia de madrugada, mas nunca tão tarde quanto aquele dia. Ed sentou na ponta de sua cama e passou a mão nos cabelos. "Preciso ter uma conversa séria com ele", ele pensou. "Isso está demais agora".

***

Londrinos acordaram na manhã de Natal com uma linda surpresa: havia nevado bastante durante quase toda a noite e a cidade estava coberta por centímetros de neve. Aeroportos e estações tinham sido fechados, e a maioria dos meios de transporte coletivo haviam sido interrompidos.

– Ed, eu não sei o que vou fazer – Daniel soava triste ao telefone. – Mesmo que os trens voltem a funcionar, vai demorar horas para o serviço normalizar.

– JC está tendo o mesmo problema, amigo. Ele deveria voar para Bilbao esta manhã. Mas todos os voos foram cancelados.

Ed ouviu Daniel xingar do outro lado do telefone.

– Por que você não passa o Natal comigo? – convidou Ed. – JC irá. Tenho comida suficiente, e eu estava até pensando em convidar Esther e Mimi.

– Eu adoraria, mas não posso. Eu realmente preciso ir para Bristol e passar o Natal com a minha mãe. Sophie viajou para Flórida para passar o Natal com meu pai e eu não quero deixar minha mãe sozinha.

– Entendi – Ed calou-se por alguns segundos. – Tenho uma ideia. Posso te emprestar um dos meus carros.

– E aqueles carros antigos vão longe?

– Olha lá Dan, não me irrite. Já chega a Amy desfazendo dos meus "bad boys".

– Estou brincando. Isso seria maravilhoso, Ed. Obrigado. Posso te encontrar dentro de uma hora no seu prédio para pegar o carro? Quero ir logo, pois já imagino que as estradas estarão bastante congestionadas.

– Claro. Eu estou de férias mesmo. Estou aqui. Venha a qualquer momento.

Daniel passou na casa de Davy primeiramente para lhe desejar feliz Natal. Davy lamentou por não passarem o Natal juntos, porém, ambos estavam muito ansiosos pelas férias em Aruba. Eles se abraçaram uma última vez, e Davy disse: – Mais três dias e estaremos à beira da piscina no Caribe!

Daniel jogou sua mala no banco de trás e desejou a Ed um feliz Natal antes de entrar no carro. Ele ligou o motor, mas algo dentro dele fez com que desligasse. Ele se calou.

– O que foi, Dan? Esqueceu alguma coisa?

Daniel abriu a porta do carro, saiu e deu um abraço de urso em Ed: – Eu esqueci de dizer algo, senhor Threadgold.

– Ah, é? E o que foi?

– Eu te amo muito, Ed. Você é um irmão para mim!

– Ei, ei. O espírito Natalino está nos fazendo ficar emotivos – Ed tinha os olhos marejados.

– Não é o espírito Natalino, Ed. Eu só precisava dizer o quanto eu aprecio a sua amizade.

– Tome cuidado, não queremos que minha asma ataque – Ed brincou. Ele bagunçou o cabelo de Daniel e disse: – Eu te amo também, Dan. Eu não fazia ideia que naquele dia que escolhemos nossas estrelas nos tempos da faculdade eu conheceria meus dois melhores amigos de uma vida inteira. Eu fiz um pedido para uma estrela e fui abençoado com uma constelação.

Finalmente, Daniel entrou no carro e partiu. Eles não sabiam que naquele momento o destino os estava levando para uma encruzilhada rumo a um momento muito difícil em suas vidas.

Capítulo 44

Daniel dirigia pela estrada M4 com muito cuidado, já que a estrada estava coberta por uma camada de gelo. E também porque o carro de Ed dava sinais de que iria quebrar a qualquer momento. Daniel batia no painel de controle e implorava para o carro não parar.

"Onde eu estava com a cabeça quando aceitei a oferta de Ed para dirigir uma das suas latas velhas?", ele pensou.

O carro, como se tivesse lido a mente de Daniel e tivesse sentimentos, pipocou, fazendo um barulho horrível. Daniel parou em um acostamento a tempo do carro morrer completamente.

– Não! Não! Não! Não! Eu estava brincando. Eu juro! – Daniel virou a chave e tentou ligar o motor. – Por favor, não me deixe na mão aqui, no meio do nada. Vamos, não me deixe na mão. Eu não estava falando sério quando disse lata velha. Eu quis dizer vintage! Vintage, estiloso – ele virou a chave diversas vezes. – Vamos lá, sua linda obra de arte dos anos sessenta – ele tentou mais uma vez. – Ah! – ele gritou, esmurrando o volante. – Sua porcaria gigante! Amy está certa, você é uma lata velha!

Ele desabou sobre o volante, tentando desesperadamente encontrar uma saída para aquela situação. Estava escuro e fazia muito frio lá fora.

– Eu deveria ligar para o seu dono pra ele vir me salvar dessa situação que ele e você me meteram! Seu pedaço de lixo! – ele gritou com o carro.

Ele tentou ligar para Ed, mas a ligação caiu na caixa postal. Esperou alguns minutos e tentou outra vez – novamente na caixa postal. Pensou em ligar para Davy quando seu telefone tocou.

Ele respondeu rapidamente usando os fones de ouvido de seu celular: – Oi, Ed.

– Não é o Ed. Sou eu.

– Ryan?

– Sim, eu. Você está bem?

Daniel não respondeu. Ele estava se acabando em lágrimas.

– Dan? Você está bem? Por acaso está chorando?

Silêncio.

– Ei, agora fiquei preocupado. O que está acontecendo? Você está bem, sim ou não?

– Não estou – Daniel respondeu, com a voz cortada. – Estou dirigindo um dos carros de Ed, e essa porcaria parou de funcionar no meio do nada. Está escuro e frio e agora vou ter que passar meu Natal aqui – Daniel balbuciava e chorava ao mesmo tempo.

– Ei, ei, calma. Também estou indo para Bristol passar o Natal na casa dos meus pais. Talvez não estejamos muito longe um do outro. Me manda a sua localização no GPS e eu vou te resgatar.

O carro de Ed foi removido por um guincho, e Ryan chegou em menos de uma hora. Ele encontrou Daniel no café do serviço de autoestrada, sentado em uma mesa, com a cabeça apoiada na mala.

– Muito corajoso da sua parte dirigir um dos carros de Ed por todo esse percurso – Ryan sentou-se ao lado de Daniel. – Você sabia que eu ia passar o Natal na casa dos meus pais. Você poderia ter me pedido e eu poderia ter te dado uma carona.

– Não é apropriado – Daniel suspirou.

– Bem, no final das contas, de uma forma ou outra nós vamos – Ryan o provocou.

Daniel revirou os olhos e respirou fundo.

– Ok, ok. Não é uma boa hora. Entendi – Ryan levantou-se. – Vou ao banheiro rapidamente e, então, podemos voltar para a estrada.

"A vida é tão estranha", pensou Daniel quando sentou no banco do passageiro ao lado de Ryan. "Eu tentei evitar essa situação a todo custo, e cá estou, viajando com ele".

"Last Christmas" do grupo Wham começou a tocar no rádio. Ryan olhou para ele e começou a cantar.

Last Christmas,
(No Natal passado)
I gave you my heart
(Eu lhe dei meu coração)

> But the very next day
> *(Mas no dia seguinte)*
> You gave it away
> *(Você jogou fora)*

Ryan mexia sua cabeça de um lado para o outro enquanto cantava com toda sua voz: – Vamos, Dan. Eu sei que você gosta um pouco do brega Wham! Mude esta cara de tristeza, vai. Vamos lá – e se pôs a cantar novamente.

A carranca de Daniel virou um sorriso. Ryan o cutucou e Daniel se juntou à cantoria. Algumas milhas à frente, eles pararam no trânsito. A estrada tinha sido fechada por causa de um acidente envolvendo um caminhão. A neve começou a cair pesadamente outra vez.

– É quase meia-noite – Daniel suspirou enquanto olhava para a longa fila de carros à frente deles. O rádio reportou que devido ao perigo por estar congelada a estrada M4 poderia ficar fechada quase a noite toda.

Ryan desligou o carro por um tempo. Eles se olharam, sem nada dizer. Estava bem escuro e muito frio. Daniel rendeu-se ao momento e inclinou-se. Ryan abriu os braços e abraçou Daniel, que apoiou sua cabeça no ombro de dele.

– Feliz Natal a todos – comemorou o radialista.

Daniel levantou a cabeça e olhou nos olhos de Ryan.

Ryan tinha um olhar doce em seu rosto: – Feliz Natal, meu Dan.

– Feliz Natal, Ryan.

Episódio
Reveillon

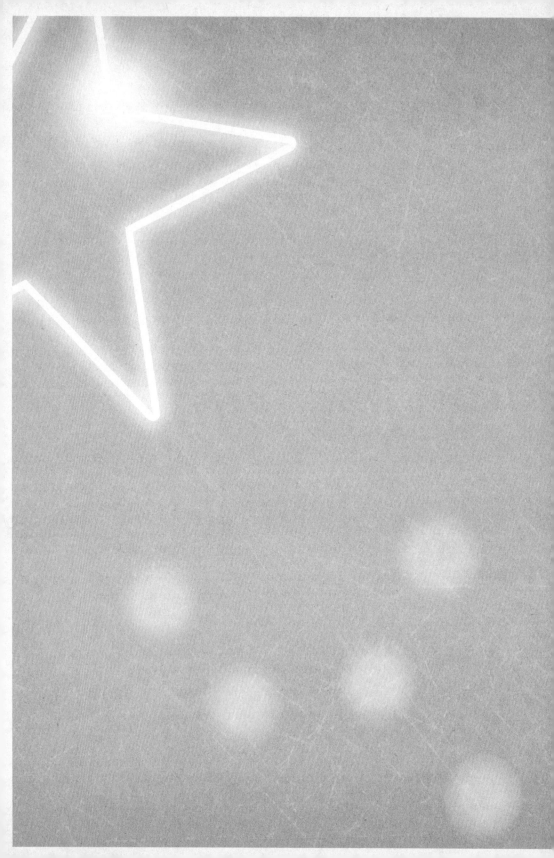

Capítulo 45

Quando Amy desembrulhou o presente de Ed, encontrou uma pequena caixa da Tiffany & Co. com um laço branco. A caixa continha uma correntinha de prata com um pingente no formato de uma estrela. A estrela era cheia de diamantes.

Nesse momento, Amy estava sentada do lado de fora da casa de campo segurando a correntinha com suas duas mãos. A vista bucólica do campo francês apenas ajudou a aumentar seu sentimento nostálgico.

Ela foi pega de surpresa quando seu irmão mais novo, Fabian, veio por trás e lhe deu um abraço.

– Oi, minha irmã. O que você faz aqui fora no frio? Volte para dentro, vamos jogar um jogo de tabuleiro. Eu quero você no meu time.

Amy bagunçou o cabelo dele: – Parece legal. Mas sei que sou muito competitiva. Se estivermos juntos no time, temos que ganhar!

Ela ergueu sua mão para bater na palma da mão dele. Fabian riu e eles bateram as mãos.

***

– O que? – Davy não conseguia acreditar no que estava ouvindo. – Você mentiu para mim.

– Eu não menti, exatamente. Eu estava com medo de te dizer que Ryan me levou até Bristol. Eu estava tentando evitar essa situação.

– Você mentiu! Você me ligou na véspera de Natal e disse que estava tudo bem, quando na verdade você estava preso na estrada com seu ex. E você passou a noite toda com ele, no carro!

– Esse é o motivo pelo qual eu não te falei na hora, porque eu não queria que você reagisse dessa forma justamente no Natal.

Davy não estava ouvindo mais. O garçom da cafeteria, que se aproximava da mesa para pegar os pedidos, viu a discussão e se afastou.

– Aposto que vocês não passaram a noite toda ouvindo rádio.

– Passamos sim! Prometo.

– Daniel, eu sei quando você não está me falando toda a verdade. Você coça sua testa e enruga o nariz ao mesmo tempo.

Daniel olhou para baixo: – Me desculpe.

– Pelo quê?

– Nós nos beijamos.

Davy desviou o olhar. Apesar de já desconfiar, ele esperava que Daniel dissesse que nada tinha acontecido.

Daniel tentou se aproximar e o tocar, mas Davy se afastou.

– O beijo não significou nada – Daniel insistiu. – Estávamos com frio e estava escuro e era véspera de Natal... E tocava aquelas músicas românticas na rádio...

– Chega! Já deu para mim.

– Já deu para você? Como já deu? Nós vamos para Aruba amanhã de manhã.

– Não vamos mais para Aruba amanhã de manhã. Pelo menos eu não vou.

– Davy, qual é, seja razoável. Foi um simples beijo sem significado.

– Um simples beijo sem significado com seu ex-noivo? O cara que te deixou no altar? Isso não é sem significado. As músicas que ele escreve para você, as músicas que você escreveu quando ele foi embora, as quais agora fazem parte da sua série. Vocês dois se apresentando juntos no seu aniversário como se fossem um casalzinho.

– Davy, por favor – Daniel implorou quase chorando.

– Você é cego ou burro? Espero que não seja burro, porque não vejo problema nenhum em namorar alguém cego, mas não me perdoaria por me apaixonar por alguém burro.

– Você está sendo grosseiro agora.

– Sério que estou? – Davy estava furioso. – Sim, estou, Daniel. Já estou cansado do Ryan, e eu não posso ficar com você enquanto ele estiver à sua volta o tempo todo, porque isso me afeta. Eu te amo, mas não serei a sua segunda opção – ele se levantou da cadeira. – Cansei. Ryan venceu. Tô fora.

***

Jamie colocou todas suas fichas no dezesseis, outra vez um número vermelho. Se ganhasse, multiplicaria seu rendimento em trina e quatro vezes; se perdesse, perderia tudo. Ele transferiu todo seu dinheiro restante da conta bancária de Dubai para a de UK, e apostou tudo o que tinha no número dezesseis.

– Muito corajoso – disse o homem ao lado dele com um sotaque do leste europeu.

Jamie tinha seus olhos fechados. Era seu ritual: uma vez que a pequena bola prateada começava a perder a velocidade na roleta, ele fechava os olhos e esperava até parar.

A bola parou e algumas pessoas em sua volta comemoraram. Ele lentamente abriu os olhos.

– Quinze, preto – o crupiê anunciou o resultado.

Um calafrio desceu por sua espinha. Sentiu naquele momento que ia desmaiar. Ele havia perdido tudo. Não fez contato visual com ninguém da mesa. Se sentia muito envergonhado e não poderia lidar com os olhares.

Ele desceu a avenida Commercial Road até encontrar um caixa eletrônico. Tirou a carteira do bolso e inseriu todos seus cartões na máquina, um por um. A máquina mostrava a mensagem "Sem fundos" toda vez. Ele esmurrou a máquina algumas vezes até que escorregou de costas pela parede até cair sentado no chão e, em seguida, cobriu a cabeça com as mãos. Estava desesperado.

***

– Vício? – Ed franziu a testa quando ouviu um de seus velhos amigos, que morava em Dubai, contar as histórias sobre Jamie. Ele não podia acreditar que Jamie tinha escondido isso dele. Talvez se Jamie tivesse sido sincero, Ed poderia ter oferecido ajuda desde o começo, e a situação não teria chegado àquele extremo.

– A situação ficou ainda pior antes de ele fugir de Dubai – seu amigo disse do outro lado da mesa, e continuou contando a história.

Naquele mesmo instante, enquanto Ed conversava com seu amigo no restaurante, Jamie chegou no seu apartamento e ficou feliz em ver que ele não estava lá. Correu para o quarto de Ed e foi direto para o armário. Seus olhos estavam muito vermelhos, suas pupilas dilatadas. Parecia ser outra pessoa.

Ele empurrou as camisas de Ed para o lado e digitou 1616 ENTER no cofre. Nada. – Droga! – ele esbravejou. Ele quebrou a cabeça para se lembrar da senha e depois de muito pensar ele pressionou 3216 ENTER e, novamente, o acesso tinha sido negado. – Droga! Droga! Droga!!! Preciso desse dinheiro.

Ele suava frio. Suas mãos tremiam. Ele tentou de novo: 1632 ENTER e o cofre foi, então, liberado. Ele abriu a porta e removeu todo o conteúdo.

– Sim! – Jamie gritou comemorando. – Relógios, dinheiro, aqui vamos nós.

Ele pegou um dos vários envelopes e o abriu. Havia milhares em cédulas de dinheiro naquele único envelope. Jamie pegou cinco envelopes e os colocou dentro da sua jaqueta e se certificou que tinha deixado o conteúdo do cofre exatamente do jeito que tinha encontrado, para que Ed não percebesse. Então, ele deixou o apartamento e foi direto para o cassino clandestino na região leste da cidade.

Capítulo 46

Daniel desceu a rua Union Street com a cabeça curvada, sentindo-se desolado. Ryan, Davy, Aruba e milhares de outras coisas passavam por sua cabeça. A raiva de Davy o tinha pego de surpresa. Ele nunca tinha visto Davy se comportar daquele jeito, não era sua natureza. "O beijo, fui muito burro", ele pensou, enquanto atravessava a rua em direção à rua Marshalsea Road, "beijar Ryan? No que eu estava pensando? Preciso sair de Londres por um tempo. Devo ir para Aruba sozinho? Qual é, Daniel, o que você vai fazer sozinho em Aruba?" – sua mente trabalhava sem parar.

– Menino Daniel – gritou Krissi, que estava do lado de fora de seu salão – como vai você, meu querido? Venha cá para a gente botar a fofoca... Quero dizer, a conversa em dia.

"Isso é tudo que eu precisava. Krissi!!!", ele pensou.

Ele acenou brevemente para ela e fez uma curva acentuada e andou até o parque Mint Street Park. Ele subiu um pequeno morro e sentou embaixo de uma árvore. Sentiu seu traseiro frio e molhado. "Bristol. Vou voltar para casa da minha mãe", ele decidiu.

Seu celular vibrou em seu bolso traseiro. "Ah, droga. Espero que meu celular não tenha molhado".

Em seu celular havia algumas mensagens de Ed, Amy e Ryan.

> **Ed:**
> Dan, cara, preciso falar com você.

> **Ed:**
> É sobre o Jamie.

> **Ed:**
> Me liga quando vir essa mensagem. Bjo.

> **Amy:**
> Dan, estava pensando em você. Ed me deu uma correntinha de prata linda com uma estrela. UMA ESTRELA! Que lindo. Estou pensando em voltar para Londres antes do planejado. Você pode me ligar, por favor? Preciso de você. Beijos.

> **Ryan:**
> Oi, acredito que precisamos conversar. Estou de volta em Londres. Podemos nos encontrar antes de você ir para Aruba? Eu realmente gostaria de conversar com você. Beijos.

Daniel chacoalhou a cabeça como se todas aquelas mensagens o tivessem perturbado demais. Rapidamente, ele desligou seu celular. Ele precisava de um tempo sozinho, sem ninguém lhe pedindo conselhos, ajuda ou lhe cobrando. Sentiu vontade de gritar alto no meio do parque, contudo, era muito tímido para isso. Levantou-se da grama molhada e foi até a rua de trás, evitando a Marshalsea Road, caso Krissi ainda estivesse na porta de seu salão esperando por ele. "Aquela lá não perde uma", ele pensou.

***

Jamie suava e tinha borboletas no estômago. Ele observava a mesa em que escolhia para fazer suas apostas de uma certa distância. Ele amassou os envelopes que tinha tirado do cofre de Ed e os pressionou contra seu peito. Fechou os olhos, rezando por sorte. Ele decidiu apostar tudo o que havia roubado de Ed no número dezesseis. Era seu número da sorte e estava com um pressentimento bom dessa vez.

Com a quantia que tinha conseguido emprestado de Ed – isso foi o que ele disse a si mesmo ao invés de encarar como roubo – ele poderia ganhar milhões.

Ele se levantou do balcão do bar do cassino e andou lentamente em direção à mesa. Colocou os envelopes na mesa, e quando o crupiê viu a quantia, imediatamente pegou o celular e ligou para o gerente.

Três homens, bem altos e vestidos com ternos, apareceram e conversaram por um tempo. A comoção causada pela quantia que Jamie planejava apostar chamou atenção de diversas pessoas, que se juntaram em volta da mesa para assistir. Uma vez autorizada a aposta pelo gerente, todos se aproximaram do crupiê. O foco estava voltado para Jamie. O crupiê trocou as notas por pilhas de fichas cor prata valendo mil libras cada.

Quando o crupiê empurrou as fichas pela mesa em direção a Jamie, ele derrubou uma das fichas no número dezesseis. Esse era o sinal que Jamie aguardava. No momento em que lhe foram entregues todas as fichas, ele as colocou todas no número dezesseis. Todas as pessoas ao seu redor levantaram suas sobrancelhas, em sinal de surpresa, desacreditando no que estavam vendo. Milhares de libras sendo apostadas em um único número. Os três homens da gerência riram entre si, certos de que ele perderia todo o dinheiro.

Havia muita movimentação no entorno, uma vez que todos queriam apostar naquela mesa. O crupiê moveu seu braço pela mesa, sinalizando o encerramento das apostas.

O clima assemelhava-se ao de um estádio de futebol em uma partida de final de campeonato. Havia muitos empurrões e pessoas se espremendo para conseguir uma visão melhor da mesa de apostas. Jamie fechou seus olhos e esperou a bola prateada rodar pela roleta.

O som da bola, passando pelas divisórias metálicas ficou mais alto, indicando que a bola estava prestes a parar. Jamie cerrou seu punho e o pressionou contra seus lábios.

E, então, o barulho cessou, anunciando que a bola tinha parado.

***

Estava um frio absurdo. Amy vagava sem rumo pelo campo. Ela precisa de um tempo sozinha para pensar. Desde que tinha aberto o presente de Ed, não conseguia deixar de pensar nele. Ela sonhava com ele todas as noites, e até se sentiu mal por não ter levado o moletom velho que um dia fora de Ed, aquele que ela sempre vestia quando se sentia vulnerável.

O céu estava surpreendentemente claro para a época do ano. Sem nuvens no céu, havia algumas estrelas. Ela se sentou em uma rocha e fechou os olhos, lembrando do dia em que se conheceram. "Quatro anos se passaram e Ed sempre esteve ao meu lado", ela pensou enquanto olhava para o céu. "É ele, sempre foi ele!" Ela pulou, batendo as mãos, falando em voz alta: – Sempre foi Ed. Eu... – ela parou, pensando no que estava dizendo e, então, concluiu: – Eu o amo. Eu o amo!!!

Amy olhou para o celular e ficou frustrada quando viu que Daniel não tinha respondido às suas mensagens.

> **Amy:**
> Você está bem, Dan?
> Me responde, pfv.
> Beijos.

Ela colocou o celular de volta no bolso e ergueu a estrela brilhante em sua correntinha e a beijou. "Você é minha estrela", ela ouviu a voz dele em sua cabeça e imediatamente se deu um abraço, sentindo falta dele. Ela desceu da pedra e correu de volta para casa. "Estou voltando para Londres. Tenho que dizer a ele que eu o Amo", ela decidiu.

Capítulo 47

– Daniel, é véspera de Ano Novo. Você não pode passar o dia assim.

Daniel estava deitado no sofá na sala da casa de sua mãe, passando pelos canais da TV. Ele olhou para ela brevemente e nada disse. Olhou de volta para a TV e continuou a mudar de canal com o controle remoto.

– Tem certeza de que não quer sair comigo hoje à noite? Jackie e Bernard não se importariam se você fosse comigo na festa de Reveillon deles.

– Obrigado, mãe. Mas eu ficarei bem aqui.

– Eu ficaria em casa com você se soubesse que viria, mas já fiz planos e fica feio se eu cancelar com eles assim...

– Tudo bem. Só preciso de um pouco de paz e silêncio. Serei feliz aqui com fast food e assistindo a porcarias na TV.

Ele embrulhou sua cabeça no cobertor para deixar claro para sua mãe que não queria mais conversar.

***

Ed estava sem notícias de Jamie fazia dois dias. Jamie havia ignorado todas suas ligações e mensagens. As histórias que ele tinha ouvido de Mark Healey a respeito de Jamie o tinham assustado. De repente, seu telefone tocou, era Jamie.

– Eddo! – Jamie estava eufórico.

– Onde diabos você se meteu? Estava prestes a ligar para a polícia.

– Calma, maluco. Estou aqui embaixo. Quero te mostrar uma coisa. Desça! – ele desligou o telefone.

"Ele deve achar que sou o cara mais idiota do mundo", Ed pensou enquanto descia pelo elevador. "Chegando em casa em horários malucos e depois sumindo por dias e voltando sem explicações, enquanto estou aqui todo preocupado. Vou ter que dar um ultimato nele. Ele vai ter que sair do meu apartamento, e eu não vou ligar para onde ele for".

– Eddo, olha minha nova máquina – Jamie estava na frente de uma Ferrari Berlinetta vermelha. Ele tinha um sorriso largo no rosto.

– O que é isso, Jamie? Você alugou outro carro?

– Não! Essa belezinha aqui é minha. Toda minha. Te empresto qualquer hora.

– Como assim, sua? – Ed coçou a nuca. Era hora de sentar com Jamie e ter uma conversa séria. Ele precisava entender o que estava acontecendo. – Escuta, Jamie, precisamos conversar. Vamos subir e...

Jamie o cortou: – Ei, por que tanta seriedade? Qual é, vamos dar uma volta. Quero te mostrar o que essa beleza pode fazer.

Ed protestou, mas sem sucesso. Sentou-se no banco do passageiro e afivelou o cinto de segurança.

– Segure firme. Vai ser uma corrida das boas.

Eles foram do bairro de Bankside para Mayfair e continuaram seguindo para a região oeste. Jamie expressava um olhar muito estranho, mais malicioso do que o usual, e Ed se perguntou se o amigo estaria sob efeito de drogas. O seu comportamento não fazia muito sentido.

– Ei – Ed o repreendeu. – Estamos indo em direção à autoestrada e eu preciso voltar. Um amigo meu vai dar uma festa, e apesar de dizer que eu não ia, agora que sei que você voltou, eu posso ir.

– Nós não vamos voltar, Ed – Jamie soou sinistro.

***

Amy estava no trem Eurostar, muito feliz em voltar para Londres. Decidida a fazer uma surpresa para Ed, ela planejava uma noite romântica. "Da última vez que nos falamos ele me disse que não ia sair na véspera de Ano Novo", ela pensou. "Espero que não tenha mudado de opinião. Talvez eu devesse avisá-lo de que estou a caminho? Estúpida. É claro que você deve avisá-lo. É véspera de Ano Novo. Ele talvez saia se não souber que você está voltando e você vai dar com os burros na água."

> **Amy:**
> Ei Ed, estou no Eurostar, voltando para Londres. Queria saber se você tem planos para esta noite.

> **Ed:**
> Achei que você ficaria na França até dia primeiro de janeiro.

> **Amy:**
> Mudei de ideia. Estarei em Londres antes das 22h.

> **Ed:**
> Beleza. Te busco na Estação de S. Pancras, então. Ansioso para te ver :) Bjooo.

> **Amy:**
> Eu também :) beijos.

***

— Jamie, eu preciso voltar agora. Amy acabou de me mandar um whatsapp. Ela está voltando da França, e eu quero voltar para me trocar antes de buscá-la na estação.

– Nãão, Eddo! Que saco! É nosso momento juntos. Não tivemos nenhum momento de parceiros desde que voltei de Dubai. É como se você tivesse mudado para esse cara chato que eu não conheço mais.

– Claro que eu mudei. Eu não sou mais um estudante de dezenove anos. E você? Você não parece ter crescido nada. Chegando em casa todo dia com o nascer do sol, bêbado todos os dias...

– O que você é agora? Meu pai? Se toca! A vida é curta. Aproveite, porque passa rápido... Muito rápido.

A preocupação de Ed crescia a cada minuto. Definitivamente, tinha algo muito estranho no comportamento de Jamie. Ele dirigia pela estrada e ficava cada vez mais longe de Londres. Jamie ligou o rádio e tocava a música "Auld Lang Syne – The New Year's theme". Era uma versão dançante feita cantada pela cantora Mariah Carey. Jamie começou a cantar bem alto.

– Eu sei de tudo, Jamie – gritou Ed. – Eu sei sobre seu vício em apostas. Sei que perdeu todo seu dinheiro em Dubai por causa das apostas.

– We' take a cup of kindness... – Jamie cantou mais alto, como se não quisesse ouvir o que Ed dizia.

– Você quase faliu a empresa do seu pai. O Mark Healey me contou tudo. Seu negócio de tráfico de drogas, e você tendo de voltar para UK antes de ser pego.

– E lá vamos nós de novo, Sr. Tive-tudo-fácil-na-vida. Deve ser tão bom ser Ed Threadgold, hum?! Ed o "Filhinho de papai"... Ed o que herdou uma tremenda fortuna dos avós.

– Como você conseguiu dinheiro para comprar esse carro, Jamie? Você está envolvido com tráfico de drogas de novo? Eu quero saber a verdade. Eu não quero você no meu apartamento se você estiver envolvido em qualquer porcaria do tipo!

Jamie estendeu a mão para trás e pegou uma bolsa grande de viagem feita de couro que estava no chão, entre o banco da frente e o de trás. Ele jogou a mala no colo de Ed: – Abra! – ordenou.

EPISÓDIO REVEILLON **327**

– Mas o quê...? – Ed levantou as sobrancelhas em descrença. – Deve haver centenas de milhares em cédulas aqui.

– Milhões, Ed. Milhões, meu caro.

– Você está vendendo drogas? – Aflito, Ed passou os dedos no cabelo. – Jamie, fala pra mim. Como você conseguiu todo esse dinheiro? Alguns dias atrás você me pediu para te emprestar dinheiro de novo e agora, do nada, você tem milhões de libras em cédulas em uma bolsa? Me fale a verdade, quão desonesto isso é!

– Eu peguei algum dinheiro emprestado seu e...

– Você o quê?

– Jamie acendeu um cigarro: – Peguei dinheiro emprestado do seu cofre. Alguns milhares.

Ed tremia. "Jamie me roubou?", pensou. – Ele levantou as mãos e pressionou os lados de sua cabeça. – Não acredito que você me roubou!

– Mas, não se preocupe, Sr. Perfeito – disse Jamie. – Eu ganhei! Eu levei o dinheiro que – ele gritou – EMPRESTEI DE VOCÊ – no cassino e apostei – ele riu. – É engraçado, os dois primeiros dígitos do seu cofre são também meu número da sorte, e o número que eu joguei. Eu coloquei tudo em um único número. Você deveria ter visto as pessoas no cassino torcendo por mim. Ficaram com tanta inveja do que eu conquistei. Eu parecia um grande mafioso ali, sendo admirado por todos.

Ele falava sem parar enquanto Ed permanecia em silêncio, passando a ter medo de Jamie. Jamie acelerava e ultrapassava outros carros como se estivessem em uma corrida. Jamie estava totalmente fora de si. Ele falava ao mesmo tempo que cantava, acompanhando a música que tocava na rádio, e tragava o cigarro.

– Jamie, vá devagar. Faça um retorno e vamos voltar. Podemos conversar lá. Se acalme – Ed suava frio, sentindo que algo de pior estava para acontecer.

– Não seja um chato, Ed! Qual é?!

Jamie tinha um brilho perverso nos olhos. Ele jogou o cigarro pela janela e pegou uma garrafa de champanhe que também estava no chão, atrás dele. Ele foi torcer a rolha para abrir a garrafa quando Ed se mexeu para tirar a garrafa de sua mão: – Você não vai beber dirigindo!

Jamie virou o volante para os dois lados, freneticamente, ainda agarrado à garrafa de champanhe, e o carro dançou pela linha branca que dividia a estrada. Ele riu alto, parecendo muito perturbado. Sua risada entrou com tudo nos ouvidos de Ed e ecoou dentro de sua mente, aumentando ainda mais seu pânico. Ele gritou com Jamie novamente e pegou o volante, tentando estabilizar o carro.

De repente, o interior do carro ficou totalmente claro. Naquele instante, Ed lembrou do pesadelo que tinha tido quando ele, Daniel e Amy, voltavam do enterro da mãe de Amy na França. Ele rapidamente se lembrou de seus pais e seus avós, de Daniel e Amy e a noite em que se conheceram na universidade. Lembrou-se do sorriso de Amy, de suas brincadeiras e de como ficava linda quando sorria. A luz intensificou-se, e um caminhão de grande porte surgiu e colidiu com o carro deles. Ed sentiu uma forte pressão em seu coração, e tudo ficou escuro naquele instante.

Capítulo 48

Daniel levantou do sofá com uma sensação estranha. Seu coração disparou. "Que sensação horrível", ele pensou. Ele pressionou sua mão direita contra o peito na direção do coração. Se levantou e foi até a cozinha fazer um chá.

Uma hora depois, Amy estava do lado de fora da estação de trens Saint Pancras esperando por um táxi. Ela estava aborrecida com Ed por ter prometido buscá-la na estação e não ter aparecido. Esperava pelo táxi em uma longa fila, segurando impaciente o celular. Ela tentou diversas vezes falar com ele, mas as ligações iam diretamente para a caixa postal.

Ela estava prestes a fazer nova ligação quando seu celular tocou. Era um número desconhecido aparecendo no visor.

– Amy falando – ela respondeu abruptamente, esperando ser alguma chamada incômoda de alguma empresa de cobrança.

– Oi, Amy. Aqui é Linda Threadgold.

Amy sentiu arrepio na espinha quando ouviu a hesitação na voz da mãe de Ed.

– Sr.ª Threadgold. Está tudo bem?

– Não, querida, não está não. É o Ed... – ela parecia muito nervosa.

– Ele teve outra crise asmática? Foi isso? Vou te contar: seu filho nunca leva aquela bombinha. Sempre digo a ele para se certificar antes de sair de casa, mas...

– Amy, me escute – Linda a interrompeu. – Meu filho está no hospital. Ele sofreu um sério acidente de carro. Ele foi levado ao hospital e está em coma. Seu estado é gravíssimo – sua voz falhou.

As notícias atingiram o âmago de Amy. As palavras "acidente de carro" e "crítico" repetiam-se em sua cabeça. Amy precisou se apoiar em um poste de luz a fim de se sustentar e se recuperar do choque trazido pela notícia.

– Você poderia ir ao hospital ficar com ele até que eu e o pai de Ed consigamos pegar um avião de volta para Inglaterra?

Amy não respondeu. Ela estava em choque.

– Amy? Você ainda está aí?

– Sim, Sr.ª Threadgold. Me dê o nome do hospital e eu vou pra lá imediatamente.

Daniel estava sentado na mesa da cozinha de sua mãe, ainda com o mesmo sentimento de angústia. Ele mexia seu chá e olhava para o relógio na parede, que marcava onze e meia da noite. "Mal posso esperar para esse ano acabar", ele pensou.

A porta da frente abriu e sua mãe tinha voltado.

– Mãe, o que você está fazendo em casa? E a festa?

Helen o abraçou: – Ah, querido. Eu não me senti bem em ficar lá e comemorar a chegada do Ano Novo sabendo que meu menino estava aqui em casa sozinho.

– Não precisava, mãe. Eu estava bem aqui sozinho – ele fitou os olhos de sua mãe e forçou um sorriso. – Mas obrigado. Será uma boa passar a véspera de Ano Novo com a melhor mãe do mundo.

Ela lhe entregou o celular: – A propósito, seu celular estava tocando quando eu entrei. Você tem várias ligações perdidas.

Havia uma ligação perdida de Ryan e várias de Amy, assim também um número bloqueado. Ele olhou pelas diversas mensagens de whatsapp, a maioria de conhecidos, desejando feliz Ano Novo, contudo, foi a mensagem de Amy que chamou sua atenção. Seu coração apertou no momento em que leu a mensagem.

– Filho, você ficou muito pálido, está tudo bem?

Daniel ligou para Amy imediatamente e esperou em pânico que ela atendesse.

– Dan! – Amy gritou ao telefone, extremamente aflita ao atender.

– Acabei de receber suas mensagens. Sinto muito. O que aconteceu? Ele teve outra crise asmática?

– Não, Dan. Ed e Jamie sofreram um acidente de carro horrível – ela desabou. Entre chorar e quase gritar, ela disse: – Ambos estão em estado crítico. É sério.

– Ai, meu Deus! – exclamou Daniel.

– A mãe dele me ligou, pedindo pra correr para o hospital. Os pais dele estão voltando de Barbados. Eles te ligaram também, mas você não atendeu.

– Onde ele está? Vou tentar chegar aí o mais rápido que puder, mas é véspera de Ano Novo, e eu bebi vinho, tenho que ver se consigo uma carona ou algo... – ele falou todas as frases atropeladamente, pensando muito rápido sem noção do que fazer. – Você está bem? Tem alguém aí com você? Meu Deus... Eu estou aqui tão longe de vocês.

– Estou sozinha no momento – Amy respondeu, entre lágrimas. – O JC está a caminho. Os médicos disseram que eles não estão nada bem. O que eu faço?

Dan andava pela cozinha, e Helen estava muito aflita, não entendendo o que estava se desenrolando ao telefone. Ela tentou perguntar o que tinha acontecido, mas tudo que Daniel pôde fazer foi balançar a cabeça enquanto as lágrimas banhavam seu rosto.

Daniel respirou fundo: – Escute, eles precisam que você seja forte agora. Eu também. Preciso que você me mantenha informado sobre o que está acontecendo.

Amy recuperou um pouco de sua compostura: – Eles não vão me dizer muito, porque não sou da família.

– Diga a eles que você é namorada dele.

Ela começou a chorar: – De qual dos dois?

– Acho que ambos sabemos de qual, Amy.

Amy mordeu os lábios enquanto lágrimas caiam pelo seu rosto: – Tem alguém me ligando. Deixa eu atender e, então, vou falar com os médicos e te ligo de volta.

– Ok, mas me liga o quanto antes.

Daniel desligou e imediatamente abraçou sua mãe.

– Algo terrível aconteceu, não foi? – perguntou Helen.

Daniel estremeceu quando respondeu: – Ed e Jamie sofreram um acidente de carro. Ambos estão em estado crítico.

– O Ed não! – exclamou Helen. – Por favor, o Ed não.

Apesar de ter terminado com sua filha, Ed era um perfeito cavalheiro e tinha tratado sua filha com total respeito. Helen esperava secretamente que eles reatassem.

– Eu não sei o que farei se perder Ed – chorou Daniel.

Eles se abraçaram e soluçaram em desespero.

* * *

De volta ao hospital Amy juntou-se a JC, assim como à irmã de Jamie, Lucy. Todos estavam completamente chocados e se sentindo perdidos, uma vez que estavam desesperados por notícias da equipe médica.

O celular de Amy tocou com uma ligação de Daniel: – Ainda sem novidades – ela disse a ele – mas a irmã de Jamie, Lucy, está aqui, assim como JC. É tudo muito triste, Dan. Estão todos arrumados para a festa de Ano Novo. É quase meia-noite, e tudo o que podemos fazer agora é rezar por um milagre.

Amy segurou a mão de Lucy quando JC colocou sua mão no ombro de Amy.

Daniel virou para sua mãe e sinalizou: – Sem novidades.

– Ok – ele disse a Amy. – Bem, me fale assim que você souber de algo. Me sinto tão inútil aqui. Eu deveria estar aí com vocês.

– Você está em Bristol – Amy respondeu. – Como você poderia estar aqui? É só mais uma daquelas situações da vida... Não se torture.

– Vou partir logo de manhã, mas quando souber de algo, me liga. Você sabe o que aconteceu exatamente?

– Pode deixar, eu ligo – ela prometeu. – Não, não temos ideia sobre o que aconteceu. Parece que perderam o controle do carro.

Daniel terminou a ligação e abaixou seu celular.

Que ano – ele disse. – Faltam apenas cinco minutos, mas mal posso esperar para que acabe.

Helen assentiu: – Gostaria que seu avô estivesse aqui – ela disse. – Ele sempre foi ótimo em momentos de crise como esse. Eu realmente sinto a falta dele.

Daniel a confortou e em seguida pegou sua mochila. Ele puxou o relógio de bolso que Helen tinha dado a ele no dia de seu casamento. Ele posicionou o relógio, com a corrente e uma chave, em sua mão.

Helen sorriu: – Essa deve ser a chave para o baú dele.

– O velho baú de madeira que ele tinha em sua biblioteca?

– O baú está na sala de jantar agora. Vamos tentar abri-lo? É quase meia-noite, então, seria ótimo se um pouco do seu avô estivesse aqui conosco neste momento.

O baú rangeu alto quando abriram a tampa. Dentro, havia muitos diários amarrados por laços de couro. Eles olharam um para o outro quando Daniel tirou um. Eles o seguraram juntos quando o relógio marcou meia-noite.

Na capa de um dos diários estava escrito: *As crônicas de Astra*. Helen e Daniel se abraçaram com o periódico amassado em meio a eles.

– Esses são os diários que ele escreveu sobre sua teoria – as sobrancelhas de Daniel estavam arqueadas: – Você se lembra?

– Claro – Helen respondeu. – Ele amava a teoria. Confesso que não posso dizer que alguma vez prestei muita atenção.

Curto tempo se passou e Daniel estava deitado no sofá com o celular do seu lado. Helen tinha dormido no braço da cadeira. Daniel tinha desamarrado o laço de um dos diários e estava lendo *As Crônicas de Astra*. Ele ficou intrigado quando foi levado de volta à sua infância. Ele tinha lido a parte sobre as estrelas, os planetas e as luas. Lia a seção dos cometas.

"Um cometa pode ser o mais espetacular de todos, dizia o texto. Pode criar uma exibição fantástica e todos em volta admirarem. Entretanto, um cometa pode ser incrivelmente destrutivo e quando está em curso de colisão pode causar estragos e devastação".

Daniel olhou para o céu e percebeu que Jamie era um cometa. Ele colidiu com Ed – um planeta – e levou à destruição de ambos.

Lágrimas caíram de seu rosto: "Por que eu não vi isso antes? Eu poderia ter impedido isso, mas não fiz, e eu tinha tudo que precisava saber aqui", ele pensou.

Ele pegou seu celular para ligar para Amy. O celular dela foi direto para a caixa postal. Ele se desesperou e ligou para JC. A ligação novamente foi para a caixa postal. Daniel deixou mensagens pedindo para que ligassem para ele.

Capítulo 49

Alguns instantes depois, Amy ligou.

– Está tudo bem? – perguntou Daniel em tom desesperado.

Amy chorava: – Dan, estou com tanto medo de que ele não consiga resistir – e ela mesma se corrigiu: – Que ELES não resistam, eu quis dizer. Os médicos não estão nos dizendo nada.

Daniel parecia ensandecido: – Amy, pode parecer loucura, mas estou lendo os periódicos do meu avô, e aqui diz que como uma lua você tem maneiras de ajudar o Ed a passar por isso. Você precisa ser positiva e o ajudar a voltar. Coloque todo o seu amor e foque em trazê-lo de volta. Tente entrar no quarto para vê-lo. Fique perto dele.

– Farei qualquer coisa agora mesmo para ajudá-lo. Vai funcionar para Jamie também?

Daniel parou, lembrando que eram duas pessoas, duas vidas: – Deve ser o mesmo para ambos. Tente.

– Um momento – pediu Amy. – O médico está vindo.

Daniel ouviu Amy falar com o médico e, então, ela voltou para a ligação.

– Eles estão permitindo que eu o veja. Mas disseram que ainda não há nenhuma melhora, e que saberemos melhor na próxima hora.

– Deixaram você ver quem?

– Ed – ela respondeu, soluçando. – Eu falei para eles que ele é meu namorado.

Daniel fechou os olhos conforme as lágrimas fluíam: – Dê a ele tudo que você tem. Dê a ele todo o seu amor neste momento, Amy.

– Darei. Prometo – as lágrimas rolavam sem parar pelo seu rosto.

Amy entrou no quarto de Ed, mas ficou petrificada. Ela colocou a mão na boca, em choque. Ed estava deitado na cama de hospital, conectado a um aparelho de ventilação que o ajudava a respirar. Sua aparência era lastimável.

Ela, lentamente, aproximou-se da cama e tocou sua mão. Não havia nenhuma resposta ao seu toque. Amy relembrou a conversa com Daniel e começou a conversar com Ed, tentando encontrar dentro dela qualquer motivação que pudesse dar a ele a fim de trazê-lo de volta.

Ela tocou a estrela no colar que ele havia comprado para ela como presente de Natal.

– Sinto muito – ela soluçava. – Sinto muito não ter dito antes, mas você é minha constelação. Você é tudo para mim, Ed. Eu te amo... Eu te amo muito. Por favor, não me deixe. Você me faz melhor – chorava tanto que quase não conseguia pronunciar aquelas palavras.

Instantes mais tarde, Lucy entrou correndo no quarto: – Amy, é o Jamie. Preciso de você comigo, por favor, venha.

Amy a seguiu até o quarto onde ele estava. Ele parecia estar no mesmo estado que Ed, ligado a um ventilador com vários machucados, embora seu rosto estivesse mais afetado, com várias lesões, e ambos os olhos estavam bastante inchados. Amy aproximou-se da cama, acompanhada pela irmã dele, e fechou os olhos, rezando pela sua recuperação.

– Amy! – gritou JC, assustado, quando entrou no quarto. – Eu preciso de você. Por favor, venha comigo.

* * *

Horas depois, Daniel estava adormecido no braço da cadeira quando seu celular tocou, fazendo-o despertar em um sobressalto.

– Amy! – ele atendeu ao celular rapidamente.

– Dan! – Amy chorava do outro lado da linha.

– O que aconteceu? – Daniel sentiu uma dor forte cortar-lhe o peito.

– Ele... – sua voz estava cortada. – Ele se foi...

CONTINUA...

THE FINAL LIGHTS
(Valter DS)

I saw the lights
(Eu vi as luzes)
But I didn't see the signs of danger
(Mas eu não vi os sinais de perigo)
I saw it coming
(Eu vi se aproximando)
But I couldn't see you there for me
(Mas, eu não a vi esperando por mim)

(Chorus)
I was falling, I was falling
(Eu estava caindo, caindo)
I was falling hard onto the ground
(Eu estava indo com tudo ao chão)
And I was calling, I was calling
(E eu estava chamando, chamando)
I was calling your name among the stars
(Eu estava chamando seu nome por entre as estrelas)

Couldn't you see that I was falling?
(Você não podia ver que eu estava caindo?)
Could you hear me as I was calling?
(Você não podia ouvir que eu estava chamando?)
Your name
(Seu nome)
Your name
(Seu nome)
Your name
(Seu nome)

(Chorus)
I was falling, I was falling
(Eu estava caindo, caindo)
I was falling hard onto the ground
(Eu estava indo com tudo ao chão)
And I was calling, I was calling
(E eu estava chamando, chamando)
I was calling your name among the stars
(Eu estava chamando seu nome por entre as estrelas)

Oh, you're everything I've fought for
(Oh, você é tudo o que eu lutei para ter)
You're everything I've hoped for
(Você é tudo o que eu sonhei)
And now I lost in the split of a second
(E agora eu lhe perdi, em menos de um segundo)
In the flash of a light
(Num raio de luz)
Now I am flying
(Agora eu estou voando)
I am flying
(Voando)
I am flying high up to the sky
(Eu estou voando alto até os céus)
My star..
(Minha estrela..)

Agradecimento Especial

Gostaríamos de agradecer ao nosso querido amigo e designer gráfico, Raphael Sanzio, por nos presentear com esta linda capa. Raphael foi o nosso primeiro leitor e, envolvido com a história, ofereceu a arte da capa como presente.

Para vocês, que amaram a arte da capa, tanto quanto nós, fiquem à vontade para mandar um recado para ele lá no seu Instagram: @raphael.sanzio

Agradecimentos aos Músicos

Gostaríamos de agradecer ao nosso querido amigo e super mega talentoso, Martchelo, que produziu todas as faixas da trilha sonora, além de emprestar a sua voz e cantar em muitas delas. Martchelo acreditou no nosso projeto musical desde o começo e foi o nosso grande parceiro nesta nova jornada, sempre lidando com o projeto com muito carinho e profissionalismo. Ele não apenas nos ajudou a compor a maioria das músicas e a cantar, mas também a remasterizar todas elas – incluindo as músicas dos demais artistas, e a produzir o album final.

Convidada por John, a belíssima cantora espanhola e agora amiga de todos nós, a querida Rocio Ruano, coescreveu a faixa "Autumn Days" com Valter e a embelezou com sua voz. De ambos, fica registrado o nosso obrigado pelo seu apoio, sua alegria toda vez que nos encontramos e conversamos sobre o nosso projeto.

Créditos musicais:

Músicas originais:

Across the Sky – Casting Stars Theme
(John Nolan, Valter DS, Martchelo)

#LOML
(Valter DS, Martchelo)

Autumn Days
(Valter DS, Rocio Ruano)

Just Hurts
(Valter DS, John Nolan, Martchelo)

Warrior
(Valter DS, Martchelo)

Keep on Shining
(Valter DS)

Lennon
(Valter DS)

Um pouco mais sobre os músicos
Martchelo

Produtor, compositor e cantor.

Brasileiro, radicado na cidade de Londres na Inglaterra. Canta desde criança e já produziu para grandes nomes no mundo da música no Brasil e fora do Brasil. Seu mais recente trabalho foi a música "The Die Is Cast" em que coescreveu e co-produziu com o produtor Michael Cretu para o Album "The Fall of An Rebel Angel" do grupo Enigma.

contatos:
email: info@martchelo.com
Instagram: @martchelomusic

Rocio Ruano

Cantora, compositora e dançarina. Espanhola, nascida nas Ilhas Canárias, hoje reside na cidade de Londres, na Inglaterra.

Rocio canta e dança desde criança. Quando criança participou de programas de calouros na Espanha, onde alcançou a fama e despertou, então, o seu sonho de inspirar as pessoas com sua arte.

Dividiu o palco com grandes artistas como Alejandro Sanz, Laura Pausini, Julio Iglesias dentre outros.

Instagran: @rocioruanomusic
www.facebook.com/RocioRuano

Créditos das músicas mencionadas na história:

Tell Him
(Bert Berns, Exciters)

A Million Love Songs
(Gary Barlow, Take That)

Kissing a Fool
(George Michael)

All Out of Love
(Clive Davis, Graham Russel, Air Supply)

Pretty Woman
(Roy Orbison, Bill Dees)

If I Were a Boy
(BC Jean, Toby Gad)

I Knew You Were Trouble
(Taylor Swift, Max Martin, Shellback)

The Girl of Ipanema
(Antonio Carlos Jobim, Vinicius de Moraes)

Quiet Nights of Quiet Stars
(Antonio Carlos Jobin, Gene Lees)

Wonderful Tonight
(Eric Clapton)

Fly Me To The Moon
(Bart Howard)

Price Tag
(Jessie J, BoB, dr Luke)

Laser Light
(Jessie J, David Gueta, Girogio Tuinfort, The invisible men,
Fred Riesterer)

Love of My Life
(Freddie Mercury)

I Saw Mommy Kissing Santa Claus
(Tommy Connor, Shoichi Kusano, Ingridi Reuterskiold)

An American Trilogy
(Mickey Newbury, Jacqueline Nero)

Can't Help Falling in Love
(Luigi Creatore, Hugo Peretti, George David Weiss)

The Wonder Of You
(Baker Knight)

I Want You, I Need You, I Love You
(Maurice Mysels, Ira Kosloff)

Blue Moon
(Laurence Hart, Richard Rodgers)

Suspicious Minds
(Mark James)

All I Want For Christmas is You
(Mariah Carey, Walter Afanasieff)

Last Christmas
(George Michael)

Auld Lang Syne - New Year's theme
(poema escrito por Robert Burns)

Autor
John Nolan

John Nolan nasceu em Liverpool – a terra dos Beatles – na Inglaterra e atualmente ele mora na cidade de Londres, na Inglaterra.

John é aquariano e se autodescreve como o típico britânico e tudo o que vem no pacote, porém, confessa ser um grande admirador do Brasil – país que visitou por diversas vezes.

Casting Stars é o seu primeiro projeto na área de criação e em suas palavras: o projeto Casting Stars, uma colaboração de coautoria com o autor Valter DS, é a culminação de muito trabalho, muito amor e também muitas discussões com o coautor. Casting Stars é um apanhado de personagens especiais e o nosso universo particular com a nossa perspectiva sobre a vida e o amor.

Instagram: @johnnolan_castingstars

Autor
Valter DS

Valter DS reside há quinze anos na cidade de Londres, na Inglaterra. É Sagitariano nato, e como bom sagitariano, ele se diz amante de viagens – já visitou mais de vinte e sete países e também se descreve como um romântico incorrigível.

Valter estudou teatro na adolescência e tem adoração pelos palcos, porém seu amor mais forte é pela escrita e a arte de fazer as pessoas sonharem através de suas histórias. Sua escrita é sempre comprometida em levar até seus leitores mensagens de amor e reflexão.

Casting Stars é o seu quarto livro, e com seus outros três romances Valter DS já vendeu mais de 100 mil exemplares no Brasil e pelo mundo afora, alcançando a lista dos mais vendidos da Amazon nos EUA e Reino Unido.

Instagram: @valterdossantos26
Facebook: valterdossantos.autor

Algumas curiosidades sobre *Casting Stars*

Logo no começo, quando *Casting Stars* tinha um outro nome, uma outra *vibe*, cheguei a pensar que o nome de Amy seria Rebecca. Foi John quem disse: – Não, ela chama-se Amy.

Minutos depois, um panfleto voou sobre nossos calcanhares enquanto caminhávamos na rua. No panfleto - pasmem - o título do comércio divulgado era 'Amy's cleaning company'. Claro que entendemos o sinal do universo, e daquele dia em diante, a personagem Amy nasceu para nós.

No meio do processo de criação, eu viajei para o Brasil para participar da Bienal do livro em São Paulo. Na ida, resolvi passar alguns dias em Nova York. Sentado em uma cafeteria no *Upper East Side*, escrevendo a parte em que Daniel, Ryan e JC vão ao bairro de *Peckham* visitar Mimi, eu me inspirei no grande Frank Sinatra, afinal, estava na cidade dele. Escrevi a parte em que Ryan dizia a Mimi: "Mal posso esperar para fazermos nossos passos de dança enquanto cantamos algumas músicas do Frank."

Naquele exato momento, os alto-falantes da cafeteria em que eu estava começaram a tocar uma música de Frank Sinatra. Eu me arrepiei, da cabeça aos pés. E pensei que deveria mandar uma mensagem ao John para contar a ele o que acabara de acontecer. E vejo o visor do meu celular acender com uma ligação *Facetime*. Claro, que era ele, fazendo *Facetime* direto de Chicago, onde estava em férias. Imaginem, eu sentado na cafeteria, com meu *laptop* para escrever aquela cena, penso na música do Frank Sinatra e imagino o Ryan dizendo aquela frase à Mimi, e Frank Sinatra começa a tocar na cafeteria. Depois, penso em contar ao John o ocorrido, e ele, que estava em férias me chama no *Facetime*!!! Coincidência? Nãoooo... era mais uma vez o universo, nos anunciando que aqueles personagens deveriam nascer para o mundo.

Nos últimos anos, estivemos rodeados de estrelas todos os dias das nossas vidas. Onde íamos, as víamos. Às vezes estavam nas roupas de pessoas no metrô, às vezes em *outdoor* de propaganda... e uma vez até no violão da Madonna, quando fomos ao seu show da turnê *Rebel Heart* no *O2 Arena* em Londres. Sem falhar, o Universo, nos presenteou todos os dias com elas, nos lembrando dos nossos queridos personagens e das histórias que tínhamos que contar e dividir com o mundo.

Temos muito mais histórias e curiosidades para dividir com vocês. Juntem-se a nós e nos contem as suas experiências com este universo chamado *Casting Stars* que é tão especial para nós dois.

Eu e o John esperamos por vocês.

Vocês podem me contatar:
    Instagram: @valterdossantos26
                 @johnnolan_castingstars
    Facebook: www.fb.com/valterdossantos.autor

Divida também as suas experiências com o Universo *Casting Stars* usando #castingstars e #castingstarsbook sempre nos marcando e marcando também a nossa querida editora @letramais - que nos ajudou a levar nossa turma e suas aventuras até vocês.

Eu, o John, e a editora Letramais, esperamos por vocês.
Best wishes,

Valter DS.

Para receber informações sobre os lançamentos da
LETRAMAIS EDITORA,
cadastre-se no site

letramaiseditora.com

Para saber mais sobre nossos títulos e autores, bem como
enviar seus comentários sobre este livro, mande e-mail para

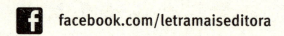